TEORIA DE CASTILLA LA NUEVA

BIBLIOTECA ROMANICA HISPANICA
DIRIGIDA POR DAMASO ALONSO

II. ESTUDIOS Y ENSAYOS

MANUEL CRIADO DE VAL

TEORIA DE CASTILLA LA NUEVA

LA DUALIDAD CASTELLANA EN LOS ORIGENES DEL ESPAÑOL

BIBLIOTECA ROMANICA HISPANICA
EDITORIAL GREDOS
MADRID

N.° Registro: 4397-60

Depósito legal: M. 9363-1960

Gráficas Cóndor, S. A. — Aviador Lindbergh, 5 — Madrid-2 1069-60

INTRODUCCION

Ninguna preocupación parece ser más viva en los críticos e historiadores españoles, de la ya casi pasada generación, que la definición de España. Se suceden los grandes libros, en apariencia objetivos, que esperan apasionada, obsesivamente, afiliarnos a un concepto más o menos extremado; a una ambiciosa síntesis española.

En el extraño pleito que sobre el tema de España han entablado Américo Castro [1] y Claudio Sánchez Albornoz [2] queda, al fin, deformada la figura histórica de nuestro país; oscurecidos sus rasgos por unos juicios demasiado rotundos y contradictorios, encaminados, ante todo, a rebatir una tesis antipática en todos sus puntos y sobre todos los terrenos.

La historia española se aleja así de su misión. La creación artística, llena de novedades valiosas, de Américo Castro, se envuelve en un ropaje erudito. La reseña crítica de Sánchez Albornoz se hace obsesiva, demasiado larga y personalista. Lástima que tanto esfuerzo y tanta inteligencia sean desvirtuados por la excesiva y mutua parcialidad.

---

[1] *España en su Historia. Cristianos, moros y judíos,* Buenos Aires, Losada, 1948. La segunda edición lleva por título: *La realidad histórica de España,* México, Porrúa, 1954.

[2] *España, un enigma histórico,* Buenos Aires, Editorial Sudamericana, 1956.

Los críticos y novelistas del 98 son, sin duda, los antepasados directos de esta ansia renovada por explicar la fórmula que ha hecho posible la contradictoria historia española. Predomina desde entonces el pesimismo; la sospecha de que hay una dolencia en nuestro organismo físico o moral. A la quiebra económica y a la mezcla de razas se ha cargado, de manera no muy clara, el peso de la principal responsabilidad.

En la ambiciosa pretensión de definir la imagen de España se suele incurrir en un grave error metodológico: se confunden unidades heterogéneas al unir determinadas épocas y regiones de características muy diferentes, sólo asimiladas en fecha reciente. A las mismas grandes denominaciones de Castilla o de España sólo es posible darles su sentido actual si se escoge el momento con prudencia.

Desde Saussure, los estudios lingüísticos esquivan cuidadosamente este peligro y separan los planos sincrónicos (especie de cortes longitudinales en la Historia) de la evolución diacrónica, concepto este último cada día más propicio a reducirse a la simple suma de estados sucesivos. Sin duda, los historiadores políticos españoles tienen un criterio más o menos similar formado sobre sus propios problemas, pero en su aplicación práctica apenas se advierten los efectos. La proyección horizontal y vertical de que habla en algunas ocasiones Sánchez Albornoz, está prácticamente ausente de su esencial versión histórica.

Pero es lo cierto que una historia tan varia y accidentada como la nuestra exige una extrema precisión a la hora de clasificar sus distintas unidades, tanto geográficas como políticas o lingüísticas. La unidad española es hoy un hecho real, pero la causa principal de sus innumerables vicisitudes está en la múltiple personalidad de sus regiones, que, a su vez, procede de sus variadas épocas históricas. El establecimiento de unos períodos claros y precisos es una de nuestras principales finalidades. Castilla la Nueva es por ello, en nuestra teoría, un concepto restringido al período que media entre la reconquista de Toledo (1085) y la expulsión de los moriscos (1609). Naturalmente, que el rigor de estas fechas no delimita, en la realidad, una frontera insoslayable.

Al estudiar el complicado marco de culturas y de razas, que está en la base de la historia española, es, asimismo, indispensable atender a sus varias estructuras transitorias y locales. No es lícito confundir con la actual conciencia española la de otros pueblos que vivieron en la Península con distinta raza, religión, lengua y cultura; lo cual no impide que puedan tener con nosotros rasgos familiares. La historia de romanos, visigodos, árabes y judíos en la Península no debe confundirse con nuestra historia de España, aunque forme parte de su sustrato.

Como es extremoso unificar cuanto ha sucedido en la geografía peninsular, también lo es la visión, parcial, que hace dependiente de una zona o de una época determinada el resultado moderno que se considera definitivo. Para que el análisis histórico sea eficaz, es preciso establecer una periodicidad rigurosa y considerar dentro de sus propias circunstancias las épocas de formación: la clave histórica de un largo período medieval no tiene exacta continuidad con nosotros, y su estudio nos obliga a considerar una doble y aun triple orientación; a combinar la historiografía cristiana de la reconquista con la versión musulmana, aun a pesar de la difícil conciliación de las crónicas con los relatos islámicos. Es preciso reunir sobre una base ideal la comunidad y la lucha medieval de las tres religiones; dar su situación y valor reales a la persistente población indígena. Sólo merced a un gran esfuerzo erudito nos será posible comprender ese mundo peninsular medieval, tan distinto del nuestro, ya que de éste han sido desplazados radicalmente dos de sus elementos formativos: el judío y el musulmán.

No sabemos, realmente, en qué puede fundarse la tajante afirmación de Américo Castro, según la cual "en el año 1000, la

España cristiana era ya en la esencia como en el 1600" [3]. A falta de los seis siglos más decisivos, de transformación más intensa de la estructura social española, no son necesarias muchas pruebas para desmentir esta afirmación. Es criterio muy peligroso prescindir del análisis minucioso cuando se trata de realidades tan complejas como España, que obligan a pasar por los siglos mucho más despacio.

La confusión a que conduce esta mezcla heterogénea de unidades históricas se hace todavía mayor al mezclarse las regiones, que sólo en época relativamente reciente han logrado su verdadera y firme unidad, y que representan dentro de la síntesis española aspectos bien diferenciados. Nuestros historiadores, y también nuestros filólogos, han incurrido en el grave error de considerar en forma unitaria a las dos Castillas, a pesar de que están bien definidas, tanto en su historia como en su geografía. Y no debe considerarse como un simple problema local la diferenciación castellana, ya que no es dudoso que en las dos mesetas centrales se forjó, en proporción esencial, la gran historia peninsular.

En torno a Castilla giran obsesivamente tanto la tesis cristiano-islámico-judía de Américo Castro como la occidentalista de Sánchez Albornoz. Su diferencia principal está, probablemente, en que mientras la primera tiende a la imagen preferente de Toledo, en Sánchez Albornoz domina la figura representativa de Burgos [4]. Podían haber llegado a un acuerdo si en lugar de

---

[3] *España en su Historia,* Prólogo, pág. 11. Menéndez Pidal dice acertadamente lo contrario: "En esta época, la más crítica de todas las reseñadas, el mapa lingüístico de España sufre mudanzas fundamentales. Este cambio del mapa lingüístico es parejo al gran cambio que sufre el mapa político entre 1050 y 1100; no hay otros cincuenta años en la historia de España que presenten tantas variaciones de Estados como esta segunda mitad del siglo XI." *Orígenes del español,* 5.ª ed., pág. 512.

[4] Es expresivo el que Toledo no figure en el "índice temático" del libro de Sánchez Albornoz más que en tres referencias (1, 252; I, 254; II, 121), frente a las 116 en que aparece Castilla.

una falsa generalización hubieran separado la Vieja Castilla, de predominio cristiano occidental, de la Nueva, descendiente directa del complejo mozárabe-judaico-islámico del Reino de Toledo.

Pero lo cierto es que en la diferenciación de estas regiones se esconde uno de los más decisivos problemas de la historia española, aunque, naturalmente, España es algo más que Castilla, del mismo modo que el español es algo más que el castellano. El afortunado concepto lingüístico que define a este último como un complejo dialectal puede aplicarse, ampliado, al proceso de unidad-diversidad que define nuestra síntesis regional.

Es bien de lamentar que la confusión entre las dos Castillas se encuentre en el punto central de la historiografía española. La oposición entre Castilla (como término genérico) y León, aun siendo menos significativa, ha predominado sobre la de Burgos frente a Toledo. Ninguna frontera geográfica establece, no obstante, un límite entre la región leonesa y la castellana, ni su historia deja de ser un progresivo avance cristiano hacia la Cordillera central, verdadera frontera entre el Islam y el Occidente. Oviedo, León y Burgos ven pasar una misma corte pasajera, cuyo definitivo emplazamiento, y su todavía más definitiva transformación, sólo vendrán con su llegada triunfal a Toledo.

Algo semejante sucede con el idioma, y no es la menor de las desviaciones a que nos ha llevado la confusión regionalista, la que fija los orígenes del castellano. La cuna del idioma ha sido delimitada, de acuerdo con la cuna de la reconquista, en una pequeña zona cántabra, cuya fuerza expansiva es indudablemente exagerada. Sin embargo, ni el castellano vulgar ni el literario tienen un origen tan simplista. Su base principal no es la invasión del dialecto cantábrico, sino el encuentro y la fusión de éste con el mozárabe toledano y el andaluz. Correspondería al primero la inicial evolución fonética y morfológica modificada, a raíz de la conquista de Toledo y del establecimiento de la Cancillería Imperial, por las características mozárabes de los dialectos del Sur. La presión de estos dialectos hacia el Norte no sólo llega a neutralizar el avance cántabro, sino que inicia una influencia andaluza, que todavía se mantiene en nuestros días.

El criterio, excesivamente fonético, de nuestros lingüistas de principios de siglo, ha desequilibrado este problema, al desatenderse los importantes cambios léxicos, morfológicos y sintácticos que se operan en el castellano de la Baja Edad Media. Lástima grande, asimismo, ha sido que junto al modelo lingüístico del *Poema del Cid* y de la primitiva epopeya, no estuvieran presentes en semejante grado de atención los fondos mozárabes, que todavía esconden una de las principales fuentes del castellano, y, salvando su distanciamiento histórico, los documentos de la Cancillería de Alfonso X.

Algo semejante sucede en el aspecto literario. En la épica y más concretamente en el Poema y en la figura del Cid se ha situado la más genuina representación de lo "castellano". Pero lo cierto es que Castilla la Nueva no tiene parte activa en esta epopeya. Más aún, en tierras del Reino de Toledo aparecerá, más tarde, la crítica irónica del idealismo caballeresco que toda epopeya representa. Literariamente —dice Menéndez Pidal— se distingue Castilla por "haber sido la única que dentro de la Península heredó la poesía heroica de los visigodos" [5]. Convendría explicar que es a Castilla la Vieja a quien únicamente puede referirse esta afirmación y añadir que no hay posible conjunción entre el Cid y Don Quijote.

La literatura de Castilla la Nueva no tiene su verdadero origen en el *Poema del Cid,* sino, más tardíamente, en la literatura alfonsí y, sobre todo, en la obra de Juan Ruiz, representativa del espíritu toledano del siglo XIV, que continúan sin quiebra otros autores de esa misma región: El Arcipreste de Talavera,

---

[5] *La epopeya castellana a través de la literatura española,* Buenos Aires, Espasa Calpe, 1945, pág. 45.

Rodrigo Cota, los autores de *La Celestina* y del *Lazarillo*, Cervantes, hasta desembocar en el gran apogeo dramático, madrileño, de los siglos XVI y XVII.

La confusión ha nacido, sin duda, del deseo de enlazar en una sola cadena la sencilla literatura épica y religiosa de la Castilla nórdica con la compleja y equívoca de la Castilla del Sur. No se ha visto, o no se ha querido ver, que había demasiada distancia para saltar del *Poema del Cid* y de las ingenuas canciones de Berceo al universo irónico de Juan Ruiz, ni que el abismo que separa el concepto polar de la mística, de la encrucijada tortuosa de *La Celestina*, el *Lazarillo* y el *Quijote*, es casi infranqueable. Frente a frente, las dos Castillas han opuesto durante varios siglos sus modos de ser, y, a pesar de ello, los términos de "Castilla" y de "castellano" les han sido aplicados sin apenas distinción por nuestros más altos historiadores y filólogos.

Una vez establecida la delimitación regional, nuestro primer objetivo será "caracterizar", dar al concepto genérico de Castilla la Nueva los rasgos personales de un organismo con vida histórica real. A la "teoría de Castilla la Nueva", fundada sobre bases geográficas e históricas, seguirá su "fisonomía", que, contra el parecer de Sánchez Albornoz [6], se puede identificar con tanta o mayor exactitud y objetividad a través de los documentos lingüísticos y literarios que por intermedio de la más lejana, arriesgada y subjetiva interpretación de la historia política. Las fuentes históricas de nuestra Edad Media están entretejidas con relatos literarios; y, por su parte, nuestra literatura medieval se caracteriza por un fuerte realismo, por una "actitud" histórica, que la convierte en un indispensable y seguro testimonio.

De acuerdo con la procedencia regional, no sólo de los autores, sino de determinados géneros y temas literarios, podremos llegar a una precisa exposición de nuestra historia literaria, ac-

---

[6] *España, un enigma histórico*, cap. I.

tualmente confusa por falta de perspectiva regional. Podrán resolverse problemas tan interesantes como la interpretación del *Libro de Buen Amor,* hoy desarticulado por una larga cadena de exégesis extremistas, que olvidan o desconocen el cerrado y directo localismo del Arcipreste, que es, ante todo, un castellano "nuevo", y su libro un reflejo fidelísimo de la vida en las villas alcarreñas y serranas en el siglo XIV. Podrá, al fin, deshacerse esa colosal falsificación crítica, cometida contra Juan Ruiz, al convertirle en discípulo de un lírico erótico y decadente, como Ibn Hazm [7], o en secuela de un goliardismo transpirenaico [8].

La fisonomía equívoca del reino toledano, todavía no bien incorporada al cristianismo, llena de signos contradictorios, se traducirá en el extraño sentido de *La Celestina* y en el no menos equívoco del *Quijote.* De igual manera que el deambular aventurero de los nuevos castellanos por la gran vía central de la Península, lo veremos descrito en la picaresca del *Lazarillo* y del *Buscón.*

Todavía con mayor precisión podremos conseguir, gracias al análisis de la lengua, ya sea vulgar o literaria, una caracterización de las unidades regionales. Si a través del lenguaje se puede identificar, como hemos comprobado recientemente, la personalidad de un autor [9], de igual forma se revelan en él las fisonomías históricas y locales. En la síntesis dialectal toledana pueden encontrarse los diversos elementos que estuvieron presentes en sus orígenes. En el diálogo especialmente, máxima creación estilística de Castilla la Nueva, aparecerá reflejada su esencia psicológica.

Por un camino semejante se podrá llegar, más tarde, al hoy

---

[7] A. CASTRO, *La realidad histórica de España,* cap. IX.

[8] F. LECOY, *Recherches sur le Libro de Buen Amor de Juan Ruiz, Archiprête de Hita,* París, Droz, 1938.

[9] M. CRIADO DE VAL, *Análisis verbal del estilo.* Anejo LVII de la *RFE,* 1953; *Indice verbal de "La Celestina".* Anejo LXIV de la *RFE,* 1955.

prematuro propósito de definir y caracterizar la fisonomía total de España, frente a la de otras unidades europeas o mediterráneas. Pero, para que esta fisonomía sea verdadera, habrán de recogerse sin confusión todas sus variantes regionales y todas sus cambiantes modalidades históricas.

PARTE PRIMERA

LA DUALIDAD CASTELLANA

CAPÍTULO PRIMERO

LAS DOS MESETAS CASTELLANAS: DETERMINACION GEOGRAFICA DE CASTILLA LA NUEVA

La geografía es el determinante más fuerte de la historia, ya sea política, literaria o lingüística; su causa permanente. Conocido el paisaje, es ya posible conocer y descifrar el arte, la literatura, el modo de ser y de pensar y, en resumen, la fisonomía de quienes viven en él. Para conocer y situar al hombre y su cultura es indispensable estudiar la tierra donde vive y comprender las causas de su permanencia en ella, que casi nunca dependen de una preferencia, sino de una necesidad. La geografía no sólo establece el curso de los ríos, sino también el itinerario de los caminos y de las invasiones; el mismo clima que fija una frontera a los cultivos la impone a las razas humanas [1]. Determinismo tanto más intenso cuanto más precisa, más cerrada en límites locales transcurre la vida de un país.

Los límites y efectos de esta determinación geográfica han sido simplificados con exceso, y esto ha motivado una reacción de cuantos defienden la autonomía, la libertad esencial de la

[1] Es muy clara la correlación, dentro de la Península, entre la línea del dominio árabe y la frontera natural del olivo. Los propios historiadores árabes, como El Idrīsī, señalan el hecho.

cultura humana. Sin embargo, la ley geográfica ha hecho y sigue haciendo sentir su implacable influjo en la historia. La riqueza del suelo, los accidentes naturales, la situación, se combinan en fórmulas bien determinadas, cuyas últimas y más poderosas razones son económicas y estratégicas: la posibilidad de vivir y la posibilidad de defenderse.

Determinantes de Castilla la Nueva

Castilla la Nueva no está únicamente determinada por su carácter de meseta, rasgo común con Castilla la Vieja, sino por el riego fertilizante de la cuenca del Tajo, que permite una cierta riqueza, y por las defensas naturales de la sierra y del río, que dan continuidad y garantía a su vida. En cierto modo, así como toda la Península está determinada por los Pirineos y por el Estrecho, Castilla la Nueva es definida por la Sierra y por el Tajo. Su situación en la gran avenida central de la Península y el establecimiento de vías esenciales de comunicación constituye, junto con los otros factores naturales, una permanente ley geográfica de su cultura.

Son varias e importantes las diferencias geográficas entre las dos mesetas centrales. La mayor elevación de Castilla la Vieja, aun no siendo grande, es suficiente para cambiar los cultivos y el clima. El olivo y el esparto, cuya importancia es decisiva en la caracterización de los pueblos mediterráneos, tienen su frontera a lo largo de la vertiente sur de la Cordillera Central. El haya y el abedul, por el contrario, no descienden a la meseta toledana.

De mayor importancia es todavía el distinto grado de aislamiento de ambas regiones. La del Norte está encerrada por un círculo montañoso y su amplia llanura domina los estrechos accesos señalados por los dos extremos de la Cordillera Central. Por el contrario, la meseta toledana es más fácilmente accesible por amplias brechas en el Sur y en el Sudeste, ya que el límite establecido por el Tajo no es rígido ni impide la comunicación. Tampoco desde el Sudeste se oponen al acceso altas cadenas montañosas, sino escalones relativamente fáciles de franquear. El famoso "muradal" de la Reconquista, en Sierra Morena ("saltus castulonensis", en la historia romana), tan sólo domina en 200 ó 300 metros la altura de la Mancha.

LAS FRONTERAS

La "frontera" es el elemento primordial de toda caracterización. Sólo cuando una región alcanza a tener conciencia de sus fronteras se siente acabada y segura, y tanto más firme en su individualidad cuanto más naturales y precisos son sus límites. Las montañas y los ríos, por fáciles de franquear que sean, constituyen límites fronterizos claros. Oponen una fácil defensa en tiempo de guerra y son obstáculo molesto para las comunicaciones en tiempo de paz.

Castilla la Nueva está determinada y limitada, en primerísimo lugar, por la Cordillera Central [2], que atraviesa transversalmente la meseta; la "sierra" por excelencia para los historiadores musulmanes, que separa a "las dos Españas" [3]. Ninguna otra línea

---

[2] SCHWENZNER, *Zur Morphologie des Zentralspanischen Hochlandes,* Stuttgart, 1936.—DANTÍN CERECEDA, *Actas del Congreso de Sevilla de la Asociación para el progreso de las ciencias,* t. VI, págs. 181-200.—L. SOLÉ SABARÍS, *España, geografía física,* vol. I de la *Geografía de España y Portugal,* por M. de Terán y L. Solé Sabarís, Barcelona, Montaner, 1952.

[3] En la "descripción" de España del Rāzī se precisa esta clara idea musulmana de la significación fronteriza de la Cordillera. Al describir el distrito de Guadalajara, dice así: "Otro (castillo) es el llamado Atienza, que es el más fuerte del distrito. Cuando los Musulmanes conquistaron España, hicieron de este castillo una atalaya contra los Cristianos de al otro lado de la Frontera, a fin de protegerse de ellos. *Su territorio está*

interior entre los Pirineos y el Estrecho de Gibraltar tiene un perfil tan definido dentro de la Península. El error de los geógrafos romanos, que enlazaban los Pirineos con la Cordillera Central [4], es justificable en una consideración estratégica y política. Tanto los generales cartagineses, como los romanos o los árabes, tuvieron que luchar con un frente montañoso transversal de SE a NE en su conquista de la Península, y en esa línea se organizaron las más largas y eficaces resistencias. Cuando Estrabón, en el libro II de su *Geografía de Iberia* [5], afirma que "una cordillera continua, extendida de Norte a Sur separa la Céltica de la Iberia", no comete ningún error estratégico. No hay que olvidar, como observa Schulten, que para el gran geógrafo romano "la geografía no es una ciencia, sino una disciplina práctica, útil para políticos, generales y personas de cultura elevada" [6]. Cuando más tarde los árabes, a pesar de tener sus bases al Sur y no al Este de la Península, tuvieron que adoptar el dispositivo romano de invasión, consolidaron la misma frontera transversal, desde el Guadalquivir hasta el Ebro [7].

---

limitado por la cadena de montañas que separa a las dos Españas." (Vid. E. Lévi-Provençal, *La "Description" de l'Espagne d'ah=mad al Rāzī,* en *Al-Andalus,* 1953, I, pág. 81). Idrīsī es sumamente expresivo: "La península española está dividida en dos, en toda su longitud, por una larga cadena de montañas que se llaman Las Sierras, al mediodía de la cual está Toledo" *(Descripción de España,* trad. de A. Blázquez, pág. 9). Y añade: "El país situado al Sur de los Montes de las Sierras se llama España, y la parte situada al Norte de ellos, toma el nombre de Castilla" (ídem, pág. 9).

[4] Polibio es el primero en creer que los Pirineos seguían una dirección Norte-Sur. Pomponio Mela y Plinio mencionan el Sistema Central como continuación de los Pirineos.

[5] A. Schulten, *Estrabón. Geografía de Iberia,* Facultad de Filosofía y Letras, Universidad de Barcelona, fasc. VI, 1952.—A. García Bellido, *España y los españoles, según la geografía de Strabón,* Madrid, Espasa-Calpe, 1945.

[6] Op. cit., pág. 1.

[7] J. Alemany Bolufer, *La geografía de la Península Ibérica en los escritores árabes,* Granada, R. C. E. H., 1919-1921.—J. Peláez, *Los co-*

La "Sierra"

Con una longitud aproximada de 794 kilómetros, un espesor de 100 kilómetros y alturas que sobrepasan los 2.000 metros, corta la meseta el perfil de la Cordillera Central [8], que no sigue una línea continua, sino que se quiebra en una serie de segmentos a modo de vértebras, que aumentan su espesor y su aspereza. La estructura fundamental de la Cordillera es sencilla. Su eje principal forma una muralla compacta que culmina en su mitad (Peñalara) y desciende suavemente hacia los extremos. Por su ladera del Mediodía, que mira hacia Castilla la Nueva, es más áspera y cortada. Alternan en la composición de la Sierra el gneis y el granito, lo cual determina dos tipos muy característicos de su paisaje: amplios cabezos redondeados formados por el gneis y despeñaderos cortados y desnudos de vegetación, constituídos por el granito (La Maliciosa o la Pedriza). En su iniciación, que la enlaza con el Sistema ibérico en los límites de las provincias de Soria y Guadalajara, las alturas de la Cordillera son suaves (de 1.100 á 1.200 metros) en las sierras de Pela y en los llanos de Barahona. El valor militar de esta zona, principal frente de entrada a los valles del Duero y el Ebro, aparece consagrada por la batalla de Numancia.

---

nocimientos geográficos y la cartografía de la Edad Media, Nautilus, VII, 1952, 411-414.—Idrisi, *Description de l'Afrique et de l'Espagne,* ed. R. Dozy et M. de Goeje, Leiden, 1866.—E. Saavedra, *La España de Edrisi,* en *Bol. Soc. Geog.,* X, XI, XII, XIV, XVIII y XXVII.

[8] C. Bernaldo de Quirós y J. Carandell, en *Guadarrama.* Trabajos del Museo Nacional de Ciencias Naturales, serie Geológica, núm. 11, Madrid, 1915. E. Hernández Pacheco, *Síntesis fisiográfica y geológica de España,* Madrid, 1932.—H. Hobermaier y J. Carandell, *Sierra de Guadarrama,* Madrid, 1926.—P. Birot y L. Solé Sabarís, *Investigaciones sobre morfología de la cordillera central española,* Madrid, C. S. I. C., "Instituto Juan Sebastián Elcano", 1954.

La cadena montañosa cobra altura en el segmento de Somosierra, que culmina en el Pico Ocejón (2.065 metros), que domina la complicada serranía de Guadalajara; le sigue Guadarrama, cuya estructura esencial consiste en una alta muralla en la que se insertan dos ramales laterales frente a frente. Su cima más alta es Peñalara (2.430 metros). Entre Somosierra y Guadarrama existe una importante diferencia, que repercute en la historia, tanto política como literaria, de la región: Somosierra, a pesar de su menor altura, es de paso más largo y complicado que Guadarrama, y en todo tiempo las comunicaciones han sido escasas a través de ella. En los itinerarios medievales habrá que tener muy en cuenta este factor.

El valle del Lozoya

El amplio valle del Lozoya [9], que separa estas dos alineaciones y sirve de cauce al río del mismo nombre, permite el paso por la región segoviana entre ambas Castillas. Era bien conocido por los viajeros medievales, como Juan Ruiz y Santillana. También por la parte meridional del Guadarrama corre una zona quebrada que va desde la Sierra de la Cabrera a través de la Pedriza y La Maliciosa y abre el paso hacia El Escorial.

Juzgando por su actual importancia, no podría deducirse el interés medieval del valle del Lozoya, verdadera zona central de la Sierra, disputada infatigablemente por musulmanes y cristianos. Más tarde, el poderoso monasterio del Paular extendería su dominio, o su influencia, hasta puntos muy adentrados en la Meseta.

---

[9] FERNÁNDEZ NAVARRO, *Monografía geológica del Valle del Lozoya*, Madrid, 1915.—J. M. CASAS TORRES, *Sobre la geografía humana del Valle de Lozoya*, en *Estudios geográficos*, C. S. I. C., noviembre 1943, páginas 781-828.

Gredos

El tercer segmento lo forma el espeso macizo granítico de Gredos, con largos ramales hacia el Sur y hacia el Norte. En la vertiente sobre el Tietar su ladera cortada es difícilmente accesible, mientras que hacia el Norte se funde suavemente con la Paramera y la Sierra de Avila, hasta enlazar con la meseta del Duero.

A lo largo de la vertiente sur de Gredos corre una larga faja o "Vera", de gran fertilidad, que estuvo íntimamente unida, durante largos períodos medievales, con las zonas similares de Guadarrama e incluso de Somosierra. Desde Plasencia, pasando por la región de Arenas de San Pedro, por Manzanares y Talamanca, llegaba este parentesco regional hasta la región alcarreña de Hita.

En el extremo meridional de la Cordillera son menores las alturas, pero el terreno muy quebrado abunda en estrechos valles sin comunicaciones ni cultivos. Lo forman la Peña de Francia y la áspera Sierra de Gata, con las desoladas y olvidadas zonas de las Hurdes y de las Batuecas, refugio tradicional de moriscos y proscritos. El abandono casi completo de esta región cierra a Castilla la Nueva su enlace con Portugal y la aparta de la llanura extremeña.

Característica de gran importancia es la distinta configuración de las laderas Norte y Sur de la Cordillera. La vertiente hacia el Tajo es mucho más rápida y profunda que la del Duero. Está también más libre de obstáculos, pudiendo salvarse más rápidamente la distancia entre la cima y la meseta del Sur; efecto que veremos reflejarse con exactitud en los relatos medievales.

Las pasos de la Sierra

La clara división fronteriza que establece la Cordillera Central es atenuada por el clima sin nieves ni lluvias de gran intensidad y por los pasos transversales que enlazan la meseta o altiplanicie del Duero con la carpetana. No son numerosos debido a la altura de la Cordillera, especialmente en sus tramos centrales, si bien es más rápido el paso que por las zonas extremas, más bajas, pero de estructura más compleja. En los itinerarios medievales éste es un dato de importancia. El puerto de Somosierra es en la actualidad uno de los más utilizados de la Cordillera, y estratégicamente sigue siendo paso esencial de la Cordillera. Su flanqueo no es fácil, por carecer de pasos secundarios laterales, encerrado como está por alturas a ambos lados y en una de las zonas de mayor espesor de la Cordillera. Le sigue en interés el de Guadarrama, a mayor altura, pero de paso más rápido, y bien flanqueado por el de Navacerrada, que en invierno suele estar durante algunos períodos obstruído por la nieve. Más al Norte, flanquea a este último el puerto de la Morcuera, en el camino al Monasterio del Paular.

Al sudoeste, entre Avila y Madrid, la Sierra vuelve a estar cruzada por ramales diagonales, que aumentan su espesor y hacen muy difícil el paso. Cebreros, en el recodo del Alberche, el puerto del Pico, cerca de Arenas de San Pedro, y el puerto de Béjar, entre Salamanca y Plasencia, son los pasos más importantes en este sector. Claro es que la importancia medieval de estos puertos montañosos no era equivalente a la actual, pero la calzada entre Madrid y Segovia, las cañadas en las divisorias de los ramales y las sendas que aprovechan los pasos naturales se distribuirían de forma bastante aproximada.

Al Sudoeste del Tajo, los montes de Toledo cierran la Meseta. Aun no siendo de mucha altitud su divisoria es eficaz, debido a la aspereza de sus rocas volcánicas, quebradas y desnudas de vegetación, con valles angostos que forman un verdadero laberinto. Las sierras de Montanchez, de Guadalupe (la de mayor altitud) y de Altamira van escalonándose, dejando pequeños pasos entre ellas, hasta desembocar en el pico de la Calderina.

Prados y montes alternan en estas regiones, que eran hasta época reciente refugio de salteadores, y campo predilecto en la Edad Media de los famosos golfines y de su secuela los cuadrilleros de la Santa Hermandad.

La aspereza del sistema Oretano en su vertiente hacia el Tajo, se suaviza al aproximarse al curso del Guadiana, que se desliza lentamente, sin la fuerza erosiva del Tajo, entre lagunas y terrenos palustres. Los Puertos de San Vicente y Puerto Rey abren las principales comunicaciones naturales entre Castilla la Nueva y Extremadura.

La limitación de Castilla la Nueva por el Este no es tan precisa. Se difunde suavemente por el páramo alto de la Alcarria, de pobre vegetación, hasta perderse en la maraña montañosa de la serranía de Cuenca. En su extremo Norte se aproxima a las últimas estribaciones de Somosierra, dejando entre los dos sistemas montañosos, el Central y el Ibérico, un paso de enorme valor político y militar. El triángulo formado por Soria, Agreda y Medinaceli, que señala la entrada desde Castilla la Nueva a Castilla la Vieja y Aragón constituye uno de los puntos militares de mayor importancia en la Península. Por él hubieron de pasar los generales romanos, así como Muza, Abderramán III y Almanzor, en sus principales campañas.

Difícil es el paso entre la Meseta y el Mediterráneo. Solamente en la región de Albacete, situada entre el extremo del sistema Ibérico y la sierra de Alcaraz, se abren, dejando paso, los macizos montañosos que contornean la Meseta Central. El puerto de Almansa es el lazo habitual y obligado entre Castilla la Nueva y la costa Mediterránea.

El Tajo

Si las montañas son claros límites fronterizos, los ríos, por el contrario, son naturales elementos de asociación. La ambición de poseer la tierra fértil de las vegas no permite los compromisos ni el abandono de la agricultura propio de las zonas fronterizas. Si, al fin, cede la resistencia persiste sobre la tierra, frente a todo riesgo, la población indígena, que acaba asimilando a sus conquistadores.

Cumplen, sin embargo, los ríos una misión fronteriza mayor o menor, según sus características: si las márgenes son profundas y cortadas, si el sistema de sus afluentes permite establecer líneas transversales, si sus pasos son de fácil defensa. El carácter unificador se combina entonces con el defensivo.

La cuenca del Tajo [10], en su curso medio, define de manera esencial a Castilla la Nueva. La meseta toledana, de menor altura (200 metros) que su correspondiente del Duero al otro lado de la Cordillera, se beneficia de un amplio conjunto de afluentes que nacidos en la Sierra bajan rápidos a desembocar en el Tajo por su margen derecha: El Tiétar, el Alberche, el Guadarrama, el Jarama (con el Lozoya, el Guadalix y el Manzanares) [11], el Henares (con el Sorbe) y el Tajuña forman el sistema sanguíneo de la Meseta y, a la vez, son sus líneas de defensa en los accesos procedentes del Oeste. Por las cuencas del Guadarrama y del Jarama ascendía, preferentemente, la penetración musulmana desde el Tajo a la Sierra.

En su margen izquierda, cortada y profunda, opone el Tajo, en una parte importante de su curso, líneas defensivas difíciles de flanquear. Hacia este lado los afluentes son pocos y de pequeña importancia debido a la menor altura de los Montes de

---

[10] E. Hernández Pacheco, *Los cinco ríos principales de España y sus terrazas,* Madrid, 1928.

[11] El nombre de Manzanares es relativamente moderno (siglo XIV). Con anterioridad se llamaba a este río Guadarrama. Naturalmente, es indispensable contar con este cambio para interpretar las referencias medievales.

Toledo, en donde nacen. La fortaleza militar de Castilla la Nueva está edificada, esencialmente por el gran bastión, al Norte, de la Cordillera Central y por el foso, al Sur, del Tajo, desde Toledo hasta el desfiladero de Guadalupe. Sólo algunas zonas despejadas, por Aranjuez y Talavera, permiten la entrada fácil de comunicaciones y de invasiones.

Importancia de la "despoblación" medieval

La divisoria fronteriza que imponen a Castilla la Nueva tanto la Sierra Central como el Tajo, estaba extraordinariamente reforzada, durante un largo período de la Reconquista, por la despoblación a uno y a otro lado de estos límites [12]. La amplia zona despoblada del Duero, que se extendía hasta bien entrada la región burgalesa [13], distanció a los dos núcleos de población cantábrico y toledano. Al sur del Tajo, la Mancha y Extremadura contribuyeron, por su parte, a preservar a la región central de la absorción musulmana, y más tarde de la andaluza. La situación real de Castilla la Nueva durante la Alta Edad Media tenía forzosamente que ser de una gran autonomía regional, con peculiaridades que más tarde, al repoblarse las zonas limítrofes, quedaron mitigadas. Este factor adquiere todo su interés cuando

---

[12] J. Pérez de Urbel, *Reconquista y repoblación de Castilla y León durante los siglos IX y X*. Curso celebrado en Jaca en agosto de 1947. Instituto de Estudios Pirenaicos, C. S. I. C., 1951.

[13] C. Sánchez Albornoz, *Estampas de la vida en León durante el siglo X,* Madrid, Espasa-Calpe, 1934, 3.ª ed. Grandes zonas de Avila, Segovia, Valladolid y Salamanca, hasta fines del XI o principios del XII, permanecieron despobladas: A. Castro, *España en su historia,* I, página 664. R. Menéndez Pidal, según avances de su Prólogo a la *Enciclopedia de Filología Hispánica* del C. S. I. C., parece no estar conforme con la existencia de una despoblación fronteriza medieval en el Duero. No creemos, sin embargo, que la persistencia de pequeños núcleos de población modifique el hecho de una larga, y en ciertos períodos intensa, postración ciudadana en esta zona.

se trata de determinar las causas de la dualidad cultural y lingüística entre ambas Castillas. Entre ellas, o entre Castilla la Nueva y Andalucía, existió durante el período de formación una separación cuya intensidad no puede compararse con la de épocas más tardías.

LAS REGIONES

La unidad de Castilla la Nueva no impide la peculiaridad de sus varias regiones naturales: la Sierra, la Alcarria, la Campiña, la Sagra, la Jara y las que en mayor o menor grado dependen de ella, como la Mancha y los campos de Montiel y Calatrava.

La oposición más intensa se manifiesta entre las zonas montañosas de la vertiente sur de la Cordillera Central y la llanura del Tajo. Con propia personalidad destaca, dentro de la Sierra, el valle del Lozoya, que corre paralelo a la Cordillera, encerrado entre las alineaciones de Somosierra y Guadarrama, y sirviendo de cauce al río de su nombre [14]. La poderosa familia de Santillana tuvo en esta zona uno de sus más importantes dominios, en torno al palacio de Manzanares.

El eje central de la Sierra lo constituye la ciudad de Segovia, centro medieval en el comercio de la lana y cruce caminero entre ambas Castillas [15]. Aun cuando situada en la vertiente Norte, la íntima relación de Segovia con Toledo permite su inclusión dentro del área medieval de Castilla la Nueva, como su cabeza de puente al otro lado de la Sierra.

---

[14] Regiones fronterizas intermedias entre ambas Castillas son la tierra de Segovia y los valles de Amblés y Corneja, que constituyen comunidades ganaderas y agrícolas bien definidas.

[15] De muy distinto carácter y también en la vertiente norte de la Sierra, Avila es el enlace entre Toledo y Salamanca.

La Alcarria

Ya en la Meseta, destaca su fuerte perfil la región de la Alcarria [16]. En la margen izquierda del Henares, sus altos páramos o "alcarrias" descienden en faldas abarrancadas y sin vegetación, formando secas vaguadas o dejando paso a ríos cortados (Tajo, Tajuña).

La delimitación comarcal de la Alcarria es imprecisa. Existe, además, una confusión entre el nombre "regional" (*Alcarria*, en singular), que designa a la zona comprendida entre el Henares y el Tajo frente a la Campiña (comprendida entre el Henares y el Jarama) y el nombre "topográfico" (*alcarrias*, en plural), que designa a los "llanos altos" que caracterizan el terreno. Estas extensas llanuras han sido habitual escenario de encuentros militares, que no es raro coincidan en un mismo punto. (En el monte de Brihuega coincidieron, aproximadamente, la batalla de su nombre, en la Guerra de la Independencia, y la de Guadalajara, en 1937.

Brihuega, más que Guadalajara, es el centro natural de esta región, árida y poco poblada. Los cereales, el olivo y la vid, que son hoy sus cultivos, tuvieron en la Edad Media un complemento en la ganadería y en pequeñas industrias de tejidos y cueros. Salvo la roturación de algunos montes, la fisonomía de su campo ha variado poco desde la época romana hasta hoy [17]. Incluso sigue la misma situación de los poblados, ya sea buscando el abrigo de las laderas (Brihuega) o la protección de los cerros "testigo" (Hita).

---

[16] *La Alcarria en los dos primeros siglos de su Reconquista.* Discursos leídos ante la Real Academia de la Historia en la recepción pública del Excmo. Sr. D. Juan Catalina García, Madrid, 1894.

[17] El clima duro de la Meseta y las características de su agricultura, parecida a la actual, son ya descritos en la geografía económica de los autores romanos. (A. MELÓN, *Geografía histórica española,* Madrid, Ed. Voluntad, 1928.)

Pero, aunque en apariencia es semejante, la importancia y el valor real de la Alcarria son muy diversos en la actualidad a los de su apogeo en los siglos XIII, XIV y XV. Las antiguas villas se han ido despoblando, y nada recuerda el auge medieval de lo que fué feudo de la poderosa casa de los Mendoza. Ni Guadalajara, la vieja población islámica, que todavía conservaba en la Edad Media su prestigio ciudadano; ni Alcalá de Henares, que limita con la región y siempre ha estado emparentada con ella, pasan de ser recuerdos históricos despojados de sus archivos y de la mayor parte de sus monumentos.

Varios factores han podido influir en esta decadencia: la abolición de la ganadería y la pérdida de montes y pastos, sustituídos por una pobre economía cerealista; la pérdida de valor estratégico de la región; la absorción por la Corte central de las grandes casas nobiliarias; la atracción de Madrid.

A nuestro fin de caracterizar la región en época medieval es importante contar con este profundo cambio sufrido por la Alcarria, transformación que trasciende a sus variantes lingüísticas, influídas no sólo por el aragonés y los dialectos norteños, sino por el habla toledana y madrileña.

Toledo

Entre la Sierra, la Alcarria y el Tajo se extiende el centro de la llanura toledana, que se continúa sin apenas modificar su aspecto árido y monótono en los interminables llanos de la Mancha [18].

La cuenca media del Tajo ha sido el eje tradicional de esta zona, sede de su capital, Toledo, y de villas de importancia,

---

[18] Al sur del Tajo cambia el aspecto del campo y van apareciendo las dehesas y montes de encinas y alcornoques. La agreste Jara toledana es su típica representación. (F. JIMÉNEZ DE GREGORIO, *La población en la Jara toledana*, en *Estudios geográficos*, XIII, 1952, 489-558; ídem, *Historia de Belvís, lugar de la comarca toledana de la Jara*, Madrid, 1953.)

como Talavera y Oropesa. Situadas en la misma orilla del Tajo, compiten en la actualidad Toledo y Talavera de la Reina. Esta competencia nunca hubiera podido plantearse en los momentos en que la capital toledana extendía su influjo por toda la región. No obstante, ya en el siglo XVII tenía Talavera la suficiente importancia como para ser incluída entre los seis principales centros ciudadanos de Castilla la Nueva. En 1530, según el magnífico estudio de Ramón Carande [19], Toledo tenía 31.930 habitantes; Segovia, 15.020; Alcalá, 8.180; Talavera, 6.035; Guadalajara, 3.880, y Madrid, 4.060. Sesenta años más tarde el crecimiento arrollador de Madrid le hacía pasar al segundo puesto, muy por encima de Segovia; crecimiento que acabaría en las dos centurias siguientes por dejar reducidos a pequeños núcleos, casi pueblerinos, a todas las viejas ciudades toledanas [20].

La Mancha

Categoría especial tiene la amplia región de La Mancha [21], que geográfica y estratégicamente depende de Toledo. Corresponde con lo que los romanos llamaron campo espartario y los

---

[19] *Carlos V y sus banqueros,* Madrid, Sociedad de Estudios y Publicaciones, 1949.

[20] Un período de rápido crecimiento de Madrid corresponde al traslado de la Corte de Felipe III, desde Valladolid, en 1605. Es el apogeo teatral de Lope de Vega y son numerosos los pasajes de sus obras en que se alude a este gran aumento de la ciudad. (Véase J. OLIVER ASIN, *Historia del nombre "Madrid"*, C. S. I. C., Madrid, 1959, pág. 107 y siguientes.)

[21] La interminable llanura manchega comprende varias comarcas: la Mancha alta, que corresponde a zonas de las actuales provincias de Toledo y Cuenca; Alcázar de San Juan, los parajes cervantinos del Toboso y Campo de Criptana; la Mancha baja (parte de Ciudad Real y llanuras de Valdepeñas); la Mancha de Albacete, hacia el reino de Valencia y las estribaciones de la Sierra de Alcaraz; el Campo de Montiel, páramo desolado, en donde sólo rompen la monotonía los cerros cónicos, a menudo guarnecidos de torres o castillos, como los famosos de Alhambra y Montiel. El Campo de Calatrava, más montañoso, puede constituir una

árabes "manxa" —tierra seca—. Campo de batalla tradicional en la Reconquista, fué una gran "zona de nadie" entre las dos líneas defensivas de Sierra Morena y el Tajo. Cervantes acertó situando su fantástica caballeresca en el escenario de las más decisivas batallas de la Reconquista.

La despoblación de La Mancha, debida a su constante inseguridad militar, fué muy intensa y apenas se tuvieron en cuenta al repoblarla los viejos emplazamientos. Son ciudades "nuevas", creadas al amparo de las órdenes militares y siguiendo el flujo de las líneas avanzadas. Carece, por ello, esta región del fuerte sabor celtibérico, tradicional, de las poblaciones toledanas y alcarreñas, que conservan no sólo el aspecto, sino la toponimia y los característicos emplazamientos de los primitivos castros.

Serranía y Meseta

En resumen, la fisonomía regional de Castilla la Nueva viene determinada por la fuerte oposición entre las zonas serranas, ganaderas, cubiertas de monte o pinar, como el todavía bien conservado de Valsain, y las muy diversas en economía, forma de vida y paisaje de la Meseta, entre las que descuellan por su fuerte perfil la Alcarria y La Mancha. Veremos esta oposición reflejarse con rasgos precisos en las principales obras de la literatura toledana, siempre atenta al contorno campesino.

Junto a esta oposición: Sierra/Meseta, actúa otra, igualmente presente en la caracterización lingüística y literaria: la que enfrenta la vida rural con la ciudadana y cortesana, esencialmente representada por la ciudad de Toledo y por su sucesora, Madrid. El peso enorme de esta última capital arranca del reducido localismo castellano, pero termina confundiendo un gran número de variantes extrañas. Al consolidarse la capital peninsular en

región independiente en torno a la fortaleza de su nombre, sede de la poderosa orden militar de Calatrava, y a la villa de Almagro.

Madrid, puede decirse que termina la historia regional de Castilla la Nueva.

LOS CAMINOS DE CASTILLA LA NUEVA

Sería difícil de explicar la importancia histórica de Castilla la Nueva si sólo se atendiera a la riqueza de su tierra. La Meseta es pobre, y con toda probabilidad lo ha sido siempre, en mayor o menor grado. Ya en Polibio aparecen referencias al clima duro y seco de la Meseta. Apiano hace alusión a los olivos que llegaban, como hoy, hasta el borde de la Cordillera. En general, las referencias romanas nos describen el campo castellano con un aspecto muy semejante al actual. Sólo algunas zonas conservan cierta fertilidad en las llanuras del Henares, en torno a Alcalá, en las del Alberche, por Talavera y Oropesa y en las del Tiétar, en término de Plasencia. Junto a ellas, los páramos de la Alcarria, del Jarama, del Manzanares, del Guadarrama y del Alberche, con sus alcores pelados y sus cerros "testigos", forman el paisaje característico de la región.

Lo que verdaderamente ha justificado y justifica todavía el evidente predominio regional de Castilla la Nueva es su posición central, estratégica, en la Península, que la convierte en eje de todos sus caminos y paso obligado de sus invasores.

Cuantos pueblos han pasado por ella han acentuado este carácter, haciendo y conservando el camino central que cruza en dirección Sur Nordeste la Península, y cuyo eje central es la región toledana. Sobre esta gran arteria se organizan otras rutas secundarias, hasta llegar a la actual distribución radial centralizada en Madrid.

Las vías romanas

Punto principal en la historia de los caminos [22] castellanos, como en la de los restantes de España, es el sistema de vías romanas [23], iniciado con la Vía Herculana, conocida ya en tiempos de la colonización cartaginesa; sistema que se amplía bajo Trajano, Adriano, Antonino y Septimio Severo, que culmina en la Paz de Augusto, y que consiguió dar a la Península una extraordinaria red de caminos. Durante toda la Edad Media, a pesar de las vicisitudes militares, se conserva, y en gran parte todavía puede encontrarse en la base de muchas comunicaciones modernas. La amplitud de esta caminería, en su momento de apogeo, sólo tiene comparación con la reorganización de Carlos III o con la actual red de vías férreas.

El *Itinerario Antonino* (siglo III), especie de guía o registro de las calzadas estatales, del que se conservan varias reproducciones, es la fuente bibliográfica fundamental para la identificación de los caminos romanos. En él se describen los ejes principales y los ramales y enlaces, anotando las escalas (*stationes* y *mansiones*), con las distancias entre ellas. Sus indicaciones, que en la referencia a España comprenden 34 vías, pueden completarse con las que aparecen grabadas en los llamados Vasos Apolinares (itinerario de Cádiz hasta Vicarello, en la Toscana), en las Teseras, en la Tabla Peutingeriana, en los itinerarios

---

[22] G. MENÉNEZ PIDAL, *Los caminos en la Historia de España*, Madrid, 1951. Ediciones de Cultura Hispánica.

[23] B. TARACENA, *Las vías romanas en España*, IV Congreso Arqueológico del Sudeste Español, Murcia, 1947.—E. SAAVEDRA, *Discursos leídos ante la Real Academia de la Historia, en la recepción pública de ...*, Madrid, 1862.—OTTO CUNTZ, *Itineraria romana*, Lipsiae, in aedibus B. G., Teubneri, 1929.—R. MENÉNDEZ PIDAL, *Historia de España*, vol. II, página 568.—KONRAD MILLER, *Itineraria romana. Römische Reisewege an der Hand der Tabula Peutingeriana dargestellt*, Stuttgart, 1916.

del Anónimo de Ravena [24], en referencias aisladas de Estrabón, en la toponimia, en algunas piedras miliarias y restos de construcciones romanas y, sobre todo, en los tramos que todavía se conservan de las propias calzadas. Quedan, no obstante, dudas y dificultades para la localización de numerosas vías y puntos citados en los Itinerarios. La dificultad de su investigación está determinada en gran parte por haber sido cubiertas las calzadas por las actuales carreteras, por no ser general su enlosado y haber desaparecido la mayoría de las "vías térreas", así como también por el criterio convencional en el cálculo de los datos miliarios.

La gran calzada "toledana"

Las vías romanas de Castilla la Nueva, que concretamente nos interesan, no son las más difíciles de identificar [25]. Su trazado ha permanecido casi invariable y su documentación, tanto clásica como medieval, es abundante. La vía más importante que cruzaba la Meseta enlazaba a Emerita (Mérida) con Caesaraugusta (Zaragoza), pasando por Lacipea (despoblado), Leuciana (despoblado), Augustobriga (Talavera la Vieja), Caesarobri-

---

[24] La carta de Peutinger, que sirve de complemento al Itinerario, apenas hace referencia a vías españolas, y, desde luego, es pequeño su interés respecto a la zona central. Tampoco los Vasos Apolinares son realmente útiles a nuestro fin.

[25] F. Coello, *Vías romanas de Toledo a Mérida,* en *Boletín de la Real Academia de la Historia,* XV, 1889, pág. 18.—A. Blázquez y C. Sánchez de Albornoz, *Vías romanas del valle del Duero y Castilla la Nueva,* Memoria de la Junta Sup. de Excav. y Antig., Madrid, 1917; ídem, *Vías romanas de Botoa a Mérida-Mérida a Salamanca-Arriaca a Sigüenza-Segovia a Titulcia y Zaragoza al Bearne,* Memoria de la J. S. E. A., Madrid, 1919.—A. Blázquez y A. Blázquez Jiménez, *Vías romanas de Carrión a Astorga y de Mérida a Toledo,* Memoria de la J. S. E. A., Madrid, 1920; ídem, *Vías romanas de Albacete a Zaorejas, de Quero a Aranjuez, de Meaquis a Titulcia, de Aranjuez a Toledo y de Agramonte a Mérida,* Memoria de la J. S. E. A., Madrid, 1924.—F. Fuidio, *Carpetania romana,* Madrid, 1934.

ga (Talavera de la Reina), Toletum (Toledo), Titulcia (Aranjuez o Bayona), Complutum (Alcalá de Henares), Arriaca (Guadalajara), Caesada (Hita o Espinosa), Segontia (Sigüenza), Arcobriga (Arcos de Medinaceli), Bílbilis (Calatayud), Nertobriga (Calatorao), Segontia (despoblado). El tramo de esta vía entre Talavera y Medinaceli ha sido siempre la verdadera espina dorsal de Castilla la Nueva, y de su importancia en época romana puede juzgarse por el hecho de ser dos las calzadas que flanqueaban el Tajo (en una y otra margen) durante buena parte de su curso.

Toledo, a pesar del escaso interés romano por la vieja capital carpetana, desempeñaba un papel central en esta vía. En segundo lugar, una vez pasado el Tajo, Titulcia era el cruce de la calzada, que atravesaba, cruzando el curso del Manzanares, la Cordillera Central, pasando por Miaccum (Madrid) y Segovia, hasta enlazar con la línea del Duero por Septimanca.

No obstante los testimonios que acreditan estos caminos, quedan varios interesantes problemas sobre su trazado. Primordial es el que plantea el desconcertante doble itinerario que desde Emerita a Caesaraugusta registra el *Itinerario romano,* de Antonino. El primero describe un largo rodeo, que es, en realidad, la suma de tres caminos distintos: se inicia con un tramo de la "calzada de la plata", entre Emerita y Ocelodurum; sigue, torciendo hacia el Este, para alcanzar Septimanca; retrocede y desciende hacia Segovia y Miaccum para enlazar en Titulcia con la vía directa a Caesaraugusta. En el *Itinerario* aparece esta vía directa en segundo lugar (*Alio itinere ab Emerita Augusta*), lo cual parece indicar que no era el más utilizado [26].

¿Cuál puede ser la causa del largo rodeo por Segovia, tan contrario al gusto romano por los caminos rectilíneos? Caben

[26] Véase M. Besnier, *Itinéraires épigraphiques d'Espagne,* en *Bulletin Hispanique,* XXVI, 1924, I, 4,26.

varias hipótesis: la zona de Guadalupe, con sus despoblados abruptos, ha sido siempre muy peligrosa para los caminantes, y el evitarla podía compensar un camino más largo. Cabe también que se trate de una confusión del *Itinerario,* y que estén mezcladas, por una circunstancia particular, varias rutas. Este error quizá explicaría la situación de Miaccum, imposible de hacer concordar con los datos miliarios [27].

La gran calzada transversal, por el centro de la Meseta toledana, apoyada sobre los cursos del Tajo y del Henares, responde a una necesidad militar sentida por todos los invasores de la Península. Se trata de evitar el ataque frontal a la Cordillera, avanzando por la amplia Meseta marginal, despejada y bien provista de cursos de agua potable, hasta alcanzar el portillo del Jalón, que abre el paso hacia el Ebro o, desviando a la izquierda, alcanzar el Duero por Numancia.

Vías auxiliares

Pero, naturalmente, esta vía central no estaría aislada, sino que avanzaría flanqueada en la típica disposición de las rutas militares romanas, por otras vías secundarias. Cumpliría esta misión, en la vertiente Sur de la sierra de Gredos, una vía situada entre Plasencia y Lanzahita, a lo largo de la comarca de la Vera. Pasaría por una estrecha faja en la vertiente del Guadarrama y cruzaría por Talamanca para desembocar, a la altura de Caesada, en la vía central a Zaragoza. De esta intermedia

---

[27] La identificación de Miaccum tropieza con importantes dificultades. Desde Saavedra se viene atribuyendo esta mansión a un paraje de la Casa de Campo madrileña *(arroyo de los meaques),* con lo cual parece deducirse que bajaba la calzada por la orilla derecha del Manzanares. Evidentemente que hay en varios puntos de esta zona vestigios romanos (El Pardo, Carabanchel, Manuciques), pero los datos del Itinerario están muy lejos de coincidir con la realidad. Entre Segovia y Madrid *(meaques)* hay el doble al menos de la distancia que separa en el Itinerario a Segovia de Miaccum.

arrancaría un ramal que, cruzando la Cordillera por el Puerto del Pico, enlazaría con Avila y las comunicaciones del otro lado de la Sierra.

También existirían ramales perpendiculares, que buscarían los pasos de la Cordillera y permitirían el acceso hacia el Norte de contingentes más o menos numerosos. Surge así la cuestión, no bien aclarada todavía, del paso por Somosierra de una vía romana. Parece lógico que junto a la cuenca del Henares haya sido utilizada como vía de penetración, tanto por romanos como por árabes, la amplia y despejada cuenca del Jarama, cuya desembocadura natural hacia el Norte es el puerto de Somosierra. El puente romano de Talamanca hace evidente la existencia en este punto de un cruce caminero que probablemente tendría una doble dirección: entre Caesada y Segovia y entre la zona de Titulcia o Miaccum y Somosierra. Otros cruces de vías secundarias en dirección a la Meseta Norte estarían en Segontia (Sigüenza) y Arcobriga (Arcos de Medinaceli).

Y queda un último y decisivo problema: la comunicación de Toledo con Córdoba, es decir, el acceso a la Meseta desde el Sur. Probablemente es en este punto en el que más se diferencia la caminería romana de la medieval. Para Roma, no era primordial el enlace con Toledo. Era Emerita su gran base occidental, y hacia ella desvía su caminería desde la línea costera. Lo cual no quiere decir que otras vías más o menos secundarias atacaran Sierra Morena y cruzaran la Mancha en busca de un enlace más directo entre Córdoba y Toledo.

Características de la caminería romana

Con un estricto sentido de la estrategia Roma organizó sus comunicaciones en la colonización de la Península dotándolas de todos los elementos necesarios: vías transversales de enlace[28], protegidas por las principales cuencas (del Guadalquivir, el Guadiana, el Tajo y el Duero); vías perpendiculares de penetración, con preciso aprovechamiento de los pasos naturales (Despeñaperros, Brechas del Alagón y del Jalón, Fuenfría, etc.). Más tarde, cuantas campañas se han sucedido después en la Península, procedentes del Sur o del Sudeste, se han sujetado a un semejante dispositivo.

Este gran sistema de calzadas y vías térreas, creado al amparo de la "paz augustea", es la huella más trascendente del dominio romano en la geografía peninsular, y lo que decidió en gran parte el destino de Castilla la Nueva. Los "castros ibéricos", agrupados en las laderas o en torno a los cerros "testigos", con su vida aislada e individualista, hubieron de dejar el paso a una comunicación sistemática y universal, orientada hacia el punto central de Roma y a su fuerza unificadora. En los puntos más adecuados de estos caminos y al abrigo de los puestos militares o "citanias", junto a viejos poblados prerromanos, fueron surgiendo los nuevos pueblos y ciudades, obligadas por su misma posición a una continua evolución civilizadora. Cuando más tarde la Edad Media vuelva al viejo sistema de los "castros" y pueble la Meseta con una enorme maraña de torres y castillos hasta formar un laberinto estratégico, aún se mantendrán las líneas romanas como los ejes inevitables de las gran-

---

[28] A raíz de la conquista de Numancia, pudo ya establecerse la vía de penetración interior hasta el gran cuartel de Emerita, por Libisosa (Lezuza), Oretum (Ntra. Sra. de Oreto, frente a Granátula), Sisapon (Almadén) y Metellinum (Medellín).

Al sur de esta vía paralela al Guadiana corrían las comunicaciones que flanqueaban el Guadalquivir y que enlazaban la base mediterránea con Córdoba e Hispalis (Sevilla) y con Córdoba y Emerita.

El enlace de estas vías transversales con la gran línea de penetración de Mérida a Zaragoza se realizaba mediante diversos ramales perpendiculares cuyos puntos de cruce más importantes eran Sisapon, Oretum, Lamini (Lagunas de Ruidera) y Segobriga (Segorbe). Es todavía muy imprecisa la dirección seguida por estos ramales.

des campañas militares. Entre las ciudades enlazadas por ellas se conservará la tradición cultural, impulsada o retraída por las nuevas corrientes. Talavera, Toledo, Alcalá, Segovia, Hita, alcanzarán su personalidad medieval gracias a esa inmutable vía romana que pasa por ellas, impidiéndoles el aislamiento aun cuando sea a costa de terribles transformaciones políticas, religiosas o raciales.

Los caminos medievales

Con la caída del Imperio se desorganizó la red de caminos romana, que los visigodos sólo acertaron a sostener en parte y con dificultad, en torno preferentemente a la zona central de Toledo. De los caminos musulmanes en la Meseta son muy escasos los datos que han llegado hasta nosotros. Sabemos, sin embargo, que la conservación de las calzadas romanas fué más activa en la España musulmana que en la del Norte. Modificaron ligeramente los árabes la orientación, que en el sistema romano estaba dirigida hacia Roma y la costa Mediterránea, mientras en el territorio dominado por ellos pasó a estarlo en dirección a la Meca. No obstante pronto quedó muy reducida la relación peninsular musulmana con Oriente. Con los Omeyas, Córdoba fué el verdadero centro de la vida del Al-Andalus, apenas interesado en la comunicación con las otras capitales del Islam en poder de la dinastía abasida.

Caminos musulmanes

Frente al núcleo central de Córdoba, la caminería musulmana mantuvo una atención preferente hacia Toledo. No es por ello extraño que el sistema musulmán de comunicaciones entre ambas ciudades fuese de gran amplitud. También se conservó la comunicación entre Córdoba y Mérida que más tarde, al decaer esta última ciudad, se fué desmenuzando en caminos vecinales.

La vía clásica entre Córdoba y Toledo es la que cruzaba la Sierra Morena por el famoso puerto del Muradal, para lo cual debía alejarse de la línea directa en una gran desviación hacia el Este. Debido a ello, pronto se organizaron otras vías más rápidas, aun a costa de tener que afrontar la Sierra por zonas de mayor aspereza. Era ésta la ruta descrita por Ibn Hawqal en su *Libro de los caminos y de los Reinos* (siglo X, y más tarde por Al-Idrīsī en su *Descripción del Africa y de España* [29]. Luego de cruzar el puerto de Fresnedoso seguía por Caracuel, Calatrava, Malagón y Yébenes. La intensidad del tráfico entre las dos capitales nos lo prueba la existencia de otro camino muy próximo, aunque más al Oeste, y que pasaba por Armilat, castillo de Almogávar y Abenófar [30].

Desde Toledo, las comunicaciones musulmanas, como las romanas, se desviaban en dirección Este, esquivando la Cordillera Central, es decir, siguiendo la calzada de Mérida a Zaragoza. No obstante, también utilizaron los árabes varias rutas de penetración hacia el Norte, siguiendo preferentemente las cuencas del Alberche, el Guadarrama, el Manzanares y el Jarama. Caminos que aprovecharían en su mayor parte antiguas calzadas o vías térreas romanas.

Diferencia importante entre el sistema caminero árabe y el romano es la variación que sufre la gran vía transversal romana entre Mérida y Zaragoza. Los árabes prefieren orillar la región más occidental, y desde Córdoba ascienden en línea más o menos recta a Toledo, para desde este punto seguir el itinerario clásico hacia Zaragoza y Francia. La región siempre peligrosa de Gua-

---

[29] Ed. y trad. francesa de R. Dozy y M. J. de Goeje, Leiden, 1866.

[30] F. HERNÁNDEZ JIMÉNEZ, *Estudios de geografía histórica española*, especialmente: *Gāfiq, Gahet, Gahete = Belalcāzar*, en *Al-Andalus*, vol. IX, fasc. 1, págs. 71 ss.—IDEM, *El camino de Córdoba a Toledo en la época musulmana*, en *Al-Andalus*, vol. XXII, fasc. 1, págs. 1 ss.

dalupe contribuiría a aminorar la comunicación directa entre Toledo y Portugal [31].

Caminos toledanos

Las comunicaciones en el norte cristiano tampoco se apartan de las viejas calzadas, aun cuando su dirección preferente sea muy distinta de la de Roma y de la del Islam. Los varios itinerarios de peregrinación a Santiago constituían el sistema más orgánico y universal de las comunicaciones cristianas de la Península [32]. Sistema que si no alcanzó la compleja organización de la caminería romana, al menos mantuvo la relación con el mundo cristiano. En cualquier aspecto de la vida y la cultura medievales los caminos hacia Francia, de los que las "galianas" son recuerdo toponímico, tienen decisiva importancia.

En la zona toledana, una vez reconquistada, se sigue utilizando sin grandes modificaciones la misma red caminera de romanos y árabes, aun cuando Toledo haya recuperado su posición centralista, que sólo cederá ante el auge definitivo de Madrid.

Entre Toledo y Segovia eran al menos dos las rutas medievales. La más antigua y principal (hasta el siglo XIII) seguía el curso del río Guadarrama, en cuyas orillas se conservan vestigios de tres importantes villas musulmanas: Olmos (cota 551, en el camino de Ocaña a la Puente de Pedrera del mapa 1:50.000 del Instituto Geográfico y Estadístico), Canales ("castillo en ruinas", en el camino de Recas a Chozas de Canales, hoja 604 del mapa 1:50.000 del Instituto Geográfico y Estadístico) y Calatalifa (a orillas del río Guadarrama, cerca de la ermita de Santa

[31] También en la época romana se procuraría evitar esta zona. Esta puede ser la causa de que el Itinerario proponga como ruta entre Emerita y Caesaraugusta la que describe una gran vuelta por Septimanca y Segovia hasta Titulcia.

[32] J. M.ª LACARRA, *Rutas de peregrinación*, en *Pirineos*, julio-diciembre 1945.—C. E. DUBLER, *Los caminos de Compostela en la obra de Idrīsī*, en *Al-Andalus*, XLV, 1949, 59,122.

María de Batres y en la orilla opuesta. Sólo quedan indicaciones documentales). Siguiendo este camino se pasaba la Cordillera por el puerto del Berrueco (del León?) y por el de Lozoya. Esta vieja ruta musulmana se fué despoblando durante los siglos XIII y XIV, al desviarse el camino hacia Illescas.

Por el curso del Manzanares iría, probablemente, un camino medieval, aprovechando la calzada romana transversal, que pasaba por Miaccum y la Fuenfría. A medida que la importancia de la villa musulmana de Mayrit (Madrid) fuese creciendo, la comunicación entre Toledo y Segovia, pasando por ella, iría aumentando su importancia.

Relativamente intensas eran las comunicaciones en la zona al Oeste de Madrid, en especial siguiendo la Vera de Gredos. Desde Cadalso de los Vidrios o desde San Martín de Valdeiglesias seguía una ruta medieval hasta Plasencia, que enlazaba, entre otros pueblos, Arenas de San Pedro, Candeleda, Jarandilla, Cuacos, etc. Todavía hoy se conservan tramos de esta vía medieval a ambos lados de la carretera.

Junto a estas rutas, cuyo interés para nuestros fines es grande, debido a los muchos problemas que guardan relación con el paso entre la Sierra y la Meseta, son fundamentales otros caminos cuya principal base ciudadana era Guadalajara. La caminería medieval, tanto musulmana como cristiana, aprovechó, naturalmente, la gran calzada romana, y sobre todo la espléndida ruta natural que desde la prehistoria lleva desde Toledo hasta el paso del Jalón para enlazar con la cuenca del Ebro. No obstante, son varias las soluciones que en la realidad presenta esta ruta, según se prefiera una u otra margen del río. El viejo camino, conocido por senda Galiana, que desde Toledo conducía a Guadalajara, iba por la margen opuesta a la que seguía el gran camino hacia Roma del siglo XVI, y que sigue hoy la carretera general a Francia.

Otro camino, de fundamental interés para nuestros itinerarios de los autores medievales alcarreños, es el que enlazaba a Guadalajara con Segovia pasando por Talamanca (a orillas del Jarama) y cruzaba la Sierra por el puerto de la Fuenfría. Seguiría una probable vía romana de las que, como otras muchas, sólo quedan ligeros vestigios.

Aunque nos faltan datos concretos, también debió existir un camino por Somosierra, sobre antigua calzada. Los itinerarios de Juan Ruiz volverán a plantearnos esta cuestión.

Los pasos del Tajo

En la caminería de la Meseta son fundamentales los puentes y vados sobre el Tajo. El paso de este río no era empresa fácil para los medios de transporte, económicos y militares, de la Edad Media, salvo en épocas de estiaje. Además, la vital defensa de esta línea estaba en la base de la estrategia castellana. Bien lo prueba la rigurosa distribución entre las Ordenes Militares de los diversos puentes del Tajo, cuyo valor fronterizo natural fué, de este modo, muy reforzado.

De época romana persistían los puentes de Alconétar, en la "vía de la plata", del que todavía quedan restos; el de Alcántara, aún en uso, y el de Toledo (destruído probablemente en el siglo x). De otros varios de existencia muy probable no nos ha quedado noticia.

Antes de la conquista de Toledo existirían varios puentes más: uno en Zorita de los Canes, en las inmediaciones de la antigua Recópolis, muy transitado durante la Edad Media, y destruído por una avenida en 1545; el de Alharilla, a poca distancia de Fuentidueña del Tajo, y otro más en Talavera de la Reina, importante cabeza de puente en el siglo x. Ruinoso a fines del siglo xv, lo reconstruyó el Cardenal Mendoza.

Normalmente, los puentes medievales se construían cerca o encima de los vados, defendiéndolos a la entrada o en el centro con torres o villas amuralladas. Uno de los vados más transitados del Tajo era el de Albalate (entre Talavera de la Reina y el puente de Alconétar), en un camino que unía el oriente de Salamanca y el occidente de Avila, a través de la Vera, por Trujillo, Medellín, Mérida y el valle medio del Guadiana. De esta vía o de las cañadas que pasaban por su inmediación hacen alusión autores medievales, como Juan Ruiz en el itinerario de Don Carnal.

También comunicaba Albalate una vía medieval muy frecuentada entre Toledo y Portugal. Sus etapas principales en el siglo XVII eran, como hoy, Talavera, Oropesa, Trujillo, Mérida, Badajoz y Elvas [33].

LAS CAÑADAS DE LA MESTA

La reconstitución de los caminos medievales sería incompleta si prescindiéramos de las comunicaciones ganaderas. "La ganadería es la principal sustancia de estos reinos", pensaban los Reyes Católicos, y así había sido antes y seguiría siendo después, hasta principios del siglo XIX. No es, pues, aventurado pensar que las cañadas fueron rutas muy activas en la vida medieval y renancentista, remontándose su origen, en algunos casos, a época pre-romana. Parece también comprobada la antigüedad de las emigraciones semestrales del ganado desde las sierras castellanas o agostaderos hasta los extremos o invernaderos de Extremadura, La Alcudia, Andalucía o la ribera del Mediterráneo. La geografía ibérica, con sus fuertes contrastes, es la

[33] Los puentes y vados sobre el Jarama, el Henares, etc., alternaban muy a menudo con pasos de barcas, cuyo recuerdo ha quedado fijado por la toponimia (el Vado, vado de las carreteras, camino de la barca, etcétera).

gran causa determinante de la trashumancia, que ya en época visigoda aparece organizada, aunque de manera local. Las dificultades de la Reconquista no fueron suficientes, más tarde, para impedir a los pastores el aprovechamiento de las tierras abandonadas y fronterizas. De parte musulmana venía a estimularse un hábito tradicional de los pueblos bereberes, pastores por esencia, que no sólo asimilan, sino que superan, la organización peninsular. La introducción de los merinos, la organización de los rebaños y la terminología ganadera reflejan la importancia del influjo africano.

La Mesta [34], poderosa organización medieval, cuya primera legislación aparece en un privilegio de Alfonso X, de 1273, fué durante un largo período base de la economía castellana. Su sistema de cañadas tenía una estructura y unas finalidades muy distintas a las de la gran red de los caminos romanos, aun cuando en ocasiones coincidían y se disputaban los mismos pasos naturales. Las cañadas no formaban un sistema político ni estratégico ni buscaban la comunicación entre los núcleos urbanos. Carecían de intención centralista o política, limitándose a una comunicación regional.

La utilidad de las cañadas se reducía a dos breves temporadas: un mes en otoño, cuando salían los ganados de las "sierras", camino de las dehesas, y otro en primavera, a su vuelta

---

[34] J. KLEIN, *La Mesta: estudio de la historia económica de España, 1273-1836*, Madrid, *Revista de Occidente*, 1936.—J. GARCÍA DE LA CONCHA, *La ganadería en la península ibérica y en el norte de Africa*. Madrid, Instituto de Estudios Africanos, 1953.—R. AITKEN, *Rutas de trashumancia en la meseta castellana*, en *Estudios Geográficos*, núm. 26, 1947, 185-199.—A. FRIBOURG, *La trashumance en Espagne*, en *Ann. Geog.*, 19, 1920, 231-244.—J. DANTÍN CERECEDA, *La cañada ganadera de la Vizana*, en *Pub-. Real Soc. Geográf.*, núm. 114, 1942.

La polémica en torno al itinerario de la Vizana, en que Dantín se opone a los itinerarios de Klein, puede en parte explicarse por el distinto criterio de ambos autores. El estudio de Klein recoge con preferencia trayectorias antiguas muy modificadas después.

a los "agostaderos" de Soria, Segovia, Cuenca y León [35]. El enemigo principal de las cañadas no era el desgaste de su suelo, que no necesitaba calzamientos ni afirmados, sino la invasión de los cultivos que las estrechaban y para cuya defensa se hizo necesaria la creación de los llamados "alcaldes entregadores". Por estas rutas no existiría un tráfico continuo, pero no eran tampoco los ganados quienes únicamente transitaban por ellas. Su enorme anchura (78 metros en las "reales") las convertía en el camino ideal para los contingentes militares medievales. La protección de los pastores, que dió motivo a la creación de la Santa Hermandad, animaba a gentes diversas a unirse al itinerario de los ganados, especialmente a su paso en la época de ferias.

Itinerarios ganaderos

En parte sobre restos de cañadas primitivas se fueron estableciendo los cuatro grandes itinerarios de la Mesta [36], con cabezas en León, Segovia, Soria y Cuenca. Otros centros importantes de reunión eran: Villanueva de la Serena, Don Benito, Siruela, Guadalupe [37], Talavera, Montalbán, y en el

---

[35] Las "sierras", o parajes de veraneo, eran las serranías del Centro, de Cuenca y del Noroeste; las "extremaduras" o invernaderos se extendían desde los "Puertos reales", al sur de la Cordillera Central, hasta los campos extremeños de la Alcudia y los límites de Andalucía.

[36] *Descripción de la cañada segoviana, desde Carabias al valle de la Alcudia,* Madrid, Imprenta M. Minuesa, 1856.—*Descripción de la cañada leonesa, desde Valdeburón a Montemolín,* Madrid, M. Minuesa, 1856.—*Descripción de la cañada soriana, desde Yanguas al valle de la Alcudia,* Madrid, M. Minuesa, 1857.—*Cañada occidental de la provincia de Soria,* Madrid, M. Minuesa, 1856.—*Descripción de las cañadas de Cuenca, desde Tragacete y Peralejos al valle de la Alcudia, al campo de Calatrava y a Linares,* Madrid, M. Minuesa, 1860.—*Las principales cañadas reales de España,* Madrid, Sindicato Nacional de Ganadería, 1954.

[37] Algunos monasterios, como el de El Escorial y Guadalupe, eran grandes propietarios de ganado.

Norte: Ayllón, Riaza, Aranda de Duero, Buitrago, Medina del Campo, Berlanga y Sigüenza [38]. En su mayoría, la decadencia de estas villas ha seguido a la de la trashumancia.

De interés primordial para la localización y ordenación de las antiguas cañadas son los "puertos reales", es decir, los puntos de paso obligado donde se cobraban los impuestos reales. Eran los principales hasta el siglo xv, la Venta del Cojo, Villaharta, la Torre de Esteban Hambrán, Socuéllamos, la Puebla de Montalbán, Ramacastañas y Abadía. En segundo lugar, el Puerto de Pedrosín, Malpartida, Albala y Candeleda. Todos ellos son de fácil y segura localización, excepto el Puerto de Pedrosín y Albala.

El primero de los itinerarios enlazaba las regiones leonesas y salmantinas con los pastos de Extremadura. Cruzaba la Cordillera Central por la gran brecha del Alagón, y pasando por los centros laneros de Béjar, Plasencia, Cáceres, Mérida y Badajoz, se perdía en las dehesas extremeñas.

El itinerario segoviano bajaba de Burgos y Logroño, desviándose a buscar el gran mercado de Palencia, y siguiendo una ruta similar a la calzada, pasaba por Valladolid hasta llegar a Segovia, que fué durante mucho tiempo el centro más importante de comercio de la lana merina en toda España. De Segovia partían tres ramales: uno que enlazaba con la cañada leonesa de Béjar, bordeando la Cordillera; otro que la unía a la soriana, y el tercero, que cruzaba de frente la sierra por el puerto real de Candeleda, y el Tajo por el de Berrocalejo, y se perdía en los pastos del sur del Tajo.

La cañada soriana tenía también su origen en tierras de Logroño, pero su cabeza era Soria [39], fundadora de la Mesta y

---

[38] Ferias y lugares principales de transacción de ganado eran Medina del Campo, Segovia y Burgos.

[39] En el *Libro de Buen Amor* se alude a esta importancia de Soria y de sus asambleas o "rehalas" (C. 122.ª ed. Ducamin).

modelo de organización ("Soria pura, cabeza de Extremadura"), de donde bajaban los ganados a Sigüenza y a tierras de La Alcarria. Enlazaba esta cañada por varios ramales con la segoviana, pero su itinerario principal iba a través de Escalona a buscar las dehesas del Tajo, por Talavera y Guadalupe, y las del Guadiana por Almadén, llegando incluso a las vegas del Guadalquivir.

La cañada manchega tenía su cabecera en Cuenca y recogía los ganados de su serranía alcanzando por varios ramales la Mancha, hasta llegar al ancho valle de la Alcudia, o siguiendo otra dirección llegar a las llanuras murcianas.

Características de la caminería ganadera

Esta red de grandes cañadas, complementadas con innumerables cordeles y veredas, respondía a un medio de vida esencialmente medieval y castellano. El paso otoñal de los rebaños, coincidente con la recolección y con las ferias y fiestas de los pueblos, era un buen vehículo para el comercio y para la relación entre las zonas castellanas, manchegas y andaluzas. También llevaba consigo el contagio de las grandes epidemias, como la terrible peste de 1348-50, y la despoblación que, junto con otras causas, acabó con la pobre vegetación de la Meseta.

Las fronteras medievales no resistieron el embate de esta elemental invasión de los pastores, que seguían y en muchas ocasiones se adelantaban al propio avance de la Reconquista hacia los pastos andaluces. La trashumancia contribuyó a suavizar las fuertes diferencias regionalistas y a unificar políticamente a Castilla. No es casual la estrecha relación de las Ordenes Militares con las dehesas extremeñas, ni la fiel unión de la Mesta con la Corona castellana, a la que ayudó en la empresa de la Reconquista.

Con el apogeo de la ganadería es preciso contar para comprender el incremento de muchas ciudades, que al decaer la Mesta con los últimos Habsburgos, se hunden en la medianía: Medina del Campo, Segovia, Soria, Sigüenza, Cuenca y Béjar, como tantas otras poblaciones de las dos Castillas, alcanzaron una importancia hoy inconcebible, debido al comercio y a la industria de lanas y pieles. Para reconstruir la fisonomía medieval de las dos Castillas es indispensable contar con el cambio radical que ha sufrido su economía, y que ha variado el equilibrio entre las regiones y las ciudades y el aspecto mismo del campo, sustituídos los montes, los pastos y los matorrales por el cultivo cerealista.

El predominio de un modo de vida errante, o al menos de gran movilidad, característico de Castilla la Nueva desde la Baja Edad Media hasta el siglo XVII, guarda también una estrecha relación con el período de apogeo de la trashumancia. El avance irregular de la Reconquista, con sus fuertes alternativas, no era propicio a la vida sedentaria de labradores y burgueses. Las peregrinaciones a Santiago y los viajes anuales a las ferias importantes (Segovia, Medina, Toledo, etc.) ampliaban a labradores y burgueses este mismo gusto general por el viaje y por la aventura [40].

Durante siglos el castellano ha estado habituado a una vida nómada, como pastor o como soldado, sin que la tierra pobre y el clima seco y duro de la Meseta supongan freno para su deseo de emigración o de aventura. El cambio de la economía castellana en el siglo XVIII, no sólo repercute en el campo, sino también en las costumbres y en la expresión lingüística y estética. En la base de la picaresca y en una multitud de temas de la literatura medieval y renacentista de Castilla la Nueva habrá que rastrear

---

[40] La colonización americana se beneficiaría de esta vocación andariega de los castellanos.

el influjo de esa confusa mezcla, pastoril y militar, muy distinta de la actual.

Desde otro punto de vista, la organización de la Mesta y su limitado sistema de cañadas sirvieron de freno a la progresiva diferenciación de las dos Castillas, permitiendo su moderna unidad. Al finalizar la Reconquista, el Reino de Castilla está definido geográficamente por los límites de las cañadas, que abarcan desde las cabezas montañosas de la Meseta a las vegas andaluzas.

Decisiva, aunque sea difícil su comprobación, hubo de ser en la Reconquista el papel de las comunicaciones ganaderas, tan a propósito por sus características para la defensa natural del terreno. En la complicada red de veredas tendrían su mejor apoyo las milicias castellanas. No sería excepcional la intervención de los pastores como guías prácticos, a semejanza del que tuvo tan oportuna intervención en la batalla de Las Navas.

LOS ITINERARIOS MILITARES

Intimamente unidas al sistema de los caminos y cañadas están las rutas militares de penetración. Son factores complementarios que imprimen una profundísima, decisiva huella, en el destino de Castilla la Nueva.

La meseta toledana es una fortaleza natural bien protegida, especialmente frente a las invasiones del Noroeste y del Norte, gracias a la Cordillera Central, y frente a las del Este, que defienden los sucesivos escalones de la Cordillera Ibérica, cruzada por ríos, como el Júcar y el Gabriel, que forman desfiladeros de fácil defensa. El frente Sur es, sin duda, el flanco más peligroso y de acceso más fácil. Su principal defensa se halla muy lejana: es la Sierra Morena. Pasado el "muradal" se abren las llanuras manchegas, sin que el Guadiana, de márgenes imprecisas, sirva de gran obstáculo. Es preciso llegar a la línea del Tajo, excesivamente vital para ser fronteriza, para encontrar un obstáculo natural de cierta dificultad. Desde un punto de vista militar, la Meseta de Castilla la Vieja es de mucho más difícil acceso que la toledana.

La conquista romana se realizó partiendo de la línea costera del Mediterráneo, flanqueada por la Vía Herculana. Desde sus bases costeras emprendió Roma la conquista del interior celtíbero siguiendo un frente transversal, desde los Pirineos al Estrecho de Gibraltar. Su lucha por la región central tuvo dos escenarios principales y decisivos: la región alta del Duero, dominada gracias a la conquista de Numancia, y la región del Tajo, en donde celtíberos y lusitanos fueron al fin vencidos por las falanges de Calpurnio y Quincio.

Las calzadas romanas van señalando los itinerarios de la decisiva campaña de Escipión en la Península. Los Vasos Apolinares y los itinerarios de Antonino son en cierto modo unos esquemas de la organización militar de Roma en la Península.

Itinerarios militares de la pérdida y reconquista de España

La invasión musulmana utilizó la red de calzadas romanas para la mayor parte de sus campañas. Aun cuando varíe esencialmente la dirección de ataque (de Sur a Norte), los árabes dispusieron de una buena organización caminera entre Córdoba y la Meseta Central [41]. Los itinerarios de Tariq, de Musa, de

---

[41] Los itinerarios de invasión están recogidos en la Crónica mozárabe del 754, véase: C. Sánchez Albornoz, *Itinerario de la conquista de España por los musulmanes*, en *Cuadernos de Historia de España*, Buenos Aires, 1948, X, págs. 21-74.—L. Torres Balbás, *Ciudades yermas de la España musulmana*, en *Boletín de la Real Academia de la Historia*, t. CXLI, cuaderno I, julio-septiembre 1957, 17-218.—F. Jiménez de Gregorio, *Fortalezas musulmanas de la línea del Tajo*, en *Al-Anda-*

Abd al-Áziz, y más tarde los de Abd al-Rahman III y Almanzor, plantean y resuelven un semejante problema estratégico: la conquista de las dos mesetas centrales partiendo de la base andaluza, salvando Sierra Morena, para alcanzar la fuerte línea del Tajo y derivar, por último, en la doble dirección del Duero o del Ebro.

El principal obstáculo que tenían que vencer entre la llanura andaluza y la Meseta del Tajo era Sierra Morena. Una vez salvada se abrían las interminables llanuras manchegas, que permiten el paso fácil de la impedimenta militar.

Sierra Morena era cruzada por una calzada que pasando por Miranda del Rey salvaba el Muradal al pie del Cerro de la Estrella. Descendía a continuación al Valle del Magaña y, atravesándolo, se internaba en la Mancha. Hasta que en el siglo XVIII se abrió el actual puerto de Despeñaperros aquél fué el paso habitual de Sierra Morena. En su defensa y en torno a la calzada se libraron las más importantes batallas de la Reconquista, incluso la decisiva de Las Navas.

El itinerario militar más frecuente seguía por el borde de la llanura manchega y los campos de Calatrava para cruzar el Guadiana en tierras de Ciudad Real. Eje de este itinerario era la ciudad fuerte de Calatrava la Vieja. Con su despoblación, la ruta entre Toledo y Córdoba se desplazó en el siglo XIII hacia la poderosa villa de Almagro. El paso del Guadiana, muy fácil de vadear, fué defendiéndose con el tiempo por varias fortalezas, especialmente por los poderosos castillos de Calatrava, Alarcos y Salvatierra.

Otro camino más hacia Occidente cruzaba el Puerto del Milagro, llamado así por el castillo levantado por el Arzobispo don

---

lus, XIX, 1-54.—C. SÁNCHEZ ALBORNOZ, *La España musulmana, según los autores islamitas y cristianos medievales*, Buenos Aires, El Ateneo.—E. LEVY-PROVENÇAL, *Histoire de l'Espagne musulmane*, París, Leiden, 1950, vol. I.

Rodrigo en el siglo XIII. "En esse tiempo —según dice la Crónica General— en la carrera publica por o yua et uinie toda la yent, et por o los alaraues usauan de uenir guerrear a Toledo et fazerle el mas mal que podien, poblo ell arçobispo don Rodrigo el castiello que dizen Miraglo." (Cap. 1023, pág. 707.) En el repertorio de Villuga (siglo XVI) ya no figuraba este camino.

Pasado el río, seguía el itinerario bordeando los Montes de Toledo, por Consuegra y Uclés, progresivamente fortificados, hasta alcanzar la línea del Tajo, cuyo paso defendían los castillos de Oreja y Zorita. Pasado el Tajo y orillada o vencida Toledo, seguía la ruta por La Alcarria salvando las varias líneas defensivas que protegían la calzada, bien vigilada desde los cerros fortificados de Hita y Jadraque. Una vez remontado el Valle del Henares se llegaba a los páramos de Medinaceli, escenario de la batalla de Calatañazor, y acceso por una parte al valle del Ebro y por otra a las llanuras del Duero.

Otro ramal de este itinerario subía desde el Henares hacia Atienza, escenario del Cid, que en su primera incursión descendió hasta Castejón de Henares, mientras su capitán Alvar Fáñez "corría la algara" por Hita, Guadalajara y Alcalá, siguiendo la calzada romana. La fortaleza de Atienza y su "tierra" fueron la llave, durante mucho tiempo, del paso entre ambas Castillas [42]. Desde ella se seguía por un paso natural hasta dar vista al valle del Duero, defendido por la imponente fortaleza de Gormaz, en el camino hacia Burgos.

No era éste el único itinerario que la estrategia invasora de la Meseta podía escoger, pero sí el más directo y el que permitía salvar con más facilidad la inexpugnable fortaleza de Toledo.

---

[42] También era Atienza punto decisivo entre Castilla la Nueva y Aragón. Alfonso el Batallador procuró incorporar la villa a su Reino, al advertir su gran valor fronterizo. La unión política de los Reinos de Castilla y Aragón llevaba implícita la pérdida de una gran parte de la eficacia estratégica de Atienza.

Otro itinerario seguía la calzada de Mérida a Zaragoza, por Talavera, Santa Olalla, Maqueda y Escalona, siguiendo el curso del río hasta desembocar en Toledo.

En la larga estabilización de las fronteras que sigue a la conquista musulmana se fueron consolidando las líneas defensivas de uno y otro lado y guarneciéndose vados y puertos estratégicos. Especialmente en el Tajo, la reconstrucción y defensa de los puentes romanos que lo cruzan fué constante durante la Edad Media (Alconétar, Alcántara, Puente del Arzobispo).

Pero la organización de las líneas defensivas pierde pronto su unidad. Castillos y alcazabas se entremezclan y forman una tupida madeja ofensiva y defensiva. Lo que en principio constituía línea fortificada pasa a ser enclave o simple bastión local.

Los grandes ejes militares

En la alternativa de la Reconquista son tres las ciudades de valor estratégico decisivo: Burgos, Toledo y Córdoba. En la etapa inicial la ocupación de Toledo, capital del reino visigodo, apenas tuvo trascendencia militar, vencida ya de antemano la monarquía visigoda en los campos andaluces. A medida que avanza la Reconquista se van precisando los cuarteles generales de uno y otro bando: Burgos frente a Córdoba. Entremedias Toledo mantiene su personalidad, tanto frente al ataque de los cristianos del Norte como frente a la presión política del imperio cordobés y a las nuevas invasiones africanas. Su situación le convierte en base de las expediciones militares tanto cristianas como musulmanas.

A partir de Almanzor las expediciones musulmanas hacia el Norte no pretenden conseguir un dominio estable del terreno [43], casi despoblado, frío y árido, de Castilla la Vieja, sino que son

---

[43] E. Hernández-Pacheco, *El solar en la Historia hispana*, Madrid, Real Academia de Ciencias Exactas, Físicas y Naturales, 1952.

simples excursiones de castigo. Más tarde, una vez dominada por Alfonso VI la Cordillera Central y avanzadas sus líneas hasta el Tajo, Toledo se convierte no sólo en la capital, sino en la avanzada de las expediciones cristianas frente a la base musulmana de Calatrava, bien flanqueada por las fortalezas de Alarcos, Caracuel, Mestanza, Almodóvar, Alcántara y Santa Eufemia. La Mancha es el campo secular de batalla, alternándose las líneas cristianas y musulmanas durante más de un siglo, hasta que Alfonso VIII consigue, con la victoria de Las Navas, salvar la defensa de Sierra Morena y atacar en su mismo centro de Córdoba el poderío musulmán.

Las Ordenes Militares, encargadas de la conquista y colonización de la Mancha, acentuaron todavía más el carácter fronterizo y militar de la región manchega, que si geográficamente no se diferenciaba en gran proporción de la meseta toledana, adquiere durante la Reconquista un propio carácter de tierra fronteriza entre Castilla la Nueva y Andalucía.

LA CAMINERIA TOLEDANA EN EL SIGLO XIV. LOS CAMINOS EN EL "LIBRO DE LA MONTERIA"

Al reorganizarse la región toledana, una vez vencida la invasión en sus aspectos más urgentes, nos encontramos con una red de caminos, si no muy bien conservados, al menos de una gran amplitud. Se han acumulado calzadas, cañadas, vías estratégicas musulmanas y cristianas, y la intensa vida de los siglos XIV, XV y XVI va a desbordarse por ellas con una extraña inquietud, cuyo signo más expresivo será la afición a los libros de viajes y a toda una literatura que tiene en los caminos su escenario predilecto.

En el tesoro topográfico medieval que representa el *Libro de la Montería* son muy numerosas las referencias a caminos, sendas, cañadas, veredas, puertos, ventas y posadas. La precisión de los datos está fuera de duda, por la evidente familiaridad del autor o autores con el terreno que describen, y por la insuperable minuciosidad con que suele aparecer la descripción. Naturalmente, el propósito del *Libro* no es llegar a una guía "caminera". Sólo es posible encontrar en él datos parciales sobre aquellos caminos que cruzan por los montes de caza de que trata. Pero aun así, ningún otro documento de la época es tan útil para nuestros fines ni es de tanta garantía.

No todas las zonas peninsulares son igualmente conocidas por el autor. Por fortuna, son la meseta toledana y la sierra de Guadarrama las regiones que evidentemente le eran familiares. Es por ello un auxiliar magnífico no sólo para reconstruir la caminería de Castilla la Nueva, sino también para identificar los itinerarios de Juan Ruiz, coincidente en la misma época.

Primer motivo de asombro que sentimos al estudiar el *Libro de la Montería* es ver que existía una tupida red de caminos medievales, incluso por zonas serranas de difícil acceso. Pueblos hoy desaparecidos, posadas que apenas podíamos imaginar habitadas junto a los mismos puertos del Guadarrama, nos hacen pensar en una vida activa de esta región, mucho más intensa que en la actualidad. Es forzoso abandonar la idea de que los montes medievales, aun estando bien nutridos de venados, jabalíes e incluso osos, eran como una selva descuidada, de peligrosa comunicación. Existía, por el contrario, una población bastante densa, familiarizada con el campo y sus animales, y un amplio y vigilado sistema de caminos, que reducían el peligro a un nivel razonable, dentro de la constante incertidumbre y aventura de la vida medieval. Incluso algunas zonas, como las hoy casi deshabitadas de Guadalupe y Somosierra, eran cruzadas por numerosos caminos y contaban con pueblos y posadas que en la actualidad ya no existen. Pueden así comprenderse mejor los viajes en solitario del Arcipreste de Hita, que sin duda pasaría riesgos y aventuras, pero que podía escoger fácilmente, en plena sierra, varios itinerarios y encontrar posadas (no sólo de pastoras) al pie mismo de los puertos. El íntimo contacto del caminante medieval con la naturaleza reduciría también muchas aparentes dificultades y le permitiría sortear riesgos de temporales, alimañas, etc.

Los caminos medievales, según todos los indicios, eran más rudimentarios que los romanos; sin firmes profundos ni enlosados, pero, en cambio, eran mucho más numerosos, al menos en la zona central. No en vano a las vías romanas, más o menos descuidadas en su conservación, se añadieron los nuevos caminos impuestos por la larga campaña militar hispano-musulmana y el gran sistema de cañadas de la Mesta. La misma organización medieval, atomizada en cortes comarcales y monasterios de gran hegemonía local, impulsaba esta proliferación de pequeños caminos, frente a las grandes vías nacionales, típicas de la caminería romana.

La simple observación del plano de caminos de la *Montería* demuestra su tendencia irregular; la excasa preocupación por alcanzar objetivos muy distantes en la dirección más recta. En zonas como la de Cadalso de los Vidrios y San Martín, que el autor conocía con extraordinaria precisión, había más caminos vecinales que hoy, si bien la correspondencia entre rutas antiguas y modernas es un factor permanente en la mayoría de los casos.

También se desprende con evidencia de un estudio de la *Montería* que es muy grande el número de lugares, pueblos e incluso villas que existían en el siglo XIV, y de las que hoy apenas queda un pequeño recuerdo toponímico. Especialmente en algunas zonas (curso del Guadarrama, Somosierra, por Buitrago, y gran parte de la Alcarria, en torno a Atienza, Hita y Cogolludo) la decadencia ha sido intensísima, ya sea por la extrema reducción de los pueblos o por su total desaparición.

La vida campesina de la Meseta, sin el peso de una ciudad gigantesca y cada vez más absorbente, como más tarde fué Madrid, tendría en el siglo XIV un ritmo que hoy sería inconcebible en los páramos alcarreños o en la deshabitada serranía central. Los centros ganaderos, como Segovia o Béjar, se unían con un intenso tráfico a las poblaciones entonces industriales, como Toledo o Brihuega.

Factor importante era la intensa vida cortesana, que no sólo contaba con el eje central de Toledo, sino con otras cortes periféricas al estilo de las que tenían su centro de reunión en los palacios de Miraflores, Escalona, Guadalajara, etc. La vida religiosa, por su parte, impulsaba al continuo trasiego de romeros, no sólo al gran centro compostelano, sino también a santuarios locales, que casi siempre estaban situados en zonas montañosas.

El gran monasterio del Paular llegó a ser el verdadero dueño y señor del Guadarrama y de una extensa comarca, y contaba con cartujas dependientes de él en la región madrileña, como la de Talamanca; el monasterio de Guadalupe, que durante siglos atrajo una gran corriente de peregrinos a una de las zonas más abruptas de la Península, contaba con caminos y posadas que Villuga en el siglo XVI alababa muy especialmente; otro tanto ocurría con la hoy desolada zona de la Peña de Francia, en donde el santuario de Nuestra Señora era considerado por Villuga como una de las "seis casas angelicales" de España. De otros varios centros de atracción religiosa apenas tenemos restos o noticias, como la que Juan Ruiz nos ha conservado de Nuestra Señora del Vado.

Los caminos medievales, en esta zona, no tenían, sin duda, calzamientos ni firmes, a estilo de las grandes vías romanas, pero permitían una intensa comunicación a pie o a caballo. Es así como podemos imaginar los alegres viajes de un caminante como Juan Ruiz, que cruzaba con entera tranquilidad los numerosos pasos del Guadarrama, mientras que hoy sería muy aventurado intentarlo por alguno de ellos, como el de Malagosto. Precisamente en este puerto, utilizado por Juan Ruiz, sitúa el *Libro de la Montería* no sólo un camino, sino una posada al pie mismo del puerto.

Nuestra imagen de la vida medieval en Castilla la Nueva no debe ser, por todo esto, la de una región sombría y atrasada, sino, por el contrario, bien equilibrada en su economía ganadera, agrícola, e incluso industrial, sede de una aristocracia poderosa y con centros monásticos muy activos. El equilibrio entre la Sierra y la Meseta, roto en la actualidad por el peso ciudadano de Madrid, era su característica más destacada.

Algunos rasgos especiales de la Montería

El autor emplea una terminología muy precisa, y distingue bien las calzadas, los caminos, los senderos y sendas "nuevos" y "viejos", las cañadas y veredas, e incluso parece indicar aquellos casos en que el empleo era doble, aclarando su uso más específico: "camino de la cañada", "vereda de las ovejas", etc. También diferencia las posadas, ventas y "casas", que cita abundantemente.

Atestigua el *Libro* un camino entre San Agustín y Viñuelas que pasaría por el puente romano de Talamanca, y cuyas cabeceras, a juzgar por la dirección, serían Segovia, en un extremo, y la calzada de Zaragoza, por Hita, en el otro. Camino que Juan Ruiz usaría, sin duda, en alguno de sus viajes.

Confirma la *Montería* el trazado de la Cañada real, que desde el Campo Hazálvaro desciende todavía hoy hasta Extremadura. El *Libro* la denomina "cañada de los Caballeros", que coincide con la toponimia actual. Acredita esta denominación el gran uso caminero de las cañadas, que no eran sólo utilizadas por los ganados, sino por toda clase de caminantes.

---

[44] Biblioteca venatoria de Gutiérrez de la Vega, 2 vol., Madrid, 1877.

De extraordinario interés es el camino, muy detalladamente descrito en el *Libro,* que desde Plasencia corre a lo largo de la Vera, sigue por Cadalso y bordea más adelante la Sierra de Guadarrama. Parte de este camino coincide con la actual carretera comarcal. Otros tramos corren unas veces más al Norte y otras más al Sur de la actual carretera, y se destinan hoy al paso de ganados. Las numerosas gargantas que ha de cruzar este camino conservan todavía puentes antiguos (Puente de Cuarto, en la Garganta del mismo nombre; puente en la Garganta de Lardo, sobre el río Tiétar; puente Carretero, poco antes de llegar a Candeleda; puentes de Arenas y Lanzahita, etc. Este camino, que es eje central de la rica comarca de la Vera, aprovecharía una anterior vía romana paralela a la calzada de Mérida a Zaragoza. De él parten ramales que acometen el paso de la Sierra por los puertos tradicionales e inevitables: Candeleda y Puerto del Pico, principalmente.

Más al Este, confirma la *Montería* los pasos del Guadarrama y da especial atención al de Somosierra, que seguía el mismo trazado actual. Destaca, asimismo, la comunicación entre las villas de Cogolludo, Atienza y Brihuega.

Al Sur son interesantes los caminos desde Talavera y Toledo a la región de Guadalupe, y desde Toledo a la zona de Almadén [45].

Los puertos de montaña citados en el *Libro* son más numerosos que los que pueden considerarse practicables hoy, incluso para simples caminantes. Se citan en la *Montería,* referidos a esta serranía, los del Peón, del Pico, del Fondo, Navazarza, Lanzafita, Mataasnos, Escarabajosa, Manzanares, la Tablada, Fuentefría, Malagosto, Rebentón, Zega, Somosierra, Halega, Infantes y Arcones. Naturalmente, no existirían tantos pasos de no haber

---

[45] La comunicación de Toledo con Córdoba es difícil de precisar, por la pérdida de pueblos y topónimos, muy abundante en la región manchega, debida, probablemente, al trasiego militar de la Reconquista, y a la transformación que supuso la abolición de las Ordenes Militares.

poblaciones próximas con suficiente vitalidad y una activa comunicación. Incluso es preciso pensar en un cierto cuidado de estos caminos. Las posadas, ventas y caseríos que con frecuencia aparecen citados tampoco tendrían razón de ser sin unos caminantes bastante numerosos, que en la actualidad, en varias de estas zonas, desde luego, no existen.

En el plano que acompañamos, realizado en el original sobre los planos comarcales 1:400.000 y en puntos concretos sobre el 1:50.000 del Instituto Geográfico y Catastral, comprobados directamente en las trayectorias principales, sólo están señalados los caminos que en el *Libro de la Montería* se indican mediante puntos claros de referencia, es decir, de partida y término. Faltan aquellos otros que enlazan puntos que no hemos podido identificar en la toponimia actual.

LA CAMINERIA TOLEDANA EN EL SIGLO XVI. EL "REPERTORIO" DE VILLUGA

La finalidad principal de nuestro estudio de los caminos de la meseta toledana es conocer su situación medieval. No obstante, dada la escasez de documentación en ese período, es preciso seguir otros procedimientos indirectos. Por una parte, al reconocer las vías romanas se está en la base, casi siempre, de las medievales; por otra, es útil orientarse hacia los sistemas posteriores, del siglo XVI, que también continúan sin grandes diferencias las comunicaciones tradicionales. La más segura confirmación de un camino medieval nos viene de la coincidencia de una vía romana con otra atestiguada en el siglo XVI.

El *Repertorio* de Villuga es una guía inmejorable de los caminos peninsulares en el siglo XVI. Y aumenta su interés, respecto a la organización central, por el hecho de estar redactado en un momento en el que todavía es la ciudad de Toledo el punto central, que irradia las comunicaciones generales hacia Talavera, Guadalajara, Segovia, Avila y Córdoba. Es decir, sigue la conocida distribución tradicional, que poco después transformará la centralización madrileña.

La finalidad de Villuga al hacer su *Repertorio* aparece de manera explícita en el prólogo: "reduzir a vn orden y concierto todas las ciudades y lugares y hasta las ventas que en España hay, poniendo el cierto y verdadero camino y distancias que de vna a otras hay parte". La experiencia del autor en los caminos españoles debía de ser grande, pero no sabemos si sería debida a su profesión. Isidoro Montiel, que prologa la reedición de 1950, opina que Villuga sería "correo o guía", deduciéndolo de las palabras del prólogo, en que dice fué su libro fruto del "andar y escudriñar" y de su "larga peregrinación por toda España". En realidad, más bien creemos que fué resultado de lo que el propio autor afirma, es decir, de una "peregrinación" en que recorrió la mayor parte de los santuarios españoles. En otra parte del mismo prólogo afirma que su propósito es orientar sobre los mejores itinerarios en las romerías a las "seys casas angelicales de Nuestra Señora", es decir: "a Nuestra Señora de Monserrate, a Nuestra Señora del Pillar de Zaragoza, a Nuestra Señora del Sacrario de Toledo, y a Nostra Señora de Guadalupe, a Nostra Señora de Francia, y a Nuestra Señora la Blanca en Burgos". Los itinerarios confirman esta idea, ya que son muchos los que tienen su desenlace no sólo en estas seis "casas angelicales", sino en otros monasterios, especialmente de Cartujos. Su punto de partida preferente es la región catalana, y en segundo lugar Toledo y Valencia. Bien puede ser este también un indicio autobiográfico.

La afición andariega del autor tampoco es causa desdeñable. De época muy próxima nos han llegado otros elocuentes ejemplos del afán con que los españoles se lanzaban a las aventuras por ventas y caminos. Desde el ejemplo de los Reyes Católicos, que caminaban sin cesar, unas veces juntos y las más separados, y el de personajes como Fernando Colón, que en su *Cosmografía* recoge un inmenso caudal de datos sobre pueblos y caminos, llegamos hasta los innumerables relatos literarios en que la vida andariega es el principal protagonista. Pícaros, caballeros, conquistadores, santos y reyes rivalizaban en gozar de la aventura, de la inquietud, de los riesgos, e incluso de las infinitas incomodidades de los viajes por la Península.

Rasgos principales de la caminería de Villuga

Como rasgos generales de la caminería en la Meseta durante el siglo XVI, según se refleja en el *Repertorio* de Villuga, destacamos los siguientes:

Los puertos para el paso de la Sierra siguen siendo, en buena parte, los medievales, aun cuando es más restringido su número. Esto es, seguramente, debido a las condiciones del tráfico rodado, que no permite utilizar los tramos demasiado inclinados o salvar determinados obstáculos. Aparecen citados los de Cebreros, Guadarrama, Fuenfría, Lozoya y Somosierra.

Intensidad cada vez mayor de las comunicaciones entre la región toledana y la salmantina y vallisoletana. Aparte del interés que ya en este tiempo han adquirido las dos capitales, influye el enorme auge del mercado de Medina del Campo. Esta localidad y Toledo son los ejes camineros de mayor densidad en toda la Península.

La comunicación entre Castilla la Nueva y Andalucía, a través de la Mancha, apenas modifica la situación medieval. De gran interés para el itinerario cervantino es la cadena de ventas que jalonan de legua en legua el camino entre Ciudad Real y Córdoba.

Es sorprendente la observación, única en el texto, sobre las "buenas posadas" del camino al monasterio de Guadalupe, hoy súmamente inhóspito. Claro es que sería debido al culto a Nuestra Señora de Guadalupe, muy intenso en la época.

La comunicación de Toledo con Valladolid era doble y diferencia Villuga el "camino de los carros" que pasaba por Guadarrama, la Venta de la Tablada y el Espinar y el "camino de los cauallos", unas nueve leguas más corto, que pasaba por la Venta de los Toros de Guisando y cruzaba la Sierra por Cebreros.

Segovia había decaído indudablemente de su gran importancia medieval, así como también Avila, que aun estando en la línea directa entre Toledo y Salamanca podía orillarse siguiendo una desviación entre Cebreros y San Vicente. En el itinerario del Lazarillo no es, pues, indispensable contar con el paso por la villa castellana.

Concuerda bien la ruta de Villuga con el camino descrito en el *Lazarillo* respecto a Torrijos a donde llevaba una desviación directa desde Escalona. Era así muy lógico el que Lázaro terminase en Torrijos su carrera después del episodio del "pilar", aunque no parece probable que pudiera recorrer tan rápidamente las cuatro leguas que, según Villuga, separan a las dos villas.

Con ayuda de los itinerarios de Villuga se confirma la doble vía medieval entre Toledo y Segovia que podía seguir el curso del río Guadarrama o bien el del Manzanares. En este último itinerario cabían dos direcciones finales: por el Real de Manzanares o por el gran Monasterio del Paular, centro religioso de la Sierra.

También confirma el *Repertorio* la antiquísima línea de penetración hacia el Norte que sigue el curso del Jarama, muy amplio y despejado, para pasar la Cordillera por Somosierra en dirección a Burgos.

Para los itinerarios medievales de Juan Ruiz tiene interés la doble comunicación de Guadalajara con Segovia que describe Villuga y que prueba la gran relación que todavía existía entre ambas zonas. La ruta por Talamanca, probablemente la más antigua, se cruzaba en Manzanares el Real con la que pasaba por Colmenar. Desde Manzanares se podía seguir o bien al monasterio del Paular o cruzar la Sierra por Navacerrada y Cercedilla.

Respecto a la gran vía central que enlaza desde época romana a Toledo con Lisboa y con Francia, las principales correcciones están determinadas por la progresiva decadencia de poblaciones como Mérida y el propio Toledo. En su lugar, Cáceres y Madrid imponen desviaciones de importancia decisiva. Aun cuando todavía en la época de Villuga no aparezca, al influjo de Madrid será debida la corrección del trayecto entre Guadalajara y Medinaceli, que hoy sube a la Alcarria por Torija, abandonando el viejo trazado por Tórtola e Hita.

INTERES DEL ESTUDIO DE LA GEOGRAFIA Y DE LAS VIAS DE COMUNICACION PARA LA HISTORIA LITERARIA

En la geografía se esconde, muchas veces, la clave estilística más importante de una obra literaria. Esto es un criterio aplicable a cualquier época o país, pero adquiere un mayor relieve cuando se trata de una literatura tan apegada a la pura descripción de la propia tierra, como es la que corresponde al apogeo clásico de Castilla la Nueva.

La atención a las vías camineras tampoco es sólo una firme ayuda para la historia política. Es también factor decisivo para conocer el paso de la penetración lingüística y para seguir las rutas de la creación literaria. Nos habremos de encontrar con estos mismos caminos e itinerarios siguiendo los pasos de Juan Ruiz, de Santillana, del *Lazarillo* o del *Quijote*.

Sobre Cervantes, como sobre Rojas, y más recientemente sobre Juan Ruiz, se ha volcado una crítica de signo internacional. Son autores universales, y no puede extrañar que sus críticos también lo sean. Hay, sin embargo, un gran inconveniente en esta atención: la de que se desfigure su verdadero carácter regional. Nuestros clásicos son autores muy locales, ceñidos por un limitadísimo perímetro; sus obras están tejidas sobre una referencia concreta a cosas, hechos y costumbres, pegados a la tierra, a la vida popular del campo y de los pueblos y las villas castellanas. Para comprenderlos no es suficiente la erudición ni el buen criterio filológico; es necesario conocer a fondo el propio campo, los pueblos y villas, que son no sólo el ambiente, sino en muchos casos el protagonista principal.

Un ejemplo claro de esta desviación es el estudio de Félix Lecoy [46] sobre Juan Ruiz. Esfuerzo de erudición que desconoce lo que es esencia en el *Libro de Buen Amor:* su absoluto castellanismo rural; su intensa asimilación del lenguaje, de la geografía y de la vida del campo en Castilla la Nueva. Todo el esfuerzo de Lecoy para hacer de Juan Ruiz un escolar europeo afiliado a las escuelas francesas y al goliardismo medieval centroeuropeo es un puro juego erudito, al margen del sentido auténtico y esencial del Arcipreste.

Otros críticos, extranjeros y españoles, alejados igualmente de la vida casi inmutable del campo en la Meseta, han caído en la tentación, igualmente erudita, de vestir el toledanismo integral de Juan Ruiz con exotismos orientales [47]. Valga el ejemplo de Américo Castro. Pero, afortunadamente, el *Libro de Buen Amor* es obra viva y puede interpretarse con ayuda de documentos igualmente vivos, presentes en la propia región en que el *Libro* tuvo su origen. En la toponimia del campo de Hita; en

---

[46] F. Lecoy, *Recherches sur le Libro de Buen Amor, de Juan Ruiz, Archiprête de Hita,* París, Librairie E. Droz, 1938.

[47] *El collar de la paloma,* trad. E. García Gómez, Madrid, 1952.

el habla popular de los pueblos alcarreños y toledanos hemos ido a buscar los modelos del inconfundible lenguaje de Juan Ruiz. Todavía podemos recorrer sus itinerarios por las calzadas y cañadas que se seflejan en su *Libro*; ver los mismos árboles y cultivos, semejantes costumbres ganaderas y agrícolas y, aunque sea en ruinas debido a un increíble abandono, podemos pasear por la misma plaza de Hita que vió cruzar a doña Endrina.

Influjo de los caminos en la dualidad castellana

A todo lo largo de su historia ha sufrido Castilla la Nueva las consecuencias de ser lugar principal de paso y cruce estratégico de la Península. Su población desistió pronto de emigrar a cada avalancha invasora y prefirió resistir y acomodarse a las nuevas condiciones. No se despobló como las regiones del Duero, bien protegidas en su retirada hacia las bases montañosas del Norte.

Entre las dos Castillas fueron así progresivamente estableciéndose diferencias tan esenciales que pueden observarse en cualquier aspecto de su cultura. Frente a la fuerte vinculación europea de Castilla la Vieja, la Nueva opone su extraño carácter mixto de rasgos orientales y occidentales, escéptico y picaresco, plagado de contradicciones, y nunca enteramente cristianizado. En esta región tendrá su asiento natural una literatura desarraigada y picaresca, poblada de protagonistas equívocos. Será el diálogo su propia expresión estilística, normal en un pueblo callejero, habituado durante siglos a la dialéctica, al cambio brusco de situaciones y al trasiego continuo de gentes y de ideas.

Es natural que en la Castilla del Norte, encerrada en un círculo de montañas, que domina con su mayor altitud los estrechos accesos periféricos, como una enorme atalaya defensiva sea, por el contrario, campo propicio al desarrollo de una épica caballeresca, europea y cristiana, y a una mística encastillada e inaccesible a todo intento de heterodoxia.

Castilla la Vieja se repliega y despuebla en su línea fronteriza del Sur cuando la fuerza expansiva del Islam está en su plenitud, pero mantiene intacta su personalidad preislámica durante la Reconquista. Cuando en el siglo XI los castellanos "viejos" descienden a la meseta toledana se encuentran con gentes de mentalidad muy distinta de las que allí habían dejado tres siglos y medio antes, pero muy pronto serán asimilados y sufrirán la misma transformación que los anteriores conquistadores. A cambio del dominio político verán confundirse sus ideales caballerescos y místicos, y su organización, todavía llena de resabios germánicos, se mezclará con modos y estructuras orientales. La ironía, el escepticismo crítico, la dialéctica y el sensualismo picaresco de los "nuevos" castellanos señala la frontera espiritual entre ambas Castillas. Sólo una visión superficial puede desorientarse por su aparente unidad. Por debajo de su ficticia asimilación se mantienen, al menos durante las cuatro centurias siguientes a su conquista, las invariables características toledanas. Tan sólo la expulsión de judíos y moriscos, la Contrarreforma y la fuerte emigración toledana hacia el Norte consiguen unificar algunas de sus grandes diferencias.

CAPÍTULO II

LA DOBLE RECONQUISTA

Nuestra historia de la Reconquista no ha logrado desembarazarse de la rígida oposición islámico-cristiana concebida como una lucha frontal de los dos bien definidos sectores. Una pequeña región asturiana, que crece y se extiende hacia el Sur hasta reconstruir, al cabo de siete siglos, la unidad religiosa y nacional del reino visigodo, es la protagonista occidental. Las ideas que la impulsan, los episodios internos de su organización política y las alternativas de su expansión han sido estudiadas sin apenas variar el punto de vista historiográfico [1]. Frente a ella, el campo islámico avanza o retrocede dentro de una línea igualmente uniforme. Pero apenas hay una ligera atención hacia el soporte inamovible de los núcleos resistentes, de los pseudoconversos, tributarios, mozárabes, es decir la en apariencia pasiva "quinta columna", que mantiene tenazmente sus características.

Recientemente, como resultado del avance de los estudios arabistas, ha aumentado nuestro conocimiento de la España mu-

---

[1] Un resumen actual de la historiografía española puede encontrarse en las varias síntesis publicadas en los últimos años: L. GARCÍA DE VALDEAVELLANO, *Historia de España,* en *Revista de Occidente,* Madrid, 1952; F. SOLDEVILA, *Historia de España,* Ariel, Barcelona, 1952; *Historia de España,* Estudios publicados en la revista *Arbor,* C. S. I. C., Madrid, 1953; R. MENÉNDEZ PIDAL, *Historia de España,* Espasa-Calpe, Madrid.

sulmana, y la atención se ha desplazado en cierto modo hacia esa vertiente. Pero ha seguido invariable la vieja posición demasiado simplista. Sigue oponiéndose la Reconquista cristiana de España a la Invasión musulmana del Al-Andalus, y siguen vigentes las síntesis teóricas que sitúan a la Península en la alternativa entre el Oriente y el Occidente; en una continua Cruzada frente a una inacabable "guerra santa".

Extraña más esta versión unitaria si se piensa en que la geografía política de la España medieval, tanto cristiana como musulmana, presenta una extraordinaria disgregación y una actitud de los reinos peninsulares de sentido político muy variable y en cierto modo contradictorio; síntomas claros de que no eran los grandes ideales religiosos o nacionales los que predominaban en su acción.

Quizá el único estímulo permanente y común a todas las regiones peninsulares, durante la lenta y desigual empresa de la Reconquista, fuese la hostilidad frente a los contingentes africanos invasores y a su universalismo político-religioso. En la estructura de los primitivos castros peninsulares; en su individualismo regional, que sólo tardíamente alcanza una unidad nacional más amplia, se encuentra, a nuestro juicio, la clave histórica más decisiva de la Reconquista, que sólo accidentalmente tuvo un planteamiento cultural o religioso.

Tanto el ideal de la "cruzada" como su opuesto de la "guerra santa", desempeñaron indudablemente un importante papel en la pérdida y en la Reconquista de España, pero no fueron estímulos permanentes, sino condicionados a circunstancias, a épocas y a regiones precisas. Sólo es permanente y general la reacción antiafricana que dió a la Reconquista el carácter de una guerra de Independencia, complicada por poderosos motivos religiosos y raciales. Pero es indispensable tener presente que este impulso en favor de la independencia no fué exclusivo de los reinos cristianos. También en los territorios musulmanes, en los que la población, mozárabe o islamizada, sigue siendo española, se rechazaba el dominio árabe y bereber. Así surgen en la Península dos "reconquistas" de distinto signo político-religioso, pero de muy semejante base racial y con definida tendencia regionalista. Sólo partiendo de este hecho tiene sentido la duradera rebelión de Ibn Hafsun, el establecimiento de dinastías hispánicas, como los Banu Qasi, las continuas rebeliones y taifas hispano-musulmanas, y muy especialmente la historia del Reino musulmán de Toledo.

La comprobación de esta doble corriente reconquistadora, que en la región toledana alcanza una especial intensidad, se apoya sobre varios puntos fundamentales en nuestra teoría. Son éstos: la historia de las sublevaciones y de las campañas del Reino musulmán de Toledo frente al poder central de Córdoba; la inactividad militar de este mismo reino toledano frente a los cristianos del Norte; su incorporación, al final de una crisis más de carácter político que militar, al Reino de Castilla; el mantenimiento durante la dominación musulmana de un extenso y activo núcleo mozárabe; la persistente tradición visigoda, no de una idea "imperial", sino de la necesidad que siempre tuvo la ciudad de Toledo de recobrar y mantener su carácter de capital peninsular.

LA RECONQUISTA TOLEDANA

La historia musulmana de Toledo se extiende a lo largo de 373 años (712-1085) [2]. Casi idénticas fechas son válidas para la región comprendida entre la divisoria del Tajo y el Guadarrama (Talavera, Madrid, Guadalajara). La reacción almorávide retrasó la reconquista definitiva de la zona Este (Cuenca) unos noventa años más (1177).

---

[2] Una perspectiva general de la España musulmana puede encontrarse en las obras bien conocidas de DOZY, LEVY-PROVENÇAL, SÁNCHEZ-ALBORNOZ, MENÉNDEZ PIDAL, AMÉRICO CASTRO y GARCÍA DE VALDEAVELLANO.

La duración de este dominio musulmán, aun siendo extensa, no llega a la mitad del tiempo de la ocupación granadina (781 años). No es necesario insistir en la importancia de este dato en relación con la persistencia mozárabe y de sus tradiciones romànicas en la región toledana. De gran trascendencia es, asimismo, el hecho de que la reincorporación de Toledo a la España cristiana fuese anterior a las tres grandes ofensivas africanas (almorávides, almohades y benimerines), que islamizaron profundamente Al-Andalus. Sobre Toledo no tuvo tiempo ni interés suficiente el Islam para llevar a cabo una transformación decisiva. No es correcto comparar la tenue islamización toledana con la andaluza o la levantina.

A raíz de su ocupación por Tarik, que pactó la rendición en condiciones favorables para la población indígena, que muy pronto pudo reanudar su vida normal, se inicia ya la lucha interna entre los conquistadores (árabes y bereberes), que se complica con la resistencia mozárabe y con la intriga de las comunidades judías. El 740 estalla la primera gran sublevación en Al-Andalus, que se convertirá en endémica durante el Emirato. Toledo toma parte activa en ella, y cuando quince años más tarde (755) Abd al-Rahman establece su gobierno independiente, la ciudad acoge a sus enemigos y mantiene su rebeldía, con breves alternativas, hasta el 764. Cuatro años después vuelve a plantearse la insurrección toledana, iniciada esta vez en la "campiña" de Guadalajara, llegando en algunos momentos a ser amenazada la línea del Guadiana. Sólo siete años más tarde (776) consigue Abd al-Rahman dominarla. Se suceden unos años de paz, hasta que el 785 señala un nuevo levantamiento que el propio Emir tuvo que combatir. Gracias a esta continua revuelta de la Marca toledana, el genio militar de Abd al-Rahman no pudo dedicar a la guerra santa, en las regiones del Norte, toda su atención y contempló pasivamente varias incursiones cristianas.

El sucesor de Abd al-Rahman, Hisham I, hubo de hacer frente a otro levantamiento y atacar la propia ciudad de Toledo durante más de dos meses (789). A la relativa paz de su reinado sucede una continua insurrección toledana en el de Al-Hakam I, que conoce la famosa "jornada del foso" (797), que deshizo a una gran parte de la nobleza de la ciudad. La crueldad de esta represión impresionó muy intensamente al mundo hispano-musulmán.

Bajo Abd al-Rahman II los mozárabes mantienen la alarma en la frontera Norte, hasta que la rebeldía se hace franca el año 829, manteniéndose sin interrupción hasta el 837. El recuerdo de la feroz represión de Al-Hakam I y el deseo de independencia sirven de estímulo a las guerrillas que merodean por la región toledana, incluído el distrito de Santaver. Se inicia por estos años el resurgimiento de las familias españolas islamizadas, entre las que destaca la de los Banu-Qasi. Mozárabes y muladíes forman un frente común ante el dominio cordobés.

Este nacionalismo que se extiende por toda la Península dominada por el Islam culmina en los últimos años del siglo IX. Son los días del gran choque religioso, que en Córdoba representan Eulogio y Alvaro, y que repercute intensamente en la comunidad mozárabe de Toledo, que elige a Eulogio metropolitano sin contar con la aprobación del Emir.

La sublevación toledana contra el sucesor de Abd al-Rahman II, Muhammad (852), es simultánea con la proclamación del nuevo Emir, y lleva a los sublevados toledanos hasta Calatrava, la gran fortaleza que protegía las avanzadas de Córdoba y de Jaén. La lucha entre Toledo y Córdoba se plantea en el campo de batalla secular de la Mancha. Poco más tarde (854) la insurrección toledana obtiene el apoyo del Rey astur Ordoño I, iniciándose así la colaboración cristiano-toledana, que culminará en el reinado de Alfonso VI. La campaña que ha de emprender el Emir para combatir la coalición sigue el itinerario clásico de las grandes invasiones africanas: la vía romana de Córdoba a Toledo, por Despeñaperros, dejando a la izquierda Calatrava y pasando por Consuegra, hasta alcanzar la planicie al sudoeste de Toledo. La derrota de las fuerzas astur-toledanas en el Guadacelete tuvo gran repercusión en el Islam. Las cabezas amontonadas de los 12.000 toledanos y de los 8.000 asturianos muertos sirvieron para las preces de ritual, y los trofeos de la batalla fueron enviados a Córdoba e incluso al norte de Africa. Así terminó la primera gran alianza reconquistadora de Toledo con los reinos cristianos. No obstante, y a pesar de su victoria, tuvo el propio Emir que atacar la ciudad de Toledo (858), que obtuvo, al fin, una amnistía bastante favorable.

En el 888, coincidiendo con la gran sublevación de Umar Ibn Hafsun [3], se adueña de Toledo Musa ben Zennun, que dejará luego su dominio a los Banu-Qasi. En este tiempo, cuya documentación es muy confusa, Toledo es prácticamente independiente de la autoridad cordobesa. Hay noticias de que en cierto momento el Rey asturiano Alfonso III fué llamado por los habitantes de la ciudad, que le otorgaron tributo. Antecedente interesante para comprender lo que más tarde sucederá con la "conquista" de Alfonso VI. Esta situación indecisa de la zona toledana se prolonga hasta el 932, en que Abd al-Rahman III reconquista la ciudad, al fin de su famoso sitio desde la "Ciudad de la Victoria".

Fué necesaria toda la fuerza del Califato, en su momento de máximo esplendor, para lograr una paz de alguna duración en la región toledana. Bien es verdad que durante este mismo tiempo también los reinos cristianos se someten a la genial autoridad del Califa. El influjo cultural islámico penetró en estos años profundamente en la estructura española.

---

[3] La sublevación, y muy especialmente la muerte inesperada de Umar Ibn Hafsun, tuvo una enorme repercusión entre los mozárabes toledanos.

Durante los quince años (961-976) del reinado de Al-Hakam II continúa la paz impuesta en Toledo por su padre. Siguen luego los años terribles, no sólo para los reinos cristianos, tenazmente asolados por continuas incursiones, sino también para las Marcas fronterizas, que sufren el paso victorioso de Almanzor (976-1002).

Toledo ha perdido desde varios años antes (946) la condición de cuartel general de la Marca media, en beneficio de Medinaceli, guarnecido y repoblado por el gran general maula Galib. La figura de este gran estratega musulmán, que durante más de cincuenta años fué dueño y señor de la guarnición musulmana frente a Castilla, es extraordinariamente significativa. Esclavo libertado por Abd al-Rahman III, se mantuvo fiel a la dinastía omeya, hasta que la ambición de Almanzor provocó su rebeldía. En la batalla de San Vicente Almanzor no sólo aniquiló a su peligroso rival musulmán, sino también a sus dos aliados cristianos: el Conde castellano Garci-Fernández y el vasco Ramiro, hijo de Sancho Garcés II Abarca. La tradicional alianza toledano-cristiana había sido intentada infructuosamente una vez más.

El año 1010 se inicia el tercer período de la Toledo musulmana. Muhammad II se mantiene en la región frente al nuevo Califa, Sulayman. Con ayuda de contingentes catalanes, Muhammad conquista Córdoba. Es la primera revancha de Toledo frente a su gran rival del Sur, y como en otras ocasiones combaten juntos toledanos musulmanes y cristianos del Norte. Vuelto Sulayman al poder, el prestigio y la autoridad de los Califas se debilitan, y los "taifas" devuelven a la geografía política de la España musulmana su viejo aspecto celtíbero. Otro tanto sucede en la fragmentada España cristiana.

La historia del Reino musulmán de Toledo, a partir de esta fecha, apenas difiere de la de un reino cristiano en su actividad político-militar. La expansión hacia las regiones del Sur y del

Este son sus comunes objetivos. La destrucción de Córdoba y el temor a la amenaza de nuevas invasiones africanas son estímulos mucho más efectivos para la acción toledana que la "guerra santa" contra los cristianos que tiene a su espalda. Toledo en el siglo XI es la verdadera avanzada de Castilla; quien le abre el camino de la Reconquista hacia Córdoba y hacia Valencia, anticipándose y contribuyendo al triunfo posterior de Alfonso VI y del Cid [4].

Fusión de la reconquista toledana con la castellana. Toledo se incorpora al Reino de Castilla

Un juicio de la historia toledana, si ha de ser objetivo, no puede alinear a esta región en el frente islámico, sino en el de la reconquista o independencia antiafricana. Durante más de dos tercios de su período musulmán combatió persiguiendo los mismos intereses y en las mismas direcciones que Castilla, sin que en ningún momento intentara una expansión hacia el Norte. En los brevísimos períodos en los que, sometida a Córdoba, Toledo vuelve su atención hacia los reinos cristianos, no pasa de servir de base a las expediciones cordobesas. Su población española, mozárabe, islamizada o judía, no compartió en ningún momento la idea imperialista del Islam, forzosamente orientalizadora y extraña. Su gobierno musulmán no pasó de ser el representante de una minoría política, y era dominado en multitud de ocasiones por el tenaz regionalismo mozárabe o por la indiferencia político-religiosa de la comunidad judía.

La reconquista de Toledo no esconde ningún misterio ni ninguna contradicción histórica [5]. El error ha consistido en con-

---

[4] A. Martín Gamero, *Historia de la ciudad de Toledo, sus claros varones y monumentos,* Toledo, 1862. P. de Roxas, Conde de Mora, *Historia de Toledo,* 1663.

[5] R. Menéndez Pidal, *Adefonsus Imperator Toletanus Magnificus Triumphator,* en *B. A. H.*, tomo C, 1932, págs. 5, 13-538.—E. Levy-Pro-

siderarla como un episodio "militar" de la reconquista castellana, cuando a todas luces es el resultado de una lógica y forzosa crisis "política" interior. El paso hacia la unidad nacional, a medida que avanzaba la "reconstrucción" cristiana de la Península, lo mismo determinaba la fusión de Castilla con León que la de Castilla con el Reino pseudo-islámico de Toledo. El partido musulmán dentro de esta ciudad fué el único derrotado, y no fué su principal vencedor Alfonso VI, sino la cada vez más fuerte oposición interna del mozarabismo.

El proceso político que culmina en la fecha quizás más trascendental de la Reconquista (1085), ya que en ella se decidió su destino religioso, se intensifica en el reinado de Al-Mamun (el Alimenón de la poesía castellana). Su reinado representa el apogeo musulmán de Toledo, y lo que puede parecer paradógico, el comienzo de su asimilación castellana.

Ya en este tiempo, a pesar de las diferencias religiosas, se ha uniformado el género de vida en toda la Meseta Central. Los Reinos cristianos, orientalizados, se han acostumbrado a ver en el Reino de Toledo un aliado frente a Córdoba. Alfonso VI ha convivido durante varios meses decisivos (enero a octubre de 1072) con su amigo, seguramente sincero, Al-Mamun [6]. El Cid vive indistintamente con unos y con otros, y nunca sabremos si luchó a favor de la reconquista castellana, de la musulmana o alternando las dos con sus propios intereses [7].

VENÇAL. *La "description" de l'Espagne d'Ahmad al Rāzī*, en *Al-Andalus*, XVIII, 1953, 51-108; ídem: *La Péninsule ibérique au Moyen Age d'après le Kitāb ar-Rawd al-mi'tār*, Leyden, 1938.

[6] La comunidad militar entre el rey de León y el de Toledo llega al punto de ceder Al-Mamun a Alfonso VI las plazas de Olmos y Canales (hoy villas yermas) para que hospitalizase a sus heridos en las campañas que juntos hacían contra otros reinos musulmanes.

[7] Es entonces cuando la civilización hispano-musulmana alcanza su plenitud y la originalidad que la hace inconfundible con el oriente islámico. El árabe es su lengua de cultura, y en él aparecen obras de gran impor-

Al morir Al-Mamun, a raíz de su conquista de Córdoba, que representaba la victoria secularmente ambicionada por Toledo, su Reino toledano ocupaba casi toda la meseta meridional, pero la crisis política en la capital era inevitable. Sin sucesor directo, ya que su hijo, Ismael, había muerto en el mismo año, ha de ser su nieto Alcádir, casi un niño, quien le herede. La lucha tradicional de toda minoría, enfrenta no sólo a los políticos, sino a los bandos populares de Toledo. Rápidamente se resquebraja y fragmenta el gran Reino creado por Al-Mamun. Valencia se declara independiente, y Alfonso VI aprovecha la oportunidad para intervenir en la crisis toledana. Otro tanto hacen los Reyes musulmanes de Sevilla y de Zaragoza.

La lucha de los partidos dentro de la ciudad plantea problemas historiográficos en la misma medida que cualquier otra guerra civil, con sus múltiples apariencias contradictorias. Hay algunos datos lo bastante seguros que nos permiten identificar una rivalidad entre los partidarios mozárabes de Alfonso VI, apoyados por la minoría judía, frente al partido mantenedor de la intransigencia musulmana. Favoreciendo a éste, el Rey de Badajoz, Mutawakkil, encontró el pretexto indispensable para intervenir en la lucha. Su triunfo provisional, que motivó la huída de Alcádir y su más completa entrega a Alfonso VI, facilitó al cabo la política del Rey castellano.

La prudencia extremada con que Alfonso VI actuó a lo largo de esta decisiva crisis de la Reconquista es la prueba de que seguía atentamente la evolución interna de la ciudad y de que su propósito no era adelantar ligeramente la frontera castellana, sino incorporarse todo el Reino, cuya población, en gran parte, nunca había dejado de participar en la empresa nacional reconquistadora.

---

tancia e independencia de criterio, como son *La Historia de las religiones,* de Abu-Hazan, o las *Obras filosóficas,* de Averroes.

La reposición de Alcádir en el trono, por obra de Alfonso VI permitió a éste ocupar varias claves defensivas del Reino sin atraer prematuramente la atención africana. La "dificultad historiográfica", que, según Menéndez Pidal, plantea la ocupación de la ciudad, es simple reflejo de la alternativa política. La contradicción entre las fuentes históricas, en su mayoría cristianas, que hablan de un larguísimo cerco de la ciudad (seis o siete años) por Alfonso VI, y el testimonio del Kitab al-iktifá, que alude a una entrega pacífica, puede ser más aparente que real. Las incursiones cristianas al campo toledano y el cerco prolongado podían justificarse en relación con uno de los bandos en lucha. Es sintomático que mientras el propio Rey castellano hace alarde de su esfuerzo en la conquista, que aumenta su prestigio, los autores musulmanes prefieren hacerse eco del fácil abandono, de la pasividad lindante con la traición del partido musulmán.

No creemos, como afirma Menéndez Pidal, que los cuatro años de asedio respondieran a un pacto secreto para salvar el honor del partido musulmán de Toledo. Más probable explicación de esta "prudencia" de Alfonso VI sería su temor a la intervención de los reinos vecinos, y sobre todo a despertar al temible Islam en sus bases africanas.

Al morir Al-Mamun, el reino toledano había conseguido pasar la Sierra Morena, llevando así la línea toledana hasta el Mediterráneo. Castilla la Nueva extiende de este modo, en época musulmana, sus límites regionales en una medida que nunca más, como tal región, volverá a alcanzar. La capital estuvo a punto de lograr bajo signo islámico lo que siempre fué la máxima ambición suya: volver a ser capital de la Península. Pero Toledo nunca había sido una auténtica ciudad musulmana, como tampoco llegará a ser enteramente cristianizada. Entre Al-Mamun y Alfonso VI su elección hubiera sido vacilante, debido a la equivalente categoría de ambos. La gran fortuna para el partido mozárabe y para el reino cristiano de Castilla estuvo en la incapacidad del nieto de Al-Mamun, Alcádir, que no pudo continuar el apogeo logrado por su abuelo y fué fácilmente anulado por su rival castellano. Por encima del azar histórico se impuso la necesidad de que una región como la toledana, que en el siglo XI estaba madura para hacerse cargo de la dirección en la empresa nacional de la Reconquista, se uniera a las otras regiones del Norte. El cambio de signo religioso no fué para ella tan difícil gracias a su gran hábito de tolerancia y a la persistencia durante la dominación islámica de la minoría mozárabe.

Incidentalmente, confirman esta especial consistencia del mozarabismo toledano varios datos, que prueban su creciente influjo durante el período islámico. La Corte cordobesa, consciente del arraigo cristiano en esta región, no se opuso a su organización eclesiástica, e incluso autorizó la reconstrucción de monasterios, como el de Sopetrán, que, según testimonio de Hauberto, recogido por Fray Gregorio de Argaiz (*La soledad laureada por S. Benito y sus hijos en las Iglesias de España*, Madrid, 1675), fué repuesto el año 844, "a beneplacito Regis Cordubae" (T. I. Cap. CXXXIV). Otra prueba especialmente interesante de la reacción cristiana es la doble tradición que enlaza a dos de los cultos más antiguos de la región alcarreña, el de Nuestra Señora de la Peña, en Brihuega, y el de Nuestra Señora de Sopetrán, en Hita, con las conversiones de dos hijos de Al-Mamun. Aun admitiendo la inseguridad histórica de estos hechos, es fácil ver en ellos la idea popular de que había una tendencia cristianizante, dentro de la propia familia real toledana. La amistad entre Alfonso VI y Al-Mamun encerraba, con toda probabilidad, una comunidad ideológica e incluso religiosa cuyo final desenlace era la unión política, que se avecinaba, entre Toledo y Castilla.

En la decisiva oportunidad del siglo XI serán juntamente el castellano Alfonso VI y el toledano Al-Mamun (primer reconquistador de Córdoba y Valencia) quienes den el golpe de gracia al decaído Imperio africano. La acción de ambos, dirigida en un mismo sentido, orientó la historia moderna de España, que habría caído con toda probabilidad bajo el nuevo imperio almorávide, de no resistir su empuje la línea recién establecida del Tajo [8].

La pseudo-conquista de Toledo

La "oscuridad" que parece envolver la toma de Toledo se desvanece en gran parte si, en lugar de una acción militar, se la considera como el desenlace de una revolución política interna, bien aprovechada por el rey castellano. Los diversos episodios, sólo en apariencia militares, que se suceden desde el comienzo del reinado de Alcádir, son expresivos, en su misma confusión, de la larga cadena de intrigas y negociaciones a las que obligaba una transformación tan decisiva. El partido mozárabe, lógico

[8] La inquietud rebelde, la rápida reacción ante cualquier hegemonía extranjera es uno de los rasgos más permanentes de Toledo. Hay una semejanza evidente entre el levantamiento antiafricano de los siglos de dominación islámica y el de la rebeldía comunera frente al emperador Carlos V y su política germánica. También en esta ocasión es Toledo iniciador y cabecilla principal. La misma tenaz resistencia hace que se prolongue la rebeldía de la ciudad, aun cuando ya no quede la menor esperanza de triunfo. No obstante, la capitulación final de los comuneros toledanos sería realizada en tan favorables condiciones, que provocaron protestas en la corte del Emperador: en carta del Cardenal de Tortosa al Emperador (5 diciembre 1521) se expresa de la siguiente inconfundible manera: "El prior D. Antonio ha reducido a Toledo a obediencia y servicio de V. Al. con condiciones poco honestas a V. Mat. y a su real preheminencia según que de los capítulos que van con este despacho lo podrá mandar ver", y añade "si ahora se entendiesse en retractar aquello parecería escandaloso y perniciosso a todo el reyno los que aconseiauan que se retirasse el exercito de Toledo no concertado lo de aquella ciudat bien me pareciera e yo viniera y me conformara con ello si aquello se pudiera hazer sin grandissimo peligro de sedición y nuevo levantamiento". Nos recuerdan estas favorables condiciones las que conseguía la villa al final de la mayor parte de sus sublevaciones contra el Califato cordobés.

aliado de Alfonso VI, de un lado, y del otro el hispano-musulmán, que luego pasará a la condición de mudejar, son los protagonistas. El rey de Badajoz, Mutawakkil, que intenta sostener la hegemonía musulmana, y Alcádir, dominado por el rey de Castilla, son tan sólo figuras accidentales. La comunidad judía, que fácilmente pudo intuir la gran mudanza que se avecinaba, estará a la espectativa y apoyará, en última instancia, al más seguro vencedor.

Entre la maraña de testimonios contradictorios, que más confunden que ayudan a la interpretación histórica de este período, destacan tres hechos seguros y bien expresivos: las concesiones de Alfonso VI a los musulmanes toledanos después de su entrada en la ciudad; su alianza con Alcádir respecto a Valencia; la ocupación simultánea y pacífica de toda la extensa región toledana. (Fueron quince las ciudades fuertes de la región toledana liberadas al tiempo que Toledo por Alfonso VI.) Todos ellos prueban bien que no hubo una auténtica campaña militar ni una "conquista" de la más inexpugnable ciudad española. Toledo se "unió" a Castilla en virtud del avance progresivo de las regiones españolas hacia la unidad peninsular, obedeciendo a causas semejantes a las que anteriormente habían unido a León con Castilla y a las que más tarde unirían a Castilla con Aragón.

La diferencia, en apariencia radical, entre la fusión de reinos cristianos y la de uno de ellos con un reino musulmán como Toledo no pasa de ser superficial. La población mozárabe, es decir, hispano-cristiana, se mantuvo durante la dominación islámica con el suficiente vigor como para evitar la islamización sincera de Toledo. Las seis parroquias que existían en la ciudad al tiempo de su liberación nos descubren la clave más importante de la continua rebeldía toledana frente al Islam andaluz y arrojan mucha luz sobre el supuesto "misterio" de la conquista alfonsina. Prueban que no fueron suficientes los trescientos setenta años de dominación musulmana para la asimilación de

Toledo, que fué salvada, providencialmente, de las grandes invasiones africanas y fanáticas del XI y del XII. Ellas sí que, probablemente, hubieran modificado, de modo radical, su estructura.

LA POBLACION TOLEDANA

Para comprender la historia de Toledo es indispensable formarse una idea de la estructura de su población. Problema de extraordinaria complejidad no sólo por la dificultad general que tienen las cuestiones etnográficas en la Península, sino por ser Toledo una de las encrucijadas más complicadas de ese constante ir y venir de razas conquistadoras por nuestro país.

El panorama de los estudios de prehistoria española en el momento actual no es muy alentador. Casi no sabemos nada con alguna certeza, y son los mismos especialistas quienes nos lo dicen. Estamos ante un indudable "impasse", y casi todas las hipótesis de hace veinte años han perdido su poder de convicción. Entre esta nebulosa inicial sólo parece cierta la existencia de una gran diversidad de pueblos sobre la Península, que en época prehistórica fué lugar de cruce racial entre poblaciones europeas y africanas [9].

Ya en los comienzos históricos, junto a los por ahora insolubles problemas de la cultura tartésica, a la presencia ligur y al parentesco vasco con el primitivo fondo ibérico, resulta en cierto modo cuestión sencilla la delimitación de la región carpetana coincidente con la meseta toledana. Conocemos los rasgos fundamentales de la Carpetania prerromana, de población no enteramente similar a la de Celtiberia, situada más al Norte, y cuya resistencia estuvo a punto de frenar la colonización romana.

Las tribus carpetanas al tiempo de la romanización se asentaban en la llanura toledana, siguiendo el impulso de los viejos

---

[9] P. Bosch Gimpera, *El poblamiento antiguo y la formación de los pueblos de España,* México, Imprenta Universitaria, 1944.

poblados neolíticos en busca de cuencas fluviales protegidas por la Cordillera Central. Sigüenza, Segobriga, Toledo, etc., apenas modificaron su estructura con la conquista romana, poco interesada en la colonización de la meseta. Por ello, no hay correspondencia entre la romanización lingüística, y en parte cultural de esta región, con la variación racial que fué, sin duda, insignificante.

La conquista visigoda lleva implícita la colonización peninsular. Pero no es ya una colonización como la romana, sino una invasión. No son legiones apoyadas por colonias administrativas, sino tribus ignorantes, parecidas en este aspecto a las que invadieron la Península en época prehistórica. Es muy probable que la conquista visigoda, en ciertas regiones, afectase a la estructura demográfica.

En la Carpetania, este hecho estaría favorecido por el establecimiento de la capital. Toledo es en cierto modo una creación política visigoda. Frente al regionalismo romano, partidario de las costas mediterráneas, el mundo visigodo representó el primer centralismo imperial de la meseta toledana.

La conquista musulmana

La huella de la conquista musulmana en la población española ha sido apasionadamente discutida. Se confunde a menudo la conversión islámica de la población celtíbera, que pudo llegar a ser total en ciertas zonas del Sur, con una "berberización" cuyos efectos debieron ser pequeños y muy variados, según las zonas, sobre la población anterior. Al llegar la invasión islámica ya estaba formado el solar, o mejor dicho, la solera hispánica. Todas las posteriores transformaciones serían asimiladas sin cambio en la base primitiva [10].

---

[10] P. Bosch Gimpera, *Op. cit.*

La conquista de España sólo en fecha muy tardía pensó el Islam en transformarla en una ocupación permanente de la Península. Y este propósito hay que atribuirlo más que a los conquistadores africanos a los españoles islamizantes. Los pequeños contingentes africanos de la conquista no suponían peligro para la estructura racial, aun sin contar con que buena parte de ellos, una vez cumplida su misión militar, retornarían al Mogreb [11]. Por encima de los datos parciales y de las inseguras estadísticas demográficas hay varios hechos que prueban la eficaz depuración que fué reduciendo las ligeras incrustaciones marroquíes [12]. Los moriscos al fin de la Reconquista no eran sólo islamitas de difícil conversión, sino residuos raciales poco gratos a la población aborigen. Su expulsión sólo pudo ser posible contando con una tradición popular, discriminadora de la raza, que continuaba y descubría la que sin duda existió durante la dominación musulmana. Al final de innumerables vicisitudes el mozarabismo impuso su criterio intransigente. La coexistencia nunca tuvo otro carácter que el provisional de toda ocupación militar [13].

---

[11] R. Menéndez Pidal, *La España del Cid,* págs. 669-670. El cálculo de la emigración berebere y árabe en los años siguientes es muy difícil, pero sí es posible afirmar que en regiones como la toledana, libres de las últimas invasiones, en ningún caso fué de importancia. (Véase F. J. Simonet, *Historia de los Mozárabes,* XXXIV.)

[12] En los primeros tiempos de la invasión fueron muchos los visigodos que islamizaron, especialmente entre la nobleza cortesana. Son bien conocidos los matrimonios de Abdelazid con Egilona, la viuda de Rodrigo; de Munuza, compañero de Tarik, con la hermana de Pelayo, así como la famosa historia de Sara "la goda", nieta de Vitiza, que casó dos veces con nobles musulmanes de la corte de Hixam y de Abd al-Rahman I. No sucedía lo mismo con el resto de la población hispánica, que conservó su tradición cristiana y vivió separada de los dominadores por espacio de varias generaciones, sin llegar nunca en una gran extensión de la Península a fundirse con ellos.

[13] La convivencia hispano-musulmana fué siempre forzada, a punto de saltar cuando las circunstancias se volvían favorables. Para tener una idea de la relación entre moros y cristianos en la Edad Media, puede

Núcleos principales de Toledo al tiempo de la Reconquista

En el tiempo de su reconquista, Toledo era una original síntesis de tres mundos más o menos compatibles: cristiano, mudéjar y judío.

La población cristiana estaba formada, en primer lugar, por la comunidad mozárabe resistente a la dominación[14]; en muy inferior proporción, por los castellanos que participaron en la reconquista, y, finalmente, por un grupo francés, que permaneció como colono, con fuero otorgado por Alfonso VI en 1118, y que, en definitiva, fué absorbido por la población indígena.

La competencia entre pobladores mozárabes y castellanos fué duradera y sufrió diversas alternativas. Acabó triunfando el mozarabismo en la legislación, al lograr fuese conservado el Fuero Juzgo frente a la legislación castellana. Alfonso VI, por su parte, otorgó en 1101 el Fuero de los mozárabes toledanos. En el aspecto religioso, por el contrario, hubo de ceder la iglesia toledana ante la poderosa presión de la Santa Sede, bien secundada por la monarquía castellana y por la poderosa Orden de Cluny, que acabó con el rito mozárabe y con el nacionalismo tradicional de la Iglesia española.

El mozarabismo, factor decisivo

La persistencia mozárabe es una cuestión primordial, especialmente para nuestro fin de caracterizar a Castilla la Nueva,

ayudarnos el observar la moderna "convivencia" hispano-marroquí en la antigua zona de protectorado.

[14] Las iglesias mozárabes de Toledo son un buen testimonio de esta resistencia. En la época de su reconquista existían las siguientes: Santa Justa, San Lucas, Santa Eulalia, San Marcos, San Torcuato, San Sebastián (citadas por el Arzobispo Rodrigo Ximénez), Omnium Sanctorum, Santa Leocadia, Santa María de Alficen (Metropolitana), San Cosme y San Damián.

ya que las alternativas de esta resistencia varían según las regiones, su fecha de liberación y la proximidad al centro africano [15].

A pesar de la escasa documentación sobre la vida en el campo y en las ciudades musulmanas es posible, a través de los autores árabes, reconstruir la vida de los mozárabes, organizados en barrios casi independientes y regidos por el "liber judiciorum". Incluso en las épocas de mayor depresión, bajo los almorávides, hay claros testimonios de la existencia en ciudades muy dominadas, como Sevilla, de un barrio cristiano [16].

En resumen, puede dividirse la historia de los mozárabes de la Península en cinco períodos de signo político muy diferente. Una primera etapa comprende desde la invasión hasta el fin del Emirato (711-756). La inseguridad del poder musulmán le obliga a considerar e incluso a proteger a los mozárabes. La segunda etapa va desde Abd al-Rahman I hasta bien entrado el reinado de Muhammad I (765-870). Afianzado el nuevo Imperio, persigue a los mozárabes y trata de vencer su resistencia religiosa. Un tercer período está determinado por las guerras civiles que comienzan bajo Muhammad I y llegan hasta Abd al-Rahman III (870-932). Las insurrecciones no son de signo exclusivamente religioso; tanto mozárabes como muladíes españoles reaccionan contra los dominadores africanos. El cuarto período abarca desde la reducción de Toledo por Abd al-Rahman III hasta su reconquista por Alfonso VI (932-1085). La sumisión de los mozára-

---

[15] J. DE LAS CAGIGAS, *Minorías étnico-religiosas de la Edad Media española,* Madrid, 1947.—F. J. SIMONET, *Historia de los Mozárabes de España, Madrid,* 1897-1903.—A. GONZÁLEZ PALENCIA, *Los mozárabes de Toledo en los siglos XII y XIII,* Madrid, 1930.—Idem, *Moros y cristianos en la España medieval. Estudios histórico-literarios,* Madrid, C. S. I. C., 1945.—F. FERNÁNDEZ Y GONZÁLEZ, *Estado social y político de los mudéjares de Castilla,* Madrid, 1866.

[15] E. LEVY-PROVENÇAL y E. GARCÍA GÓMEZ, *Sevilla a comienzos del siglo XII. El tratado de Ibn Abadn,* Madrid, Moneda y Crédito, 1948.

bes españoles en la Península es casi total y sólo algunos núcleos consiguen liberarse gracias a la ayuda de los reinos cristianos del Norte; el mozarabismo toledano pasa por su verdadero momento de crisis. La quinta etapa comprende desde la conquista de Andalucía por los almorávides (1110) hasta los últimos tiempo de la dominación musulmana. La persecución de los mozárabes se intensifica hasta conseguir su casi total absorción en las regiones últimamente liberadas. A Toledo y a los otros reinos cristianos afluyen constantemente refugiados del Sur [17].

Se desprende de este resumen que el mozarabismo toledano sólo padeció una verdadera opresión en los ciento cincuenta años que median entre la represión de Abd al-Rahman III y la liberación por Alfonso VI. Esta pasajera decadencia sería después ampliamente compensada con las inmigraciones de los núcleos mozárabes que huían de las persecuciones almorávides y almohades. No cabe, pues, dudar de la vitalidad y del influjo predominante del factor mozárabe en la estructura básica de Castilla la Nueva.

Su diaria resistencia, siempre al acecho de una oportunidad de reacción, era de signo popular, anónima, poco propicia a ser recogida por unos historiadores primitivos, más atentos a la acción, a menudo inoperante, de unas cuantas casas nobiliarias.

Moriscos y Judíos

El segundo núcleo de la población toledana estaba formado por los mudéjares, es decir, por los musulmanes que quedaron en la ciudad después de la conquista. Era gente de condición humilde y vivían mezclados con la población cristiana. La mayor parte de los dirigentes musulmanes abandonó la ciudad y su barrio, cercano a la catedral, fué otorgado a los pobladores franceses por Alfonso VI.

---

[17] J. Simonet, *Historia de los Mozárabes*, cap. LVII.

El tercer núcleo, judío [18], tenía una antigua tradición en la ciudad. Su organización quedaba al margen tanto de la población mozárabe, como de la islámica, y habitaba en barrios bien delimitados, que debían corresponder a los que da acceso la puerta del Cambrón. Durante un largo período la ciudad conservó un carácter peculiar debido al influjo de esta fuerte minoría judía, que también se advierte en numerosas villas de la región toledana [19].

En la región Nordeste (Alcarria y Campiña) fueron también importantes las aljamas de judíos. Hay noticias de su existencia en Guadalajara, Hita, Alcocer, Mondéjar, Jadraque, Atienza, Brihuega, Torija, Pastrana, Almoguera, Cifuentes y Tendilla. En ellas no hay noticias de persecuciones ni revueltas populares, como las que diezmaron a la aljama toledana.

No obstante este indudable judaísmo toledano, no tiene el predominante papel histórico que Américo Castro le atribuye. Tampoco cabe confundir el sionismo consciente y activo, anterior a la expulsión, con los residuos posteriores que fueron rápidamente asimilados. Es, por esto, tendencioso incluir en un común apartado judaizante a los autores cristianos, ajenos a la tradición mosaica, sólo en razón a sus lejanos antepasados [20].

---

[18] J. AMADOR DE LOS RÍOS, *Historia social, política y religiosa de los judíos de España y Portugal,* Madrid, Fortanet, 1875-6.

[19] Se mantuvo en buena parte el peso político de los judíos a raíz de la conquista. Indicio expresivo es la encomienda, como Alcaide de Calatrava la Vieja, fortaleza clave en el itinerario militar de Córdoba, al Rabi Judā ben Josel b'Ezra, hecha por Alfonso VI. Este cargo llevaba aparejada la protección, en un punto clave de su camino, de las comunidades judías andaluzas, que emigraron a Toledo al llegar la represión almorávide. (J. BAGES TARRIDA, *Séfer Ha-Kabbalâh de R. Abraham ben David,* en *Revista del Centro de Estudios Históricos de Granada y su reino,* XI, 1921, págs. 109-111, 169-170.)

[20] La asimilación del grupo racial judío, que permaneció después de la expulsión, ha sido muy intensamente realizada en España. Salvo pequeñas zonas, como Mallorca, ni siquiera existe una conciencia popular de discriminación.

No obstante toda esta movilidad demográfica de la región, apenas creemos haya afectado a la firme base, celtíbera, de la Meseta. Probablemente la pobreza de la tierra y la dureza del clima no invitaron nunca a arraigar a muchos nuevos colonizadores. Aún hoy día la nota dominante en los pueblos alcarreños y toledanos es el aislamiento y el sentido en muchos aspectos tribal de su organización. Cerrados núcleos familiares, emparentados entre sí, frenan el asiento de los "forasteros", título que se aplica tanto a los venidos de otra región como a los del pueblo de al lado, y a los que se les sigue aplicando aunque vivan y se casen en su nueva localidad. El desequilibrio entre la fuerte emigración y las casi inexistentes inmigraciones, aunque deba considerarse como fenómeno más intenso en la actualidad, ha sido siempre característico de estas zonas, a excepción, naturalmente, de la capital, ya fuese Toledo o Madrid. Toda especulación sobre cambios o mezclas raciales en estas zonas debe contar con esta realidad; que sigue siendo prehistórica la base de su población.

LUCHA DE TOLEDO POR CONSEGUIR LA SUPREMACIA. LA IDEA IMPERIAL

Uno de los puntos de apoyo principales a que se aferra Toledo para defender su supremacía, luego de su incorporación a la reconquista cristiana, es la del viejo imperialismo peninsular.

La persistencia de las tradiciones visigodas en la España medieval es uno de los fenómenos más interesantes que se ha planteado nuestra historiografía. Don Ramón Menéndez Pidal es el más entusiasta defensor de la que él denomina "idea imperial", que sitúa inicialmente en la Corte leonesa, para volverla a descubrir en la toledana del siglo XII, y a la cual estima clave decisiva de la historia medieval española [21].

La necesidad de la Corte leonesa de rodearse de una majestad que amparase su decadencia militar, fué haciendo habitual el título de "Imperator" entre los reyes leoneses. Junto a esta necesidad seguía latente una jerarquía entre los reinos peninsulares que permitía considerar a varios de los reinos como teóricamente sometidos a un solo emperador. Sería Toledo, con Alfonso VI y Alfonso VII la encargada de intentarlo en la realidad. Al incorporarse al nuevo reino castellano, Toledo no sólo recupera la capital, sino que da la auténtica base y finalidad a la idea del Imperio, que antes había existido en León como delegación del goticismo toledano.

El sentirse dueño de Toledo *(Magnificus Triumphator)* fué lo que en realidad animó a Alfonso VI a lanzar por la Península su arrogante título *Totius Hispaniae Imperator* [22], que si no fué aceptado de hecho por todos los otros reinos peninsulares, inició el vasallaje aragonés y abrió el camino a las posterior unidad de los Reyes Católicos.

Pero, probablemente, la persistencia de esta "idea" en las monarquías medievales no tuvo una efectividad popular ni cons-

---

[21] No parecen ser falsos los diplomas en que aparece el de título de Imperator (referido a Alfonso III, a Ramiro III y a Ordoño II), así como tampoco los que aluden al "Ius imperiale" de los soberanos leoneses. Sin embargo, a partir del siglo X, el título de Imperator se aplica por los escribas a descendientes de condes y reyes con claro matiz diferenciador. Cabe pensar, según todos los indicios, que existía una idea imperial que no alcanzó a cristalizar.

[22] R. MENÉNDEZ PIDAL, *El Imperio hispánico y los Cinco Reinos,* Saeculum, III, 1952, 345-348.—Idem, *Adefonsus, imperator toletanus magnificus triumphator,* BRAH, 1932, 521-522.—Idem, *Idea imperial de Carlos V,* Madrid, Espasa-Calpe, Col. Austral, 1940.—A. GARCÍA GALLO, *El Imperio medieval español,* en *Historia de España,* de "Arbor".—A. STEIGER, *Alfonso X el Sabio y la idea imperial,* en *Historia de España,* de "Arbor".

tante. Su aparición parece más bien esporádica y resultado del influjo de minorías intelectuales en reinados de signo favorable.

Mucho más constante y más arraigada en la conciencia regional toledana está otra "idea" y, más propiamente, otro "interés", que puede confundirse con la "idea imperial". Toledo nunca abandonó el recuerdo ni la ambición de volver a ser la "capital peninsular"; el centro político de España. Su vida misma en la Edad Media depende de esta dramática alternativa: ser la capital o vivir la constante inquietud de su fortaleza fronteriza. Hasta la época moderna conservará esta tradición, y su ruina final, al perder definitivamente la capitalidad en beneficio de Madrid, confirmará lo razonable de su temor.

La constante lucha de Toledo frente a Córdoba en el período musulmán esconde con toda probabilidad una competencia entre las dos ciudades. Si Toledo hubiera conservado su rango de capital durante la dominación islámica, el signo religioso de España es posible que fuese hoy distinto.

Pero lo cierto es que ni por su posición, demasiado alejada de las bases africanas, ni por su espíritu, demasiado rebelde [23], podía interesar como capital, tanto al emirato orientalista como al califato hispánico.

El Islam, por su parte, enraizado en Córdoba, a un extremo de la Península, estaba colocado en una pésima situación estratégica para dominar la resistencia mozárabe y lograr una consistente unidad hispánica.

Toledo frente a Burgos

Una vez incorporada definitivamente al campo cristiano de la Reconquista, Toledo cambia su frente defensivo. Ya no es peli-

---

[23] Según el juicio de Ibn Alcutía, "jamás los súbditos de monarca alguno poseyeron en tan alto grado el espíritu de la rebeldía y la sedición" (Ed. de la Academia, págs. 45-6; SIMONET, *Historia de los Mozárabes*, pág. 300).

grosa la competencia con zonas o poblaciones del Sur, sino la que amenaza con relegar a una equívoca situación de tierra recién conquistada, de "nueva" Castilla, a la antigua capital visigoda. Afortunadamente, ni dentro de la ciudad ni en la región del Norte se había perdido la tradición visigótica que reconoce este derecho a la villa carpetana.

En la inevitable concurrencia que muy pronto se inicia entre Toledo y Burgos, esta última ciudad esgrime como primer argumento de su predominio el hecho positivo de ser cabeza de Castilla, representación de los conquistadores. Toledo ha de recurrir al peso de una tradición indiscutible pero que precisa salvar un paréntesis de más de trescientos años. Ha de enfrentarse también con el equívoco, que Burgos impulsa complacidamente, entre lo que significa su incorporación al reino de Castilla y a la región de Castilla. Ya se vacila entre mantener la peligrosa denominación de "reino de Toledo", lleno de reminiscencias islámicas, frente al impropio y secundario de "nueva Castilla".

Esta competencia secular entre Burgos y Toledo tiene un claro y bien documentado reflejo en la lucha de ambas ciudades por lograr un predominio, o al menos una posición más honrosa en las Cortes [24]. Inicialmente, parece adelantarse Burgos en esta curiosa carrera. En las primeras Cortes, apenas diferenciadas de los viejos Concilios [25], en Burgos recaía la precedencia en el lugar y en el uso de la palabra. Hasta mediados del siglo XIV, en las Cortes de Alcalá de Henares de 1348, no hay noticia de que se suscitase por parte de Toledo protesta alguna. La discordia en presencia de Alfonso XI se resolvió en aquella ocasión con una ingeniosa fórmula real, que no debió satisfacer entera-

---

[24] *Cortes de los antiguos reinos de León y de Castilla.* Introducción por Manuel Colmeiro, Madrid, Real Academia de la Historia, 1883.

[25] Es muy difícil, dentro del carácter de las instituciones medievales, determinar el momento "en que los Concilios pierden su carácter mixto y son reemplazados en el orden político por las Cortes" *(Colmeiro, 9).*

mente a los procuradores toledanos, pero que se hizo clásica e insustituíble en ocasiones similares: "Los de Toledo farán lo que yo les mandare, e así lo digo por ellos, e por ende fable Burgos" (Crón. del Rey don Pedro, año II, cap. XVI).

Se renueva la porfía en las Cortes de Valladolid en 1351, y el rey don Pedro sosiega a los procuradores con la misma fórmula de Alfonso XI. Una carta suya dirigida a la ciudad de Toledo estando celebrándose Cortes en Valladolid a 9 de noviembre de 1351 es el documento más antiguo que da noticia de la disputa suscitada por Toledo contra la prerrogativa de Burgos: "Don Alfonso, mio padre, en las Cortes que fizo en Alcalá de Henares, et en la contienda quellos (los de Toledo) fablarian primera mientre en las Cortes... tuvo el por bien de fablar en las dichas Cortes primera mientre por Toledo. Et por esto tuve por bien fablar en las Cortes que agora fiz en Valladolit primera mientre por Toledo" (*Actas de las Cortes de Castilla,* I, nota pág. 17).

La razón de los procuradores de Toledo para ocupar la preferencia se apoyaba en su mayor antigüedad y nobleza y en haber sido la "Corte de los Godos" y sin duda correspondía su argumento al espíritu inicial de las primeras convocatorias. Ya a partir del siglo VIII, Alfonso II el Casto (791) al restablecer en Oviedo la tradición visigoda daba a Toledo esta preeminencia: "Omnem Gothorum ordinem, sicuti Toleto fuerat, tam in Ecclesiam quam Palatio, in Oveto cuncta statuit" (*Chron. Albeldense,* V Flórez, *España Sagrada,* XIII, 453).

Los incidentes entre Burgos y Toledo por ocupar el primer banco; por la prerrogativa de hablar por el estado general; por la prioridad en el juramento, en el pleito homenaje y en otros actos de las Cortes, se suceden a partir del famoso Ordenamiento de Alcalá. En Valladolid (1351); en Toledo (1402-3), donde es el propio rey Enrique III quien ha de expulsar a los procuradores toledanos del asiento de los de Burgos. Se repiten los incidentes en 1406 y 1442, hasta transformarse en una tradición casi inescusable. Hasta en las propias Cortes del siglo XVI, bajo el Imperio, que había de ser mortal para Toledo, de Carlos V, se conserva viva la rivalidad de las dos ciudades, según puede apreciarse en muchos pasajes de las Actas [26].

Perfil invariable de Toledo

Ya hemos indicado hasta qué punto la historia ciudadana de Toledo depende de su tenaz particularismo, invariable a través

---

[26] La violencia de esta disputa no se detiene ni ante el Emperador, muy poco favorablemente dispuesto a estos conflictos:

> "Y llegados á la quadra de su Magestad, se pusieron por órden en sus vancos, començando desde Burgos, y los de Toledo estuuieron arrimados á la pared, fuera del vanco: y salió su Magestad y con él el Príncipe don Carlos, nuestro señor, y sentáronse, y mandó su Magestad á los procuradores que se sentasen: y entonces arremetieron los de Toledo á los procuradores de Burgos y se asieron de los braços para quererlos quitar de donde estauan, diziendo que aquel era su lugar, y los procuradores de Burgos defendiéndose, anduuieron forcejando tanto, que pareció demasía; y su Magestad les mandó parar y que se guardase lo que se acostumbraua hazer; y aun fué necesario que dos alcaldes de córte que allí estauan, llegasen á ellos para los desasir. Y en esto se fueron los procuradores de Toledo á lo más bajo de los vancos, donde estaba puesto un vanquillo solo, y se sentaron en él y pidieron por testimonio lo que auia pasado y lo que su Magestad mandaua, para guarda de su derecho y justicia." (*Actas de las Cortes de Castilla,* Congreso de los Diputados, tomo I, Madrid, 1861, págs. 16-7.)

Surge también la inevitable disputa por la preferencia en hablar, y ha de intervenir, según tradición, el propio monarca:

> "Acabada de leer la proposición se leuantaron los procuradores de Burgos para responder á su Magestad y lo mismo hizieron los de Toledo, y començaron los unos y los otros á hablar, y entonces su Magestad dixo: "Toledo hará lo que yo le mandare; hable Burgos." Y Toledo pidió por testimonio cómo su Magestad hablaua por él." (*Actas de las Cortes de Castilla,* tomo I, pág. 28.)

La irritación del Emperador, poco partidario de la limitación que para su autoridad representaban las Cortes y enemigo por varias causas de Toledo, se manifiesta en una de sus clásicas medidas "políticas":

de los distintos períodos. Esta continuidad tiene un efecto todavía hoy a la vista, en la especial estructura urbana de la ciudad, concebida con un minucioso y eficaz sentido defensivo. Apenas se advierten modificaciones importantes al comparar la actual topografía de la villa con la que aparece reproducida en el plano del famoso cuadro del Greco e incluso con el bosquejo que de la Toledo mozárabe en los siglos XI y XII hace González Palencia. Similar extensión del recinto amurallado, prueba clara del muy semejante volumen de su población; idéntico aprovechamiento y orientación de su posición estratégica. Destaca el

---

"Los procuradores quedaron aguardando al marqués de Mondejar que saliese, y salido dixo, que su Magestad mandaua que se quedasen allí en la quadra los procuradores de Toledo, y entonces algunos de los demás dezian que no querian salir de allí sin Toledo, creyendo quedar presos: y el marqués les dixo que no quedauan presos y que no tenian para qué aguardarlos allí, y con esto se fueron con el dicho marqués. Y llegado á su casa mandó a los alcaldes de córte que hiziesen lleuar presos á los dichos procuradores de Córtes de Toledo, al uno á su casa y al otro á casa de un alguacil, y con esto se concluyó lo deste día." *(Ibidem,* págs. 28-29.)

Esta lucha entre las Cortes y el Emperador, que acabará con el triunfo de éste, era impulsada por los consejeros flamencos de Don Carlos. Según la *Historia* de Sandoval, estos cortesanos, con Chevres a la cabeza, "hicieron en Burgos los días que el Emperador allí estuvo, brava instancia porque el regimiento nombrase procuradores a su voluntad", consiguiendo que fuese nombrado el Comendador Garci Ruiz de la Mota "del Consejo del Emperador". Por otro lado, el propio Carlos V, irritado con la resistencia de los procuradores de Toledo, trató de desembarazarse de ellos, llamándoles a la Corte, para que "en su lugar fuesen otros que andaban en la Corte criados de su Magestad, porque sacando unos y entrando otros, se pudiese hacer lo que su Magestad mandaba" *(ibidem,* V, XIII).

La finalidad premeditada del Emperador, que logró imponer a sus sucesores en la casa de Austria, era desembarazarse de la molesta traba que suponía para su política alemana la convocatoria de unas Cortes de natural orientación peninsular. Al fin logró reducirlas al trámite de prorrogar el servicio y oír las peticiones de los procuradores, dilatando indefinidamente la respuesta. Dentro de esta misma rutina, cada vez más acentuada, quedó la antigua pugna entre Toledo y Burgos.

perfil amplio y bien definido de la Judería y el no muy extenso del Arrabal. La doble preocupación defensiva, frente al enemigo de fuera y a las facciones internas, que es rasgo peculiar en la historia militar de la ciudad, está bien manifiesta en la situación de la Alcazaba y en la complicada distribución de las calles, que permite establecer sucesivas y diversas líneas de defensa [27].

Esta casi inapreciable variación de sus rasgos topográficos es un factor utilísimo para la localización, en Toledo, de varios importantes textos medievales y renacentistas. Lástima que todavía esté por hacer una toponimia histórica de sus calles.

Resumen

En resumen, vemos caracterizarse la historia de Toledo por una inmutable persistencia de unos pocos, pero fundamentales, propósitos. Su participación en la Reconquista será de distinto signo religioso que la de Castilla, y en algunos momentos no parecerá tener conciencia de ella. Hecho nada extraño cuando tantos olvidos semejantes se producían en las regiones cristianas. Pero no deja de ser extraño que nuestra historia tradicio-

---

[27] La fortificación romana amuralló la parte alta del cerro, convirtiéndola en ciudadela militar. La dominación visigoda amplió notablemente el casco de la ciudad que se extendía por la parte baja, y dejó indefenso el interior frente a las revueltas partidistas. Los árabes corrigieron este fallo mediante un doble recinto que dividía a la ciudad en dos distritos: uno alto y otro bajo. Los mozárabes y judíos fueron relegados a la parte baja.

Las callejas cerradas e irregulares, las puertas internas de la ciudad, las casas convertidas en pequeñas fortalezas, entre las que era fácil el paso por las azoteas, y los amplios aleros, facilitaban la defensa callejera. Además, el sistema defensivo exterior se entrelazaba con los del interior, en previsión de las continuas sublevaciones. Se contaba con numerosos algibes y pozos artesianos y con enormes silos, que permitían un larguísimo asedio. Todos estos factores acabaron convirtiendo a Toledo en una plaza inexpugnable, no sólo para las posibilidades militares de la Edad Media, sino incluso para gran parte de las modernas, según lo ha probado la última campaña.

nal haya desatendido la semejanza entre el proceso político de incorporación de Toledo a Castilla y el que se realiza entre Castilla y León o entre Castilla y Aragón.

La firme tradición visigoda que impulsa a Toledo a recobrar su capitalidad hubiera podido desviarse hacia la España musulmana si el predominio cordobés y el excesivo alejamiento fronterizo de Toledo no hubieran descartado su candidatura. La permanente rebelión de la antigua capital postergada haría caso omiso más tarde del signo religioso al tener que enfrentarse con una nueva amenaza, procedente esta vez del Occidente germánico. Rebeliones frente al Califato y comunidades frente al Imperio son signos de una misma tendencia.

La dualidad histórica entre Toledo y Castilla se resuelve de acuerdo con estas directrices en una oposición regional y en la concurrencia política de dos ciudades, Toledo y Burgos, que aspiran, cn la renovada unidad peninsular, a ser cabeza de la monarquía. En esta rivalidad no estará ausente la confusa estructura racial toledana, aceptada sólo en apariencia por la tolerancia alfonsí. La trágica lucha entre las minorías religiosas, que acabó eliminando a los núcleos judíos e islámicos, y el traslado de la Corte a Madrid, fueron los hechos decisivos que terminaron con la gran historia de Toledo.

Capítulo III

LA DOBLE FUENTE DEL CASTELLANO

La documentación cantábrica y la mozárabe

De modo semejante a lo que sucede con la Reconquista, que avanza en un doble frente cristiano-musulmán, así también el castellano, sorprendido en su nacimiento por la invasión amenazadora del árabe, consiguió resurgir desde sus varios reductos regionales y reorganizarse en torno a dos grandes fuentes originarias: la cantábrica, encauzada por la épica y por la religiosidad ingenua de las homilías y milagros monásticos, y la toledana, de una mayor envergadura literaria, iniciada en un lirismo erótico y burlesco, equívoca en su intención moral.

La fuerte tradición latina, bien afianzada por la disciplina escolástica, logró mantenerse en esta última región durante la dominación musulmana, y al cabo de un largo período en que sólo pequeños atisbos populares reflejaban su existencia, resurge y da origen a un apogeo literario de clara esencia románica, pero en el que se aprecia el largo contagio de la cultura oriental.

Sobre la doble zona castellana, durante un período medieval largo e impreciso, se van asentando los cimientos del español que sólo al llegar la plenitud política y literaria del siglo XVI puede considerarse maduro y dueño de todos sus recursos expresivos. Aun cuando sean problemas y fechas muy diversos, naturalmente, los que corresponden a la lengua hablada y a la lengua literaria.

La investigación de los orígenes preliterarios del castellano tropieza con dificultades posiblemente insuperables. Sólo contamos con una documentación insignificante en su mayoría, limitada a regiones y aspectos lingüísticos muy reducidos, casi únicamente apta para el estudio fonético y morfológico. Su procedencia misma no es tampoco unilateral. Hay que contar con unas fuentes hispano-latinas y con otras hispano-árabes. Tanto unas como otras nos plantean difíciles problemas de hibridación, es decir, de mezcla entre las expresiones castellanas y otras latinas, árabes, y en ciertos casos vascuences.

Puede, en resumen, dividirse este material documental en dos grupos principales: unos textos nórdicos, latinos, en que aparecen inscritas formas románicas, y unos textos árabes, de las zonas del Centro, Sur y Este, en que aparecen transcritas formas más o menos románicas. Oscila esta documentación entre los siglos X y XII, sin que podamos atribuirle una fecha exacta.

De la segunda mitad del siglo X (no es nada seguro este supuesto) el documento más importante que conservamos es el *Códice Silense* [1], especie de recordatorio o devocionario monástico, que reúne sermones, epístolas, homilías, etc., con la interesante particularidad de estar "glosado" el texto latino con términos explicativos en lengua románica vulgar. Algo más antiguo (de mediados del siglo X, aunque tampoco esta fecha es segura) el *Códice Emilianense* [2] tiene un contenido de carácter similar: oficios, misas, oraciones, sermones, etc., pero aparece no sólo glosado, sino con indicaciones para ayudar a la lectura

[1] Museo Británico Add. 30853.
[2] Número 60 de San Millán, hoy en la Academia de la Historia.

del texto latino a los monjes, ya muy alejados de la práctica del latín y desconocedores de su hipérbaton. Su extensión es mucho menor (96 folios) que la del *Silense* (324 folios).

Estos dos códices, junto con varios diplomas seleccionados, de tierras de León (Carrión, Monzón y Liébana), de Castilla la Vieja (Oña y Clunia) y de Aragón (San Juan de la Peña), forman la base documental publicada en los *Orígenes del español,* de D. Ramón Menéndez Pidal, único estudio fundamental sobre la región norte del castellano. Otras fuentes documentales de los *Orígenes,* correspondientes a zonas más o menos castellanas, son las publicadas por el propio Menéndez Pidal [3] y por el Abad de Silos R. P. D. Luciano Serrano [4]. Utiliza, asimismo, D. Ramón documentos de fecha diversa, pero no inferior al siglo XII, procedentes del Archivo Histórico Nacional (monasterios de Campó, San Salvador de Oña, Santillana, Sahagún, Santa María del Puerto de Santoña, San Román de Entrepeñas); del Archivo de la Catedral de Burgos y de la Colegiata de Covarrubias. Por último, recoge la *Colección de Fueros municipales y cartas pueblas,* publicada por D. Tomás Muñoz y Romero. El resto de la documentación latino-romance, utilizada en los *Orígenes* corresponde a variantes dialectales leonesas, riojanas y aragonesas.

Tanto las *glosas emilianenses* como las *silenses* muestran un propósito consciente de transcribir términos romances, pero están alejadas del núcleo verdaderamente castellano. Ambas son reflejo del dialecto navarro-aragonés y están muy influídas y presionadas por el vascuence, que en esta época ocupaba un área mayor que en la actualidad, ya que penetraba hasta el propio valle de Ojacastro, lindante con el monasterio de San Millán.

---

[3] *Documentos lingüísticos de España I, Reino de Castilla,* Madrid, Centro de Estudios Históricos, 1919.

[4] *Cartulario de San Millán de la Cogolla,* Centro de Estudios Históricos, 1930.—Idem, *Cartulario de San Pedro de Arlanza,* ídem, 1925.—Idem, *Fuentes para la historia de Castilla,* Valladolid, 1906, 7-10.

En resumen, las fuentes no latinas de estos "segundos" orígenes del castellano cantábrico (de los "primeros" al terminar el período visigodo apenas tenemos indicios, y en ellos predominarían las características toledanas) [5], se reducen a términos del lenguaje notarial o eclesiástico, contaminados por el propio latín, entre el que se introducen, y al cual en muchos casos pretenden imitar. Reflejan un latín romanceado, "latinum circa romanicum", según el testimonio mozárabe, apenas emancipado del "latinum obscurum". Se introducen en él muchas palabras pseudo-románicas que pueden no haber tenido entera realidad en el habla vulgar, o que al menos representan expresiones de área limitada. Las "glosas" en que aparecen términos vulgares más usuales e intencionados tampoco son en realidad castellanas, sino riojanas, aragonesas o navarras (de San Millán de la Cogolla, Rioja, las *Emilianenses* y de Silos, Burgos, las *Silenses*).

Las fuentes mozárabes

Del romance al sur de la Cordillera Central la única documentación que poseemos de algún valor son los textos mozárabes todavía no enteramente estudiados y las jarŷas o fragmentos líricos últimamente descubiertos y traducidos. En los pergaminos toledanos, según el testimonio de González Palencia, hay un "constante empleo de nombres latinos y de voces comunes castellanas, transcritas con caracteres árabes, un verdadero aljamiado" [6].

Nos falta, en realidad, un estudio equivalente a los de Staaff y Menéndez Pidal sobre los "orígenes mozárabes", en que se

[5] El latín vulgar no había sido uniforme en todas las regiones peninsulares. El centro cortesano visigodo de Toledo era fuertemente innovador. (Ver R. Lapesa, *Historia de la lengua española,* Madrid, Escelicer, 2.ª ed., S. A.).

[6] *Moros y cristianos en España medieval,* C. S. I. C., Madrid, 1945, pág. 193.

recoja una imagen similar de las otras zonas no cantábricas. El título más amplio de "orígenes del español" convendría reservarlo para el día en que tuviéramos la suma de todas las primitivas variantes dialectales.

En el libro de D. Ramón, junto a las variantes leonesas, castellanas, riojanas y aragonesas, se dedica frecuente atención al uso "entre los mozárabes". Como fuentes se manejan el utilísimo "glosario" de Simonet [7] y el del botánico anónimo hispano-musulmán, publicado por Miguel Asín [8]. Junto a ellos se tienen en cuenta los *Apuntes sobre las escrituras mozárabes toledanas que se encuentran en el Archivo Histórico Nacional,* de F. Pons Boigues [9]. Fuentes todas ellas menos directas que las utilizadas para el estudio del castellano nórdico.

De los textos literarios, la documentación más interesante son las jarŷas halladas recientemente, que remontan a los siglos XI y XII las fuentes literarias del mozárabe, es decir, desplazan del sector cantábrico al meridional el privilegio de poseer los más antiguos originales líricos. El *Cancionero,* de Ibn Quz-

---

[7] *Glosario de voces ibéricas y latinas usadas entre los mozárabes, precedido de un estudio sobre el dialecto hispano-mozárabe,* Madrid, Fortanet, 1888.

[8] *Glosario de voces romances, registradas por un botánico anónimo hispano-musulmán (siglos XI-XII),* Madrid, Viuda de Maestre, 1943. La gran atención a cuestiones botánicas y medicinales, por parte de los autores musulmanes, ha hecho que sea este léxico el mejor conocido por nosotros. Junto a él es factor importantísimo la abundante toponimia mozárabe conservada.

[9] Junto a esta documentación cabe añadir, como textos útiles para el estudio más o menos directo del mozárabe, el *Glossarium latino-arabicum...,* de Leiden. Edic. C. F. Seybold, Berlín, 1900; el *Vocabulista in Arabico, publicato, sopra un códice della Biblioteca Riccardiana di Firence.* Edic. C. Schiaparelli, Firenze, 1871, y, sobre todo, el *Vocabulista aráuigo en lengua castellana,* de FRAY PEDRO DE ALCALÁ (1505). Edic. P. de Lagarde, Gottingen, 1883; obra tardía sobre el habla de los moros granadinos al final de la Reconquista.

mān, es, asimismo, documento muy útil para el estudio del mozárabe [10].

Pero no es sólo esta escasez de fuentes y estudios [11] lo que dificulta la correlación entre las variantes originarias del castellano a ambos lados de la frontera islámica. Los textos mozárabes, en cierto modo más libres de la presión latina, aparecen inscritos en unos caracteres árabes que no son aptos para reproducir su verdadera estructura lingüística. Como el propio Menéndez Pidal afirma en múltiples ocasiones (*Orígenes,* págs. 131, 132, 148, 157, 431, 497), nos es muy difícil identificar no sólo la fonética mozárabe, sino también la fecha y el lugar de los códices árabes que constituyen nuestra fuente de información sobre el dialecto central. En consecuencia, su comparación con los documentos del castellano nórdico, igualmente escasos (*Orígenes,* 490), es, hoy por hoy, muy problemática.

Diferencias de sustrato entre las dos regiones castellanas

Una oposición fundamental entre ambas Castillas es la que establecen los diversos sustratos que actúan en su formación lingüística [12]. En la región norteña, separada de la del Sur en un período decisivo de evolución por factores tan poderosos como la frontera militar, la sierra, y la despoblación de una extensa zona intermedia, es preciso contar con dos probables sustratos:

---

[10] A. E. Nykl, *El Cancionero de Aben Guzmán.* Escuela de Estudios Arabes, Granada, 1933.

[11] Son fundamentales los trabajos de A. Steiger, *Contribución a la fonética del hispano-árabe y de los arabismos en el ibero-románico y el siciliano,* Anejo XVII, R. F. E., Madrid, 1932; Idem, *Zur Sprache der Mozaraber,* en *Festschrift Jud. K. H.,* Zürich, 1943, XX, págs. 624-714; Ídem, *Un Inventario Mozárabe de la Iglesia de Covarrubias,* en *Al-Andalus,* 1956, XXI, I, págs. 93-112.

[12] F. H. Jungemann, *La teoría del sustrato y los dialectos hispano-romances y gascones,* Madrid, Gredos, 1955.

el cantábrico y el de los primitivos dialectos ibéricos [13]. En la región toledana la presencia de pobladores prerromanos, iberos y celtas, pudo también influir en determinados procesos fonéticos.

Pero no es la diversidad de sustratos prerromanos la que esencialmente opone a Castilla la Vieja frente a Toledo. Hoy apenas es posible deducir consecuencias acerca de la nebulosa influencia de unas lenguas prehistóricas cuya estructura desconocemos [14] sobre las variantes regionales del castellano. La más profunda diferenciación originaria está determinada por unos bien conocidos y poderosos "adstratos": el vascuence, extendido durante la Edad Media por una amplia población bilingüe y adentrado en los actuales límites de Castilla y de Aragón [15], y el árabe, cuya influencia desde los principales centros andaluces tuvo un largo período de irradiación.

De la influencia del primero parece cada día ser más evidente que presionó sobre cambios tan importantes como el de *f-> h-*; *b-v*. Hay también muchas probabilidades de que influyera en la sonorización de las oclusivas sordas detrás de las nasales y líquidas; en la evolución de la *s* apical; en la palatalización de las geminadas: *ll, n, l, n*. Naturalmente, es difícil separar lo que corresponderá en estos cambios al primitivo elemento ibérico que en gran parte sería común a otras regiones de la

---

[13] A. Tovar, *Estudios sobre las primitivas lenguas hispánicas*, Buenos Aires, "Coni", 1949.—Idem, *El Euskera y sus parientes*, Madrid, Minotauro, 1959.

[14] Solamente se ha logrado transcribir el alfabeto ibérico. Ver M. Gómez Moreno en sus tres artículos: *RFE*, IX, 341-366; *Hom. M. Pidal*, III, 475-499, y *BRAE*, XXIV, 275-288. Crítica de J. Vallejo en *Emerita*, 1947, XI, 461.

[15] J. B. Merino Urrutia, *El vascuence en el Valle de Ojacastro* (Rioja Alta), Madrid, Soc. Geo. Nac., 1931.—R. Menéndez Pidal, *Orígenes*, pág. 55.

Península, y lo que obedecería a una presión del bilingüismo castellano-vascuence en época medieval y en el área norteña [16].

La influencia del árabe en toda la región islamizada actúa en una doble vertiente: el mozarabismo romance, forzado asimilador de la escritura y de algunas características de la lengua conquistadora, y el árabe español, contaminado, a su vez, por las especiales condiciones de los nuevos hablantes peninsulares.

Pueden, no obstante, atribuirse al contagio árabo-romance varios fenómenos cuya correspondencia en ambas lenguas es notable. En especial algunos fonemas españoles han debido ser interferidos por el fonetismo árabe o hispano-árabe. El proceso de palatalización tanto puede atribuirse a un proceso latino como a un contagio de cambios similares ocurridos en el árabe. La correspondencia arábigo-española en los sistemas de sibilantes observada por Amado Alonso es otra hipótesis sugestiva. (RFH, 146, VIII, página 68.)

Es fácil imaginar la larga cadena de dificultades que nos impiden todavía una observación clara de este campo. Diferencias radicales en el vocalismo y en su transcripción; oposición intraducible entre el sistema de las consonantes árabes, en las que el énfasis y la velarización son características, frente al sistema románico de articulación más adelantada.

Esta dificultad, no sólo de determinar los mutuos influjos, sino la equivalencia de sistemas tan diversos, todavía se acrecienta a causa de la escritura árabe, en que aparecen transcritos los textos mozárabes. No sólo es dudosa la transcripción de los

---

[15] Aparte de la correspondencia entre las áreas geográficas de los cambios *f-h*, *b-v* y el sustrato ibérico, pudo influir en dichos cambios la falta de labiodentales característica de las lenguas ibéricas. Cabe también pensar que la evolución de determinados fonemas hispano-romances haya sido interferida por el fonetismo árabe o hispano-árabe. Ciertamente, algunos sonidos latinos tienen gran parecido en su evolución con la que podría derivarse de un proceso propio del árabe (palatalización), lo cual permite la hipótesis de un contagio.

sonidos; también el acento, muy fluctuante en el árabe, plantea difíciles problemas. Es necesaria una labor previa para fijar las diversas equivalencias que todavía está lejos de haberse terminado.

La oposición castellana en el campo fonético

Incluso admitiendo la posición primordial que a la fonética concede el historicismo, no es en ningún modo evidente que el resultado final de los cambios fonéticos certifique un predominio avasallador del castellanismo cantábrico. Claro está que necesitamos ampliar en gran medida el período de estudio. No es suficiente atender al período preliterario; ni siquiera a la literatura medieval. En la evolución fonética actúan muchas fuerzas ocultas que tardan en salir a la superficie, y quizás sea procedimiento más seguro estudiar las consecuencias últimas para deducir los orígenes, que viceversa. O al menos conviene utilizar ambos caminos.

Aun limitando de momento nuestra atención al campo fonético, también en él vemos acentuarse la oposición entre ambas Castillas, a pesar de la unidad política que a partir de la Reconquista les fuerza a atenuar sus diferencias.

Durante el período medieval y parte del renacentista [17], la región toledana es más conservadora del fonetismo tradicional que Castilla la Vieja. No cabe dudar que el paso fundamental *f->h-*, tardó en extenderse desde su original región burgalesa (siglos XI-XII) hasta su total conquista de la literatura toledana que llega hasta el siglo XV.

---

[17] A. Alonso, *De la pronunciación medieval a la moderna en español*, Madrid, Gredos, 1955.—T. Navarro Tomás, A. M. Espinosa y L. Rodríguez Castellanos, *La frontera del Andaluz*, en *R. F. E.*, XX, 1933, páginas 225-277.—H. Gavel, *Essai sur l'évolution de la pronotiation du castillan depuis le XIVme siècle*, París, Champion, 1920.—R. Menéndez Pidal, *Manual de Gramática histórica*, Madrid, Espasa-Calpe, 1944, 7.ª ed.

También es de origen castellano y de la misma zona burgalesa del cambio anterior, la igualación *b-v,* de reflejo documental todavía más tardío (siglo XV) [18].

Sentido conservador de Toledo

La resistencia toledana a admitir estos cambios es fácil de comprender. Su cultura más elevada actúa de freno a toda pérdida o igualación de los sonidos latinos. Es un proceso normal: la masa popular lleva siempre la iniciativa en los desgastes fonéticos; la minoría literaria, innovadora en la sintaxis y en menor proporción en el léxico, es decididamente reacia a los cambios de pronunciación, que casi nunca añaden expresividad ni obedecen a una necesidad lógica. La Corte toledana siempre tuvo una fuerte influencia literaria.

Desde el momento mismo de su incorporación a la Reconquista, Toledo es consciente de su misión rectora, no sólo de la política, sino también de la norma cultural, lingüística especialmente, cuyo fin último es la vuelta a un solo patrón peninsular. Esta conciencia centralizadora, que con ayuda de la Corte logra extenderse con rapidez, va unida a otro clarísimo conocimiento: el de la diferencia de "lo toledano" frente a "lo castellano" [19], que a lo largo del siglo XV, XVI y parte del XVII tiene semejante intensidad a la que separa actualmente "lo castellano" (que reúne a ambas Castillas) frente a "lo andaluz". Ejemplo claro de esta consciente actitud de los españoles del siglo XVI es el de Juan Valdés en su *Diálogo de la lengua,* al proponer la lengua toledana como guía y norma lingüística. Cristóbal Villalón, por su parte, no oculta su bien distinta idea del toledano.

---

[18] A. ALONSO, *De la pronunciación medieval a la moderna,* págs. 23-71.

[19] Castilla la Nueva es denominación tardía. En el período medieval, aparte el título fundamental de "Reino de Toledo", eran habituales los nombres de "Tras-sierra" y "Allen-sierra".

Es precisamente este momento (fines del XV, XVI y primera mitad del XVII) en el que se está realizando una de las principales evoluciones fonéticas del español, y cuyo desenlace terminará con la diferenciación de varios sonidos, en especial de las sibilantes. Zona inicial de estos cambios seguirá siendo la región Norte.

Se trata de fenómenos populares, de cómodo ablandamiento en la pronunciación, que atenúan la sonora y resonante habla medieval. Igualaciones *s-ss*; *z-ç*; *x-j* (similares a la *b-v*).

La igualación *z-ç* pasa, como es lógico, por varias etapas intermedias, más o menos fáciles de precisar en su descripción fonética, su fecha y su geografía regional. Los documentos parecen indicar que tanto *ç* como *z* eran africadas (sorda y sonora) hasta mediados del siglo XVI; pasan luego a ser fricativas (con anterioridad en Castilla la Vieja que en Toledo); pierden progresivamente su oposición de sonoridad; se confunde un sonido con otro y, al fin, quedan igualados en un solo fonema. Este desenlace final sólo llega a la Corte toledana, que ha opuesto una tenaz resistencia, a mediados del siglo XVII.

Iniciativa andaluza

Hasta esta fecha, la iniciativa castellana ha sido contenida por el criterio más tradicional de Toledo, pero ya en los nuevos cambios que jalonan la historia de la pronunciación española y que ya se inician en el siglo XVI, aparecerá un tercer e importante antagonista: Andalucía.

La "novísima" Castilla entra en el juego dialectal del español con características sumamente peligrosas: inclinación decidida al ablandamiento articulatorio, despreocupación ante la pérdida de sonidos como la *s* final, cuyo vayor fonológico es clave en la estructura de las lenguas románicas. Y lo que es más temible, irrumpe este tercer factor formativo del español cuando América va a realizar su decisiva asimilación lingüística [20].

A lo largo de su comunidad política, las dos regiones castellanas habían ido igualando sus diferencias. La común necesidad defensiva frente a la nueva región, es probable que haya contribuído a este acercamiento. La frontera activa del castellano se olvida de la divisoria central y vuelve su atención otra vez hacia el Sur. Avanzan suave pero constantemente las líneas de penetración andaluzas por la Mancha y Extremadura, se infiltran en Toledo y llegan en época moderna hasta Madrid, situado en la actualidad dentro de la raya fronteriza.

Este temible avance es bien pronto respaldado por la propaganda literaria, que no duda en discutir la hegemonía castellana: "¿Pensáis que es tan estrecha el Andalucía como el Condado de Burgos, o que no podremos usar vocablos en toda la grandeza de esta provincia sin estar admitidos al lenguaje de los Condes de Carrión o de los siete Infantes de Lara?", dice Herrera en su famosa controversia con Prete Jacopín.

La actitud toledana ante los nuevos procesos fonéticos, que a partir del siglo XVI tienen su foco inicial en Andalucía, sigue siendo la misma: resistencia tradicionalista; aceptación final cuando ya la extensión del uso ha adquirido excesivas proporciones. No obstante, ya sea por su común fondo mozárabe o por su mayor proximidad, está más cercana Toledo a la evolución andaluza que Castilla la Vieja. Esta, por el contrario, ha pasado de ser la iniciadora a representar la tradición purista del viejo romance.

De los cambios de característica andaluza, el primero de los que tenemos noticia documental es el seseo, que ataca a la pro-

---

[20] La discusión sobre el andalucismo de América es larga y complicada. Pero creemos que por muy independientes que quieran suponerse las evoluciones andaluzas y americanas, hay entre ellas un parentesco, posiblemente parcial, pero evidente.

nunciación de la *s* apicoalveolar castellana, convirtiéndola en predorsal y confundiéndola con el sonido de la *c* dental.

El seseo-ceceo andaluz [21], en el que bien pudieron influir hábitos moriscos, logra una rápida difusión a lo largo del siglo XVI (sus orígenes son anteriores) por una gran parte de Andalucía. Inicia su penetración en Castilla la Nueva (provincias de Toledo, Guadalajara y Cuenca), pero acaba imponiéndose la reacción cortesana que distingue la pareja de sonidos. A pesar de esta eficaz defensiva, el éxito de la innovación andaluza es excepcional, probablemente impulsada por el prestigio de la moda en los confusos y picarescos medios sevillanos [22].

También de predominio andaluz es el cambio quizás más importante y extenso que actúa sobre el fonetismo moderno del castellano: el yeísmo, de expansión muy tardía (siglos XVII y XVIII) [23].

Su localización original parece centrarse igualmente en la ciudad de Sevilla con rápida expansión a una amplia región del

---

[21] TOMÁS NAVARRO, A. M. ESPINOSA y L. RODRÍGUEZ CASTELLANOS, *La frontera del andaluz,* en *R. F. E.,* XXI, 1934, 113-141.

[22] Sobre la exportación a América del seseo hay una intensa polémica que no intentamos decidir. Valga, no obstante, la indicación de que son varias las tendencias andaluzas que tienen clara resonancia americana, sin que sea necesaria una exacta reproducción. Tampoco los otros elementos de la colonización española coinciden en toda su caracterización con los originarios de la Península.

[23] Si no en su iniciación, al menos en la rapidísima difusión del seseo-ceceo, influyeron las especiales condiciones de la sociedad sevillana. No sólo fué el aluvión de gentes heterogéneas llegadas al gran puerto de emigración y arribo de América lo que favorece este cambio (véase R. LAPESA, *Sobre el ceceo y seseo andaluces,* en *Hom. A. Martinet,* Univ. la Laguna, 1957, págs. 67-94); actuó también la "autoridad" del hampa sevillana, siempre amiga de caracterizarse lingüísticamente. Con el cante y baile andaluces, ya en camino de su expansión universal, se extiende la imitación de la lengua. En los actuales medios "flamencos" madrileños, que en buena parte no están formados por andaluces, también se imita el modo de hablar sevillano, por considerarle parte esencial de su arte.

contorno. Pronto alcanza a gran parte de Castilla la Nueva, incluído Madrid[24], que es hoy intensamente yeísta. Característica del yeísmo es su ambiente ciudadano (Sevilla, Madrid, Buenos Aires, Lima, etc.). Castilla la Vieja resiste a esta igualación, salvo algunas pequeñas zonas ciudadanas[25].

La aspiración y pérdida de la *-s* final es también de fecha muy moderna: segunda mitad del siglo XVIII y siglo XIX. Andalucía es, sin duda, su zona peninsular más caracterizada, especialmente en lo que se refiere a la pérdida total. La aspiración asciende hasta Toledo y llega hasta Madrid, en el habla de los barrios bajos.

La razón de que apuntemos todos estos cambios de fecha moderna o modernísima junto a procesos de tan venerable antigüedad como es el paso *f-*>*h-*, está en nuestra convicción, ya indicada, de que es poca la luz que los documentos primitivos pueden darnos sobre los verdaderos orígenes de un cambio fonético; de sus causas, de su fecha real de aparición y sobre todo del período más o menos latente en que puede permanecer oculto. No deja de ser inquietante el que un fenómeno tan moderno como es el yeísmo se haya cumplido de manera muy semejante en el castellano primitivo (con anterioridad al siglo XI) en formas como *muliëre*>*muller*>*mujer;* que la aspiración que afecta al sonido latino de *f-* en la prehistoria castellana siga actuando sobre la *j* moderna en amplias regiones; el que ya en inscripciones latinas de Málaga e Itálica se advierta la pérdida de *-s* final.

---

[24] AMADO ALONSO, *La ll y sus alteraciones en España y América*, en *Est. M. Pidal,* II, 1951, págs. 41-89.—JUAN COROMINAS, *La fecha del yeismo y del lleismo,* en *N. R. F. H.*, 1953, págs. 81-87.

[25] Cabe también que el yeismo madrileño no sea directo descendiente del andaluz. NAVARRO-TOMÁS y RODRÍGUEZ CASTELLANOS, en su artículo ya citado sobre *La frontera del andaluz,* sólo consideran factor diferencial al seseo.

Naturalmente, no tenemos posibilidad alguna de enlazar estos fenómenos entre sí, pero sería imprudente negar toda posible correlación. La distancia de unos cuantos siglos no es barrera insalvable para los lentos, irregulares y siempre insuficientemente documentados cambios fonéticos.

Principal conclusión que se deduce, al fin, de este esquema de la evolución fonética castellana, es la de haber sido constante el juego y la oposición regionalista entre Castilla, Toledo y más tarde Andalucía, si bien la iniciativa en los cambios principales pasa de ser nórdica en el período medieval a ser andaluza en los períodos más modernos. Situado entremedias, Toledo mantiene, en todo tiempo, su jerarquía normativa, apoyando en su prestigio cortesano la resistencia a los cambios revolucionarios, a los peligrosos ablandamientos en la pronunciación. A la eficacia de esta labor habrá que atribuir, en buena parte, la firmeza conservadora que caracteriza al actual fonetismo castellano. Toledo, lo mismo en el campo lingüístico que en el político, actúa de freno regulador entre Andalucía y Castilla la Vieja.

Influjo mozárabe en el léxico

La evolución fonética no es factor decisivo en la constitución de la lengua literaria. Es un hecho masivo que la lengua culta y especialmente la literaria aceptan con desgana. Otra cuestión es la evolución del léxico, la morfología o la sintaxis. Especialmente esta última condiciona y depende de modo esencial del progreso que alcance la cultura social y literaria. Sólo en un período avanzado es capaz una lengua literaria de organizar sus estructuras más complejas, de evitar las ambigüedades y de seleccionar un léxico expresivo. Sólo al llegar a este punto es posible trazar una línea ascendente, que partiendo de unos indecisos esquemas primitivos alcance a dominar los recursos necesarios para expresar un pensamiento refinado. Hasta llegar a este nivel han tardado varios siglos las lenguas románicas; su punto de llegada es el "clasicismo" y deben de ser considerados como problemas de "orígenes" los que plantean las etapas anteriores.

En la formación del léxico la situación es más clara que en la de la fonética. Tampoco se confirma la acción de una "avalancha" castellana medieval hacia el Sur, sino más bien un transitorio pero activo predominio mozárabe.

A través del mozarabismo se introducen en el vocabulario castellano la inmensa mayoría de los términos orientales que, en una gran parte, han quedado definitivamente incorporados a él. El camino de penetración de estas palabras es el consabido en las grandes mutaciones léxicas: las nuevas costumbres, armas, trajes, organizaciones, cultivos, etc., del pueblo conquistador imponen también una nueva terminología.

En los sufijos españoles y en varias perífrases y giros, hoy peculiares del castellano, se advierte asimismo la huella de una inicial imitación de frases árabes andaluzas.

Pero no hay que pensar que esta invasión lingüística se impuso sin resistencia por parte de la terminología latina, ni que ésta fué absolutamente arrollada por el arabismo. La vitalidad de la lengua peninsular supo asimilar aquellos términos aprovechables traídos por los conquistadores y establecer una convivencia con los más o menos equivalentes del latín, llegando en multitud de ocasiones a una especialización semántica, que es la base de la riqueza léxica del castellano.

La ambivalencia de una multitud de términos hispánicos tiene su origen en el constante intercambio de términos y fórmulas híbridas entre el mozárabe y el árabe-andaluz. En muchos casos el aspecto de la palabra es romance, pero su significado es árabe y viceversa. La fuerza expansiva de la Andalucía musulmana extendió a través del mozarabismo un abundantísimo léxico que iba unido a influencias en el modo de vivir y también a profundos cambios estilísticos.

Sobre estas variantes tan intensamente sujestivas encontrarán firme apoyo las antífrases y equívocos a que tan propicio ha sido y sigue siendo tanto el español coloquial como el literario. Esta multiplicidad de palabras de aparente equivalencia pero de distintos orígenes e intenciones lleva en sí grandes posibilidades expresivas que más tarde autores como Juan Ruiz acertarán a utilizar.

Cambios morfosintácticos

En el campo morfosintáctico el período de formación llega a unas fechas mucho más tardías que en el fonético. Es preciso atender a la aparición de textos históricos o histórico-literarios para que el progresivo dominio de los recursos de subordinación y de las fórmulas complejas de enlace sean perceptibles. Ya no son los siglos x y xi los que pueden servirnos de base, sino el xii, el xiii e incluso el xiv. Este retraso facilita mucho su estudio y da mayor seguridad a los resultados. La transcripción literaria, en que aparece recogida la lengua, con todos sus inconvenientes, se aproxima más al uso vulgar que las pobres glosas documentales o los fragmentos incrustados en documentos escritos en árabe. Incluso intentan estos autores reconstruir el diálogo, es decir, la estructura de la lengua oral.

La primera consecuencia a que nos obliga este criterio es el alargamiento del período "originario" del castellano. Todavía en el siglo xiii no están organizados los diversos sistemas sintácticos, en especial los que requieren un nivel superior de cultura; como son la subordinación relativa y los procedimientos de unión entre narración y diálogo (estilo directo e indirecto). En la zona indecisa que apenas separa la morfología de la sintaxis son todavía muy acusadas las vacilaciones. El nuevo romance se esfuerza por organizar su revolucionario sistema de preposiciones mientras el verbo toma derroteros perifrásticos ajenos al latín. Las raíces auxiliares (*ser, haber, estar* y *tener*) han de desarrollarse con un formidable incremento; los viejos sistemas causales del latín, aferrados al pronombre, todavía conservan parte de su sentido, obligándonos a prescindir en su interpretación de nuestra moderna conciencia castellana, que apenas conserva residuos causales. Todo ello son fenómenos primitivos, transformaciones dentro del organismo todavía en formación que sólo en la centuria siguiente alcanzará la madurez.

LA PRIMITIVA DOCUMENTACION MOZARABE; JARYAS Y CANCIONES DE AMIGO

Ya destacamos la insignificante extensión del campo lingüístico primitivo que sobre el castellano nos permite entrever la documentación notarial y monástica anterior al siglo XIII. Ultimamente han aparecido otros documentos de gran interés para la caracterización del mozárabe en su estructura literaria popular: las jarŷas hispano-árabes e hispano-judías. Son, asimismo, textos extraordinariamente limitados, no sólo debido a su corta extensión, sino a la gran inseguridad de sus transcripciones modernas.

Corresponden las jarŷas, al menos en parte, a época muy probablemente anterior a la de los documentos castellanos del Norte, y reflejan un estado de lengua muy primitivo. Su fecha, de todos modos, es de más segura atribución, dada la procedencia y características de los textos encontrados, que las de las Glosas. Frente a esta importante ventaja tienen las jarŷas un gran inconveniente para el romanista: su traducción tropieza con tan serios obstáculos que difícilmente podrá ser nunca considerada como definitiva.

Su estudio, para nuestros fines, tiene el interés de que al igual que las Glosas, son indicios para la caracterización del primitivo castellano, si bien referida al campo mozárabe.

La situación actual en la investigación de las jarŷas es bien conocida. Su traducción ha sido intentada por Stern, Cantera y García Gómez [26]. Hay una primera cuestión que afecta al distinto vehículo, árabe o hebreo, en que aparecen inscritos los textos románicos. Se acentúan las dificultades de interpretación debido al distinto sistema fonológico de estas lenguas, y muy especialmente a la insuficiente transcripción vocálica de los textos árabes. Otros problemas nos vienen planteados por la fácil incomprensión atribuible a los copistas, que sólo conocerían de manera incompleta el romance; a la peculiaridad dialectal de las comunidades sefarditas y, la más decisiva de todas, a la falta de estudios modernos que den clara luz sobre características del mozárabe. A la vista de las actuales traducciones que los arabistas y hebraístas ofrecen, nuestra impresión es la de que están lejos de haber llegado a un detalle claro en su perfil lingüístico. La impaciente publicación de los primeros textos a falta del manuscrito principal (propiedad del profesor de París y Rabat G. S. Colin), que sólo en fecha tardía llegó a manos de sus editores [27], quita mucha seguridad a las traducciones. También la polémica, demasiado personalista, planteada en torno a las jarŷas, contribuye a alejarnos de su interpretación objetiva.

---

[26] S. M. Stern, *Les chansons mozarabes, éditées avec introduction, annotation sommaire et glossaire,* V. Manfredo, Palermo, 1953.—F. Cantera, *Versos españoles en las muwaššahas hispano-hebreas,* en *Sefarad,* IX, 1949, 197-234.—Idem, *La canción mozárabe.* Publicaciones de la Universidad Internacional "Menéndez Pelayo", 7, Santander, 1957.—E. García Gómez, *Veinticuatro jarŷas romances en muwaššahas árabes (Ms. G. S. Colin),* en *Al-Andalus,* XVII, 1952, 57-128.—Idem, *Dos nuevas jarŷas romances (XXV y XXVI) en muwaššahas árabes (Ms. G. S. Colin) y adición al estudio de otra jarŷa romance,* en *Al-Andalus,* XIX, 1954, 369-391.—Intentos parciales de descifrar las jarŷas han sido realizados por F. Millás Vallicrosa, *Yĕhudá ha-Leví como poeta y apologista,* Madrid, 1947.

[27] E. García Gómez, *Veinticuatro jarŷas romances,* pág. 61.

Como es lógico, el estudio desde un ángulo románico, de documentos tan confusos, no es muy grato. Queda siempre la sospecha inquietante de que las novedades "extraordinarias" con que nos encontramos no pertenezcan al romance mozárabe del siglo XI o XII, sino al estilo o a la apreciación personal de los traductores modernos.

Concretamente, en nuestro estudio de los esquemas verbales y pronominales que aparecen en las jarŷas, encontramos acepciones y predominios sistemáticos que desbordan la situación del castellano, no ya en textos del siglo XII, sino del XIII, e incluso del XIV. Y junto a estas "novedades" nos enfrentamos con formas de tan extraña contextura que ni el más extremo arcaísmo ni la hibridación más desenfrenada pueden justificar.

En la interpretación de las jarŷas parece haber jugado un papel importante la medida (16 sílabas) y la estructura del verso (dos dísticos de 8 + 6 en las transcripciones hebreas y con cesura dudosa en las árabes). También se ha aplicado un variado criterio lingüístico que atiende, de una parte, a buscar formas atestiguadas en primitivos documentos castellanos, y de otra, a complicados efectos de hibridación árabo-romance. Soluciones ocasionales, sin relación con una verdadera estructura lingüística, sobre cuya inseguridad no merece la pena insistir.

Pero la investigación romanista está llamada a una participación cada vez más activa en este problema, fundamental para los orígenes del español, que las jarŷas plantean. Y esta participación ha de buscar una estructura todo lo arcaica que se quiera, pero sistemática. Por grande que haya podido ser la influencia deformadora de los poetas o copistas árabes y judíos, es evidente que estamos ante una poesía popular, cantada en un ambiente románico. No cabe pensar en que los poetas, ya fuesen árabes o judíos, tuvieran como modelo una jerga no sólo híbrida, sino enteramente deforme, ni que el romance fuese para ellos tan extraño que no acertaran con una transcripción medianamente correcta.

Consideramos indispensable partir de la idea de que estas breves incrustaciones mozárabes tienen una estructura lingüística consecuente, y que, por lo tanto, son los grandes sistemas gramaticales los que mejor nos pueden confirmar o demostrar su interpretación.

También creemos en que forzosamente existiría un puente entre la contextura de esta lengua mozárabe, aun a pesar de la presión del árabe, y la que encontramos uno o dos siglos después en la misma región.

En resumen, nuestro principal intento se ha dirigido hacia el estudio de dos sistemas fundamentales (verbo y pronombre) en las jarŷas y a su relación con los datos de que disponemos sobre textos literarios castellanos del siglo XIII y XIV.

Al poco de iniciar este estudio nos sorprendió la intensa simplificación a que el uso de las formas y raíces verbales aparecía sometido. Resultaba demasiado insistente para ser casual la repetición de unas mismas raíces y desinencias, que no se compagina con la gran variedad a que normalmente obliga el uso de la conjugación. Cabía pensar en un premeditado propósito de los autores de atenerse a un preconcebido esquema, en una palabra, a una poética escolástica de extraordinario rigor verbal. No nos fué muy difícil relacionar esta impresión general con la de otros interesantísimos textos, igualmente primitivos: las canciones de amigo gallego-portuguesas.

Parece evidente que existe un punto de partida de carácter popular y de época muy primitiva que sirve de núcleo tanto a las muwassahas (es decir, las composiciones árabes de que forman parte las jarŷas), como a las primeras canciones de amigo gallego-portuguesas. De acuerdo con los testimonios recogidos por García Gómez, el procedimiento seguido por los poetas musulmanes en la Península para construir las muwassahas consistió en "coger una expresión en lengua vulgar o romance" [28], que servía de base para la paráfrasis poética. Según el preceptista Ibn Sanā al-Mulk es condición indispensable que la jarŷa o núcleo inicial "esté escrita en la lengua del vulgo", y añade, "que ha de ser el principio, aunque se halle al fin: digo que pase por las mientes del poeta y que el autor de la muwassaha la componga lo primero de todo y antes de sujetarse a ningún metro o rima" [29].

Es decir, las jarŷas presuponen popularismo; van dirigidas a la fácil retentiva de juglares y danzaderas, que las cantan en su propia lengua. Suponen una concesión del poeta árabe o judío, minoritario, a un público romance. Son resúmenes de una idea poética que se sospecha no será bien comprendida puesta en boca de unos cantores extraños al poeta. Y no sólo contrasta la letra, sino también el espíritu de estas jarŷas hispánicas con el texto árabe de la muwassaha.

Jarŷas y canciones de amigo

Al comparar estos datos con los correspondientes a las canciones de amigo, sorprenden varias evidentes coincidencias: especialmente en las canciones a las que llama doña Carolina Michaelis "bailadas encadeadas", es decir, en las "de estructura más popular y arcaica de los cancioneros". Se forman sobre la base de un refrán, que generalmente finaliza la estrofa pero que mantiene respecto a ella independencia de colocación y sentido. Las palabras fundamentales de este refrán suelen repetirse como sirviendo de apoyo al canto o al baile de las danzaderas. Es decir, se trata de un esquema poético cuyo punto de arranque está, como en las jarŷas, en una más antigua tradición peninsular que el resto de la composición.

---

[28] E. García Gómez, *Veinticuatro jarŷas romances*, en *Al-Andalus*, XVII, 1952, pág. 58.

[29] *Ibidem*, pág. 58.

Caracteriza la estructura lingüística de estas canciones un intenso paralelismo en el uso de determinadas ideas; la abundancia de frases exclamativas, y lo que es más sorprendente, según el propio testimonio de Nunes: "Caracterizam-se ainda estas cantigas pelo emprêgo de vocábulos, dos quais uns, parece, tinham já desaparecido do uso, eram talvez especiais à Galizia outros, que pela sua forma ou *denuncian proveniência castelhana*, o que se me afigura mais provável, ou grande ancianidade" [30].

Correspondencia verbal entre jarŷas y canciones de amigo

El esquema de la conjugación se presenta muy simplificado en las composiciones mozárabes. Constituyen el eje esencial tres formas que aparecen con frecuencia muy destacada: el futuro indicativo (33 ejemplos), el presente de indicativo (28) y el imperativo (21). Una forma secundaria: el infinitivo (14), y tres "esporádicas": el presente de subjuntivo (2), el pretérito de indicativo (1) y el participio presente (1). También aparece un gerundio, pero sospechamos que su transcripción no tiene muchas probabilidades de ser correcta.

Aparecen ejemplos de *ser, estar, haber* y *tener*. Sorprende la equivalente y escasísima frecuencia de estos cuatro auxiliares. Es también notable la elisión del auxiliar *ser* (jarŷas 3, 7, 21, 23), que parece indicar una tendencia sistemática.

Es un dato sorprendente el predominio destacadísimo del futuro, que, según abundantes testimonios, es forma del lenguaje culto. En todos los casos aparece en su síntesis moderna, es decir, unido infinitivo y auxiliar. Si pensamos que en la lengua de *La Celestina* todavía compiten en un amplio frente las construc-

---

[30] *Cantigas d'amigo dos trovadores galego-portugueses*, ed. J. J. Nunes, I, 440.

ciones *amaré* y *amarte he,* es extraño que varios siglos antes no haya ningún rastro del giro más arcaico.

Las perífrasis son escasas, pero algunas de ellas tienen rasgos de sospechosa modernidad: *ben kero volare* (j. 27), *no puedo hacerlo tornar* (j. 38).

La colocación de los pronombres no responde a un orden sistemático. Aparecen mezcladas construcciones casi modernas: *non me tangas* (j. 8); *si se me tornerad* (j. 9); *non te tolgas de mibi* (j. 16). Junto a ellas hay otras muy arcaicas o híbridas: *yireym'a tib* (j. 22), *gar me a ob* (j. 22), *os y entrad* (j. 24), *me no faras* (j. 39), *me doled mi* (j. 9). La enclisis que parece ser más característica es la del pronombre sujeto de primera persona: *vivireyu* (j. 4), *farayo* (j. 16). No obstante, es muy dudosa esta construcción.

Rasgo esencial, que aun contando con deficiencias de interpretación, define el uso del verbo en las jarŷas, es su carácter sistemático, limitado a unos formulismos muy precisos. Las raíces verbales que aparecen utilizadas son muy escasas y corresponden a una temática amorosa consabida y de claro sentido tradicional. El autor se atiene conscientemente a un esquema lingüístico que seguramente considera que forma parte de su técnica poética.

Destaca la insistencia con que aparecen los verbos *venir, querer, far* y *amar.* Junto a ellos, la extraña raíz *gar* ocupa un lugar destacado, especialmente en fórmulas fijas del tipo: *gar que farayu* (j. 15). En algunos casos es posible que se trate de la partícula *car,* según opina Cantéra.

La alternancia semántica, es decir, el uso de dos raíces de significado opuesto entra de manera habitual en los recursos poéticos de estas composiciones: *venid/exid* (j. 3), *vaisse/tornerad* (j. 9), *doled/sanarad* (j. 9), *vivarayu/morirayu* (j. 15), *enfermeron/dolen* (j. 18), *vaisse/tornadi* (j. 38). Especial interés tiene la oposición que revela una gran matización semántica de carácter moderno entre *querer* y *amar* (j. 17 y 43). La insistencia en un solo verbo que actúa de eje intensivo es asimismo normal e intencionada (j. 1, 5 y 18).

El uso de frases o fórmulas fijas es un recurso estilístico ampliamente utilizado: la hibridación es en estos casos muy característica: *gar que billah que faray* (j. 42 y 49) [31].

La correspondencia de estas características verbales de las jarŷas con las que aparecen en las canciones de amigo gallego-portuguesas parece demostrar la existencia de un amplio sustrato mozárabe extendido por la Península. Puede servir igualmente para confirmar o desechar algunas interpretaciones dudosas, ya que, normalmente, jarŷas y canciones se ajustarían a una norma poética muy similar.

Son muy expresivas las correspondencias que encontramos entre el sistema verbal de las jarŷas y el de las canciones de amigo. Esencial en unas y en otras es el esquematismo; el uso formulario de pequeñas oposiciones verbales. Naturalmente, el material a nuestro alcance en las canciones gallego-portuguesas es infinitamente mayor y más seguro, si bien, dada su mayor modernidad, hay que contar con influencias más complejas.

Como en las jarŷas, solamente un número de raíces verbales son usadas con predominio intencionado. Destacamos como primordiales las siguientes: *veer, fazer, falar, querer, dizer, aver, levar, morrer, amar, chorar, matar, guarir, desejar, assanhar-se, guisar, ir, seer, perder, conselhar, chegar, perdoar, bailar, rogar,*

---

[31] Véase para algunas variantes de interpretación: E. GARCÍA GÓMEZ, *La muwaššaha de Ibn Baqi de Cordoba: Mā laday / sabrun mucīmu, con jarŷa romance*, en *Al-Andalus*, XIX, 1954, 43-52; E. ALARCOS LLORACH, Reseña a *Les chansons mozarabes*, de S. M. Stern, en *Archivum*, III, 1953, 242-250; I. CARBELL, *Another mozarabic jarŷa in a hebrew poem*, en *Sefarad*, XIII, 1953, 358-9; F. CANTERA, *Unas palabras más sobre la nueva jarŷa de Mose ibn Ezra*, en *Sefarad*, XIII, 1953, 360-1; S. M. STERN, *Some textual notes on the romance jarŷas*, en *Al-Andalus*, XVIII, 1953, 133-140; J. COROMINAS, *Para la interpretación de las*

tornar, folgar, creer, plazer. Sobre esta escueta base morfológica verbal está insistentemente organizada la poética de las canciones. Naturalmente que aparecen otras raíces, pero es en este pequeño sistema sobre el que actúan conscientemente los autores.

De modo similar a lo que sucede con las jarŷas, también en las canciones alternan parejas de verbos de sentido más o menos contrario: *falar/dizer, veer/morrer, amar/chorar, vivir/dormir,* etcétera. Es también frecuente la construcción triple: *assanharse/matar/chorar.* Como en las jarŷas, también en las canciones aparece la alternancia de muy fino valor semántico entre *querer* y *amar:*

> *Nom veer o que ven querrar*
> *Nom ven o que ven amarrar* (CC)

La consciente atención hacia una raíz determinada llega en ocasiones a verdaderos juegos de palabra de gran artificio:

> *Madre, se meu amigo veesse,*
> *demandar lh'ia, se vos prouguesse,*
> *que se veesse veer comigo:*
> *se veer, madre, o meu amigo,*
> *demandar-lh'ei que se veja migo.*
> (CCXLIX)

También son intencionadas las fórmulas en que la complacencia verbalista del autor es patente: *el poder aver d'aver prazer; ca mi quer ben; que mi quer gran ben; tan gran ben mi quer.* Las constantes preguntas y exclamaciones dirigidas a la madre, típicas de las jarŷas, aparecen en similar proporción en las canciones, incluso utilizando una fórmula semejante: *mais que farei?* (*gar que farayu*).

---

jarŷas recién halladas (Ms. G. S. Colin), en *Al-Andalus,* XVIII, 1953, 140-148; I. S. RÉVAH, *Note sur le mot "matrana"* (GARCÍA GÓMEZ, *jarŷas* nos. *XVII et XIX),* en *Al-Andalus,* XVIII, 1953, 148.

Mozarabismo peninsular

No tardando, esperamos poder contar con textos más abundantes y depurados de las jarŷas. Para lograrlo será muy conveniente tener en cuenta el esquematismo no sólo del verbo, sino de todo el sistema morfológico de este tipo de composiciones. Será muy útil la comprobación de su léxico con el muy similar de las canciones gallego-portuguesas, así como también con las variantes hispano judías en que se manifiestan los rasgos del dialectalismo sefardita.

Llegado ese momento, es probable que algunas formas demasiado modernas de las actuales versiones se corrijan, pero también es fácil que otras que hoy presentan una extraña apariencia de vestigios prehistóricos vulgaricen notablemente su contorno.

La doble vertiente árabe y judía de las jarŷas guarda una estrecha relación con el mozarabismo toledano [32]. A la región pertenecían varios de los principales autores: Judah Ha-Leví, Abraham Ben Ezra, Todros Abulafia. La proximidad de otros autores andaluces ya anuncia la futura relación entre el castellanismo de la meseta toledana y el "novísimo" castellano de Andalucía.

A los efectos de nuestra teoría castellana, el descubrimiento de estas jarŷas, aun con toda su inseguridad actual, supone dos datos de importancia esencial, y que podemos considerar sólidamente establecidos. Por un lado, demuestran la existencia de una base mozárabe peninsular, mantenida por la tradición lírica a pesar de la avasalladora superposición del árabe; mozarabismo cuya fuerza expansiva alcanza a los refranes más antiguos

---

[32] La relación entre el castellano toledano de los siglos XIV y XV y el actual entre las comunidades sefardíes puede aclarar aspectos muy interesantes, no sólo del habla toledana, sino también de la de otras regiones peninsulares, pero faltan todavía los estudios monográficos indispensables.

de las canciones gallego-portuguesas. Por otra parte, representan las jarŷas la fuente más primitiva del tema erótico peninsular, que servirá de arranque a toda una literatura medieval, cuya base sumaria está en el libro de Juan Ruiz.

Del mismo modo que las "glosas" y los documentos notariales nos permiten entrever el castellano nórdico primitivo, así también, gracias a estos minúsculos restos del mozarabismo literario que son las jarŷas, adivinamos el sentido y la expresión de los orígenes "no cantábricos". Ni unos documentos ni otros permiten otra cosa que un pequeño atisbo sobre un proceso que bien podemos considerar sepultado en la penumbra histórica medieval. Las diferencias lingüísticas que separarían las regiones peninsulares en el período originario, cabe, no obstante, deducirlas por su capacidad de expansión literaria, es decir, por sus efectos más tardíos.

Resumen

La teoría de una gran avalancha castellanista, que descendiendo de Cantabria llegase hasta el extremo sur de la Península, no es posible documentarla sobre testimonios de suficiente densidad. Los pequeños indicios que las glosas nos transmiten sólo son resquicios sobre los que no es posible reconstruir la compleja estructura del habla medieval en una cualquiera de las regiones peninsulares. Y desconociendo en una medida tan grande la situación lingüística, fonética especialmente, de la España mozárabe, tampoco podemos dictaminar sobre la no existencia en ella de fenómenos similares a los que aparecen documentados más al Norte, sin necesidad de recurrir a un influjo directo.

La expansión del dialecto castellano cántabro por las zonas recién liberadas de Toledo y de Andalucía no fué continua ni siquiera en los siglos de hegemonía política de Castilla la Vieja. Por el contrario, van apareciendo testimonios que demuestran cómo la presión mozárabe ascendía hasta el mismo corazón de la reconquista cristiana. Los monasterios e iglesias de la cuenca del Duero, en las inmediaciones de la propia Burgos y en León, guardaban documentos de indudable caracterización mozárabe en su léxico. Palabras indescifrables dentro del exclusivo campo románico aparecen diáfanas a la luz de la lexicografía oriental [33].

No nos debe extrañar este hecho. El que a tanta distancia de la frontera islámico-cristiana aparezcan testimonios lingüísticos mozárabes se corresponde con la presencia de núcleos de esta misma población atestiguados por la toponimia. Se confirma la extrema permeabilidad que existía entre los dos mundos que luchaban y convivían en la Península, y acreditan las constantes emigraciones mozárabes hacia el Norte. El influjo de estas gentes cristianas, pero intensamente arabizadas, en los cenobios burgaleses por fuerza había de reflejarse en el terreno lingüístico.

El número de españoles (hispano-godos) que islamizaron en los primeros siglos de la dominación fué muy grande. Pero estos núcleos siguieron usando la lengua familiar romance de manera semejante a los "tributarios" (cristianos y judíos). Tanto unos como otros, los conversos como los mozárabes, fueron poderosos focos de irradiación romance, que sólo decayeron al llegar la represión almorávide. No cabe olvidar que Toledo fué el más importante de estos reductos mozárabes en la Península, aun cuando la documentación sobre él sea menor que la de otras comunidades del Sur, como la cordobesa o la sevillana. Ni tampoco debe olvidarse que la importancia del mozarabismo en las dos mesetas centrales es radicalmente diferente, ya que apenas tienen interés los núcleos mozárabes de Castilla la Vieja.

El siglo XI y parte del XII esconden el proceso interno de la asimilación castellana por Toledo. Una vez salvado este largo período surge vigoroso en las centurias siguientes el "nuevo"

[33] A. STEIGER, *Un Inventario Mozárabe de la Iglesia de Covarrubias* en *Al-Andalus,* 1956, XXI, págs. 93-112.

castellano, que en la lengua literaria terminará su proceso formativo [34].

Cabe prever, aun cuando sea larga y difícil su comprobación, que el mozarabismo toledano fué el fermento activo de la lengua vulgar durante los siglos XI y XII, impulsado por la fuerte tradición cultural de la ciudad. Puede aplicarse a este proceso la noción, tan cara a Menéndez Pidal, del "estado latente" en que puede vivir un fenómeno lingüístico. La resistencia de la región toledana frente a la hegemonía de sus reconquistadores cántabros, de más inferior tradición cultural, está bien probada en el mantenimiento y en la posterior imposición de su vieja legislación del Fuero Juzgo. También conservaron los mozárabes toledanos sus propios estatutos hasta bien entrado el siglo XIII, sin confundirse con los pobladores de otras regiones [35].

Sólo más tarde se unificará su propia literatura con la corriente literaria del Norte. Quedará, no obstante, como residuo de la duplicidad originaria, una clara oposición entre las tendencias lingüísticas del castellano "viejo" y las del castellano "nuevo", con progresiva influencia andaluza; oposición que ya vislumbraron los teóricos gramaticales del Renacimiento.

En realidad, la insistencia en los orígenes cantábricos del español busca la correspondencia con la concepción histórico-

---

[34] Siento disentir del criterio de D. Ramón Menéndez Pidal, cuando afirma que la "lengua del toledano Cervantes, admirada en el mundo, no es otra que la lengua del burgalés Fernán González, murmurada por los cortesanos de León" (*Castilla, la tradición, el idioma,* 2.ª ed., Madrid, Col. Austral, pág. 32). Creo, por el contrario, que la diferencia entre ambas lenguas es enorme, y que el leonés, por sus propios medios, hubiera llegado a una meta muy distinta de la que es muestra el *Quijote.* Estaba demasiado alejado el espíritu medieval leonés del toledano para que hubieran podido coincidir, sin antes, mediar un largo conflicto.

[35] El mozarabismo no sólo es puente entre la cultura islámica y la cristiana, sino que es también el depositario del neoclasicismo isidoriano; el lazo principal que, durante el largo corte musulmán, mantuvo la tradición románica en las zonas dominadas.

literaria que ve en la Reconquista un solo movimiento político, procedente de ese mismo punto, y que ha hecho del *Poema del Cid* y de la propia figura del héroe la representación esencial del castellanismo. Cabe ciertamente señalar una activa presencia de los núcleos cantábricos frente al anterior predominio toledano al fin de la Reconquista. Cabeza de ella, es lógico que Castilla ampliara su expansión lingüística en esta "segunda" fase de los orígenes, pero nunca este influjo pudo suponer el predominio, ni menos la anulación de la poderosa tradición toledana.

Este mozarabismo sólo en apariencia fué barrido por el castellano reconquistador. Todo parece indicar, por el contrario, que hubo una fusión final del dialecto cántabro con el toledano y, más tarde, ya muy avanzado el período medieval, con el andaluz.

A fines del siglo XIV el castellano tiene ya todos los recursos expresivos necesarios para dar forma a una creación literaria de la complejidad del *Libro de Buen Amor,* y a fines del siguiente puede dar su cima literaria en una obra como *La Celestina* y asimilar un movimiento poético, ajeno a su tradición, como es el Renacimiento, sin peligro para su estructura. La evolución lingüística del castellano a partir de este momento no se detiene, como es lógico, ya que cada época imprime sus rasgos peculiares en la lengua, pero ya no podrá considerarse como proceso de formación o crecimiento, sino como alteraciones en un organismo enteramente formado. El lenguaje de *La Celestina,* el del *Quijote* y el actual son variantes dentro de un semejante nivel.

CAPÍTULO IV

LA DOBLE FUENTE LITERARIA

LA LITERATURA DE CASTILLA LA NUEVA

El distinto carácter de las dos Castillas culmina en su oposición literaria. En ella se confirma la originaria duplicidad, ya señalada en la geografía, en la historia y en la lengua. El "nuevo" castellano acusa en los textos literarios medievales su fisonomía original y característica, frente al de la meseta del Duero. No se trata de un simple matiz regional, sino de un estilo esencialmente opuesto, colocado en actitud crítica, interesado por otros temas y otras ideas.

No es correcto establecer una sola línea evolutiva, que cronológicamente vaya uniendo a los primitivos autores españoles, relegando a un lugar secundario su procedencia regional. Este procedimiento, habitual en nuestra historia literaria, rompe y desconcierta la verdadera tradición y confunde y hace incomprensible su sentido.

No es viable, en principio, el paso, dentro de una línea continua, de los primitivos autores de la Castilla burgalesa, a los que más tarde aparecen en la meseta toledana. El *Libro de Buen Amor,* como más adelante *La Celestina* y el *Quijote,* resumen y representan varias tradiciones culturales a las que nunca hubieran podido alcanzar, por su propia evolución, los autores de Castilla la Vieja. Sólo al llegar el siglo XVI, las diversas corrientes regionales del castellano confluyen en una síntesis literaria española. Hasta entonces la desproporción entre ellas y las diferencias en su evolución son grandes. Castilla la Nueva, muy adelantada sobre las demás regiones durante la Edad Media y gran parte del Renacimiento, forma una unidad homogénea y bien diferenciada, que exige un estudio independiente.

Como sucede con los orígenes lingüísticos, la base literaria de Castilla la Vieja es nórdica y occidental, y es en la épica y en las tradiciones religiosas donde encuentra sus fuentes principales de inspiración. Frente a ella, la literatura de la "Nueva" Castilla tiene su origen más remoto en el mozarabismo lírico de las jarŷas y en la crítica didáctica de los apólogos orientales.

Regionalismo literario

Hasta el siglo XV la literatura española en una extensísima proporción está en manos de autores que nacen y viven en Castilla la Nueva. No puede extrañar este hecho. Sólo la región toledana reunía las condiciones y la tradición precisas para una intensa cultura literaria. En el Norte, campamento militar, sólo había lugar para cantos épicos y religiosos que estimulasen el espíritu de la Reconquista. En los pequeños círculos conventuales apenas era posible más que salvar las más elementales tradiciones latinas, aun contando con el refuerzo de los religiosos mozárabes emigrados del Sur.

Con un estricto sentido debería considerarse a la literatura "toledana" o "castellana nueva" entre los siglos XII al XVI dentro de unos reducidos límites regionales. Sólo a partir del siglo XVI se produce una verdadera síntesis literaria española.

Los textos y autores que constituyen este núcleo "toledano" están unidos no sólo por su comunidad regional, sino también por su lenguaje, que, aunque modificado por las variantes de época y estilo, corresponde, en suma, a una misma variante dialectal.

El lugar de nacimiento o la atribución regional de los varios autores que constituyen este apogeo "clásico" toledano es un dato de primordial interés para la historiografía literaria.

Don Juan Manuel es autor cortesano, nacido en Escalona, pueblo de la provincia actual de Toledo. Su relación con Villena y los dialectalismos que pudiera determinar están contenidos por el uso de la Corte [1].

El *Libro de Buen Amor* es característico de la zona Norte de Castilla la Nueva. Aun cuando no es seguro cuál pudo ser el lugar de nacimiento de Juan Ruiz, son muy claras las referencias regionales en su obra. Alcalá de Henares, Hita y Toledo son los centros en torno a los cuales se desarrolla, principalmente, la vida y la obra del Arcipreste [2].

También desconocemos el lugar de nacimiento del Arcipreste de Talavera [3], pero es evidente su relación con la región toledana. No obstante, hay datos sobre su larga estancia (1419-1428)

---

[1] *El libro de Patronio ó el Conde Lucanor, compuesto por el Príncipe don Juan Manuel en los años de 1328-29.* Reproducido conforme al texto del códice del conde Puñonrostro, 2.ª edición reformada, Vigo, Librería de Eugenio Krapf, 1902.—Knust, *El libro de los enxienplos del Conde Lucanor et de Patronio,* Leipzig, 1900.

[2] Arcipreste de Hita, *Libro de Buen Amor.* Edición y notas de Julio Cejador y Frauca. Clásicos castellanos, Espasa-Calpe, Madrid, 1931-2.—Juan Ruiz: Arcipreste de Hita, *Libro de Buen Amor, texte du XIVe siècle, publié pour la première fois avec les leçons des trois manuscrits connus,* par Jean Ducamin, Toulouse, Privat, 1901.

[3] *El Arcipreste de Talavera, o sea el Corbacho de Alfonso Martínez de Toledo, nuevamente editado, según el códice escorialense,* por L. Bird Simpson, Berkely, University of California Press, 1939. Tenemos también presente la edición, muy agotada, de Martín de Riquer, *Arcipreste de Talavera. Corvacho o reprobación del amor mundano.* Selecciones Biblió-

en Cataluña, Aragón y Levante, y los recuerdos de esta época aparecen repetidas veces en su obra [4].

De Rodrigo Cota, autor del *Diálogo entre el Amor y un Viejo,* y probable autor del acto primero de *La Celestina,* sabemos que era natural de la ciudad de Toledo y que en ella estuvo avecindado [5].

La diversidad e inseguridad de sus autores complican el problema de la localización regional de *La Celestina.* Talavera de la Reina, Toledo y Puebla de Montalbán, es decir, la región de Toledo, puede considerarse como la propia tanto del autor del acto primero como del de los restantes [6].

Algo semejante sucede con el *Lazarillo de Tormes,* que, aun siendo obra anónima, muestra en su ambiente y en su lengua la localización regional toledana [7].

Respecto al *Quijote,* son Alcalá de Henares, Madrid y Toledo las ciudades que forman el eje de la vida de Cervantes. En segundo término, Sevilla, Valladolid y Argel [8].

---

filas, Barcelona, 1949, que sigue, salvo pequeñas variantes, el texto de la de Simpson, y la de M. Penna, *Arcipreste de Talavera,* Milán, 1953.

[4] Citas de Barcelona, págs. 78, 79, 120, 194; de Tortosa, 77, 78, 284; de Valencia, 286; de Aragón, 58, edic. L. B. Simpson. Hay, pues, que contar con la probable presencia, en su *Libro,* de dialectalismos de estas regiones.

[5] *Diálogo entre el Amor y un Viejo,* por Rodrigo Cota. Edición crítica dirigida por Augusto Cortina, anotada por alumnos de la Facultad de Humanidades de la Universidad de la Plata, Buenos Aires, "Coni", 1929. *Cancionero General de Hernando del Castillo* (manuscrito de la Biblioteca Nacional de Madrid, R-3377), publicado por la Sociedad de Bibliófilos Españoles, Madrid, 1882.

[6] *Tragicomedia de Calixto y Melibea, libro también llamado La Celestina.* Edición crítica por M. Criado de Val y G. D. Trotter, C. S. I. C., Madrid, 1958.

[7] *La vida del Lazarillo de Tormes y de sus fortunas y adversidades.* Edición y notas de Julio Cejador y Frauca, Madrid, Espasa-Calpe, 1952, Clásicos Castellanos, vol. XXV.

[8] *Don Quixote de la Mancha,* tomos I (1928), II (1931), III (1935), IV (1941). Edición de Rodolfo Schevill y Adolfo Bonilla, Madrid, Gráficas Reunidas.—*El ingenioso hidalgo Don Quijote de la Mancha.* Nueva

Libros y autores "clásicos" de Castilla la Nueva

La incorporación de Toledo al Reino de Castilla dejó en silencio a la lírica hispano-musulmana de la meseta central. Habremos de esperar a una centuria después de la conquista para encontrar los primeros textos literarios, ya plenamente castellanos. El *Auto de los Reyes Magos* [9] es, según nuestros actuales datos, el más antiguo documento de esta literatura. Ha sido editado por R. Menéndez Pidal, que es también quien lo ha atribuído al siglo XII toledano [10].

El aislamiento en que aparece este primer ensayo teatral sería incomprensible si no contáramos con la implacable destrucción de nuestros fondos medievales. Junto al auto de los Reyes Magos existirían, sin duda alguna, otras muchas composiciones de su mismo carácter.

La tradición lírica mozárabe de transmisión oral fué tardíamente incorporada por los autores castellanos. Otro tanto debió suceder con las obras litúrgicas y gramaticales cuyos restos todavía se conservan en los fondos mozárabes de las bibliotecas toledanas. Sólo así puede explicarse la aparición repentina de misceláneas populares de tan extrema importancia como es el *Libro de Buen Amor.*

En el siglo XIII, Toledo se encuentra con la necesidad de ordenar el caudal reunido por la triple cultura cristiana, islámica y judía. La Cancillería intelectual de Alfonso X es el nexo indispensable entre la confusa y activa elaboración de la

---

edición crítica, dispuesta por F. Rodríguez Marín, Madrid, Patronato del IV Centenario de Cervantes, 1947-1949.

[9] *Auto de los Reyes Magos.* Edición de R. MENÉNDEZ PIDAL, en *Revista de Archivos, Bibliotecas y Museos,* IV, núms. 8-9, agosto y septiembre 1900, págs. 449-462. Utiliza el códice de la Biblioteca Nacional (Hh-115) de principios del siglo XIII.

[10] *Orígenes,* pág. 129.

lengua vulgar toledana, a raíz de la conquista, y el fulgurante apogeo literario de los siglos XIV y XV. Contaba con un precedente no muy lejano, la Corte también intelectual de Al-Mamun, y con un recuerdo tradicional nunca del todo desaparecido: los traductores visigodos.

Las obras alfonsíes son de muy difícil localización, debido a la casi total falta de datos sobre sus colaboradores y traductores. Sin embargo, pueden considerarse, por su misma mezcla de autores de diversa raza y por la común norma cortesana, como características de la región toledana en el siglo XIII. El frecuente dialectalismo, especialmente riojano y leonés, de la obra alfonsí es un hecho que debe de tenerse muy presente. Hay una extraña coincidencia de la *General Estoria* y otras obras alfonsíes con el riojanismo de Berceo, que puede indicar la existencia en la Rioja de un tercer foco, secundario, en los orígenes castellanos. La correspondencia entre el léxico alfonsí y el de Berceo, a la luz de otros documentos riojanos, necesita ser estudiada para que pueda resolverse esta cuestión.

La importancia de las obras alfonsíes en los orígenes de la prosa literaria castellana es un hecho reconocido. Falta, sin embargo, una comprobación efectiva y un estudio detallado de sus varios textos. Unicamente *Los libros de Açedrex* han sido estudiados, léxica, gráfica y gramaticalmente en la magnífica edición, desgraciadamente agotada, de Arnald Steiger. Sin duda, la carencia de ediciones seguras ha sido la causa principal de este abandono y, en consecuencia, de esta gran laguna en nuestra historia lingüística. Afortunadamente, hoy ya contamos con varias obras bien editadas y otras en curso de edición, que son un terreno firme para el estudio lingüístico [11].

---

[11] ALY ABEN RAGEL, *El libro conplido en los iudizios de las estrellas.* Traducción hecha en la corte de Alfonso el Sabio. Introducción y edición por Gerold Hilty. Prólogo de A. Steiger. Real Academia Española, Madrid, 1954.—*Primera Crónica General de España, que mandó componer*

En su conjunto, la obra alfonsí, que recoge y traduce un enorme caudal de fuentes latinas, árabes y hebreas, constituye el cimiento de la literatura posterior de Castilla la Nueva. Y no es casual su localización en la región toledana, pues solamente en ella se daban las circunstancias raciales y políticas y el clima cultural necesario para semejante empresa.

La traducción de textos orientales, llevada a cabo por un sistemático y eficaz procedimiento y por conocedores auténticos, tanto de las lenguas semitas como del castellano regional, supuso un gran avance para éste en múltiples aspectos. Las traducciones alfonsíes no sólo pusieron en circulación los temas de la literatura oriental, sino que adaptaron al castellano varios de los recursos expresivos de las lenguas semitas ajenos a su base latina. En estas traducciones hay que buscar el origen de ciertos procesos semánticos, sintácticos y estilísticos, que luego aparecen en los autores castellanos.

Traducciones alfonsíes de la novelística oriental

Las tres colecciones de cuentos y narraciones orientales: *Calila e Dimna*, *Sendebar* y *Barlaam y Josafat*, mandadas traducir por Alfonso X y su hermano don Fadrique a mediados del siglo XIII, inician un género literario que ha de llegar a su máximo esplendor en la literatura clásica de Castilla la Nueva [12].

Alfonso el Sabio y se continuaba bajo Sancho IV en 1289, publicada por Ramón Menéndez Pidal. Ed. Gredos, 1955 (dos volúmenes). Utiliza como base la versión regia, en dos volúmenes, de la Biblioteca del Escorial (Y-1-2, X-1-4), de finales del siglo XIII, completada con las variantes de otros manuscritos regios y vulgares.—ALFONSO EL SABIO, *General Estoria*. Primera parte. Edición de Antonio G. Solalinde. Centro de Estudios Históricos, Madrid, 1930. Es la primera edición filológica de una obra alfonsí. Utiliza como base el códice de la Biblioteca Nacional de Madrid, 816 (olim F-I), versión regia de fines del siglo XIII.

[12] *La antigua versión castellana del Calila y Dimna, cotejada con el original árabe de la misma.* Prólogo de JOSÉ ALEMANY BOLUFER. Real

Fuentes directas de los autores de los siglos XIV y XV, como don Juan Manuel y los dos Arciprestes, ya en estas traducciones son frecuentes los "coloquios", introducidos de una manera directa en el relato. Rasgo éste bien característico, asimismo, de los sucesivos autores toledanos, que fluctúan siempre en un género ambiguo, novela-comedia-didáctica, sin sujeción a un plan novelístico cerrado. Será característica toledana la miscelánea, hecha de recortes anecdóticos y realistas, ofrecidos con un fin moralizante, pero que pronto trasluce el esencial propósito estético de los autores, expuesto con ironía y una peculiar y extraña tolerancia.

La gran labor científica que durante el siglo XIII se lleva a cabo en Toledo obedece a un propósito político del Monarca, que aspira con ella a dar fundamento a su aspiración imperial. Toledo es en esta época centro intelectual del mundo, y está muy cerca de ser también su capital política. Fracasa la tentativa alfonsí, pero la síntesis lograda con sus seminarios científicos e históricos consigue un efecto imprevisto. La formación del castellano logra anticiparse a las de las restantes lenguas románicas, y en la prosa de las crónicas y en los resúmenes de los traductores semitas surge una nueva lengua, rica en conocimientos universales. Sobre estos firmes cimientos se elevará en los dos siglos siguientes la "literatura toledana" en la que varias de sus obras: el *Libro de Buen Amor, La Celestina, El Lazarillo de Tormes* y el *Quijote* pertenecen con pleno derecho a la literatura clásica universal.

El Libro de Buen Amor frente al Poema del Cid

Si el *Poema del Cid* es símbolo de la épica cantábrica [13], el *Libro de Buen Amor* resume la esencia misma de Toledo. Juan

Academia Española. Biblioteca Selecta de Clásicos Españoles, Madrid, 1915.

[13] La significación del *Poema*, y de la propia figura del Cid, sólo puede considerarse representativa de la epopeya nórdica en cuanto es la

Ruiz logró reunir en su libro la mejor suma de elementos definidores de Castilla la Nueva. Puede reconstruirse a través del propio libro el itinerario de sus principales lugares y los límites de su frontera regional. La geografía transcrita en el *Buen Amor* es abundante y exacta, reflejo de una observación artística del natural extremadamente rara en la Edad Media europea. Quizá no hay otro ejemplo de extravío crítico más evidente que el de cuantos han querido hacer del *Libro de Buen Amor* un archivo de influencias occidentales (Lecoy) o árabes (A. Castro), siendo tan evidente su localismo regional castellano.

En la toponimia del campo de Hita, de Alcalá y de Toledo pueden todavía reconstruirse los procedimientos utilizados por el Arcipreste en la derivación y formación de su léxico maravilloso. El habla de las campiñas toledanas, conserva el mismo humor, que es base de su estilo, y que sería inútil buscar en la sequedad del "carmen latino" o en el lirismo dulzón y erótico de los poemas árabes.

El *Libro de Buen Amor* es incomprensible fuera de su propio ambiente geográfico. Trotaconventos, Doña Endrina y el propio Arcipreste, que es el protagonista principal de su libro, son inseparables del ambiente medieval de las villas toledanas. Sus itinerarios, que resumen no sólo las referencias de las serranillas, sino todo el libro, lo ponen bien de manifiesto.

Tradición temática

La uniformidad dialectal de los autores toledanos que estudiamos es complementada por su gran parentesco temático y estilístico. Excluyendo el *Auto de los Reyes Magos* y las obras

---

cima de un género muy peculiar. Pero el carácter fronterizo y mozárabe del texto, y el propio mozarabismo del personaje, atenúan mucho su significación castellana. Mozarabismo que puede, también, explicar determinados rasgos estilísticos del *Poema*.

cortesanas de Alfonso el Sabio, que constituyen su base formal y en cierto modo preliteraria, la línea seguida por ellos es enteramente familiar. El tema celestinesco representa su eje principal con sus diversas derivaciones picarescas y costumbristas. El *Libro de Buen Amor* es la fuente, el colosal inventario que a todos alcanza. En este libro se resume con exactitud la versión cristiano-oriental del siglo XIV toledano. El estudio de sus fuentes occidentales, recogidas por Lecoy, y el de las orientales, que parcialmente expone Américo Castro, nos definen la obra de Juan Ruiz como un archivo equiparable en lo literario al de las obras alfonsíes en el campo historiográfico. Sin embargo, en Juan Ruiz las variantes estilísticas personales han alcanzado ya su pleno dominio sobre las fuentes literarias. La impersonalidad anónima de las obras alfonsíes, que sólo accidentalmente traslucen al autor, deja paso, en el *Libro de Buen Amor,* a la creación literaria personalizada.

El tema celestinesco, eje del libro de Juan Ruiz, lo es igualmente de una gran parte de la literatura que le sigue. Apenas esbozado en el *Conde Lucanor* y recogido en el *Libro del Arçipreste de Talavera* en su aspecto anecdótico, es planteado con claridad en el *Diálogo entre el Amor y un Viejo,* de Rodrigo Cota, culminando en *La Celestina.* La *Tragicomedia de Calixto y Melibea* es, en muchos aspectos, la obra más clásica y representativa de la literatura de Castilla la Nueva en este período. Representa el punto de mayor amplificación y la versión renacentista más lograda de la comedia medieval de don Melon y doña Endrina, incluída en el *Libro de Buen Amor,* y es, a su vez, fuente de una frondosa descendencia literaria. La mezcla de elementos raciales y religiosos, que es patente en su segundo autor, se refleja en el fondo equívoco y en la antifrasis frecuentísima de su diálogo. Equívoco es, igualmente, el *Libro de Buen Amor,* como equívoco es el *Quijote,* todos ellos reflejo de la multiplicidad cultural de la región toledana.

En torno al tema celestinesco, y estrechamente relacionadas con él, aparecen diversas variantes de la picaresca que, a partir de Juan Ruiz, domina sin excepción en la literatura de Castilla la Nueva, y cuyos representantes más destacados son el *Lazarillo de Tormes* y las novelas "ejemplares" de tema picaresco de Cervantes [14].

En otros aspectos secundarios: apólogos, literatura didáctica, etc., la tradición literaria enlaza, asimismo, a Juan Ruiz con los siguientes autores toledanos.

Autoría múltiple

La extraordinaria unidad y cohesión de la literatura regional de Castilla la Nueva, en la época que estudiamos, aparecen confirmadas por un hecho trascendental y, en cierto modo, inquietante. En varias obras de originalidad indiscutible, que parecían exigir un único autor genial, hemos comprobado la presencia de continuadores, imitadores o interpoladores, cuya asimilación del estilo es tan intensa que han logrado, durante siglos, sumir a la crítica en el desconcierto más lamentable. Nada menos que *La Çelestina*, el *Lazarillo de Tormes*, *La tía fingida* y el *Quijote*, es decir, cuatro de las máximas creaciones españolas, atestiguan una pluralidad, o al menos una similitud estilística entre autores diversos, demostrada, a pesar de la titánica resistencia de la crítica idealista, por los análisis de la estructura interna de su lenguaje y de sus fuentes.

Hay incluso que admitir una tendencia, un gusto especial, en estos autores, por imitar o continuar unos temas ya conocidos y populares. En cierto modo no tenía razón Cervantes para lamentarse de una continuación como la de Avellaneda, que, salvo

[14] La extensión andaluza de esta picaresca, nacida en el núcleo toledano, está bien representada por el *Guzmán de Alfarache* y en cierto modo por la *Loçana Andaluza*, obras fundamentales dentro del género.

en la intención polémica, era entonces secuencia habitual y casi forzosa de toda obra que alcanzaba el éxito popular.

Sólo podemos explicarnos este fenómeno por la existencia de una conciencia colectiva regional, en la que los temas, la ideología y los medios de expresión habían llegado a un extremo grado de unidad, y cuya atención a la vida circundante coincidía en un mismo punto de vista y en un interés homogéneo.

El hecho de que esta coincidencia se produzca en obras realistas, y en torno a unos temas de tradición casi obsesiva en el medio toledano, puede darnos la clave del apogeo "clásico" de Castilla la Nueva durante los siglos XIV a XVI, conseguido, probablemente, gracias a una genial coincidencia estética colectiva.

Tradición estilística

La relación estilística de los autores toledanos no se limita al tema y al desarrollo consabido de la acción dramático-novelesca, sino que ahonda y llega al centro mismo de la creación lingüística. Castilla la Nueva es la creadora del diálogo literario español. Desde Juan Ruiz, que incorpora a su obra poética la estructura de una comedia y un diálogo popular y naturalista, todos los autores toledanos que le siguen coinciden en esta misma propensión hacia el coloquio. Después de la cortesanía de don Juan Manuel, el *Libro del Arçipreste de Talavera* representa la versión más popular y directa del habla coloquial. Rodrigo Cota adapta a su poesía la organización dialogada de las controversias medievales, mientras *La Celestina,* que en el acto primero, obra probable de Cota, transcribe un diálogo vivo y directo, en los siguientes, de mano de Rojas, da entrada al artificio renacentista. Se salva, gracias a su preciso ritmo poético y al vigor de su pensamiento, del peligro de la afectación. Vuelve más adelante, con el *Lazarillo de Tormes,* la naturalidad al diálogo castellano, para llegar con Cervantes a la cima de la creación estilística. *Don Quijote de la Mancha* no es, en su más profunda estructura, sino un gran "coloquio" entre los dos protagonistas, representantes de un esquema dialéctico. No nos puede extrañar que esta tradición ininterrumpida diera origen en el siglo XVII a la gran comedia española, fundada esencialmente en la técnica coloquial creada por los autores toledanos y desarrollada en su casi totalidad por autores madrileños, sucesores de la tradición cortesana dentro de Castilla la Nueva.

Lenguaje proverbial

Este gran parentesco de nuestros autores puede observarse en otros varios rasgos comunes de su lenguaje. Destacamos dos: la extensa incorporación de refranes y locuciones más o menos fijas, propias del habla vulgar, y el uso de claves lingüísticas de sentido erótico, político-religioso, o de antífrasis irónica frente al idealismo caballeresco.

La incorporación del refranero no sólo se refleja en la gran cantidad de refranes que son puestos en boca de los protagonistas, transcritos con toda fidelidad, sino sobre todo en la constante relación, apenas disimulada, que se quiere establecer entre el uso literario y el popular. El *Libro de Buen Amor*, el del Arcipreste de Talavera, el *Lazarillo* [15], *La Celestina* y el *Quijote* son verdaderas antologías refraneras. Es más, el uso de fórmulas convencionales, estabilizadas por una escuela fielmente acatada, es intensísimo. Para la comprensión del lenguaje celestinesco de poco nos serviría un glosario que sólo atendiera al valor de las palabras aisladas. En estos textos se combinan frases enteras, unidades semánticas sin posible fragmentación, que en ocasiones apenas necesitan de nexos intermedios. La técnica de Rojas en sus pequeñas ampliaciones, intercaladas en los 16 ac-

[15] Véase F. Márquez Villanueva, *Sebastián de Horozco y el "Lazarillo de Tormes"*, en *R. F. E.*, XLI, 1957, págs. 253-339.

tos de 1499, sólo consiste, en la mayoría de los casos, en acumular nuevos eslabones a la cadena de frases hechas del texto primero. Basta para comprobarlo con leer uno cualquiera de los parlamentos de Celestina, construídos de acuerdo con la misma fórmula del que transcribimos a continuación, y en el que hemos subrayado los giros más o menos estabilizados:

> "CELESTINA.—¡Elicia, Elicia! Leuantate dessa cama, daca mi manto presto, que, *por los sanctos de Dios*, para aquella justicia me vaya *bramando como vna loca*. ¿Qué es esto? *¿Qué quieren dezir tales amenazas en mi casa? ¿Con vna oueja mansa teneys vosotros manos y braueza? ¿Con una gallina atada? ¿Con vna vieja de sesenta años?* ¡Alla, alla, *con los hombres como vosotros, contra los que ciñen espada mostrad vuestras yras, no contra mi flaca rueca*." (Y sigue a continuación lo añadido en la edición de 1502): "*Señal es de gran couardia acometer a los menores y a los que poco pueden. Las suzias moscas nunca pican sino a los bueyes magros y flacos, los gozques ladradores a los pobres peregrinos aquexan con mayor impetu.* Si aquella que alli esta en aquella cama me ouiese a mi creydo, *jamás quedaria esta casa de noche sin varon, ni dormiriamos a lumbre de pajas;* pero por aguardarte, por serte fiel, padescemos esta soledad. Y *como nos veys mugeres, hablays y pedis demasias*. Lo qual, *si hombre sintiessedes en la posada*, no hariades. Que, como dizen: *el duro aduersario entibia las yras y sañas*." (I, 224, 16-29; 225, 1-6.)

Esta tradición escolástica no sólo enlaza con Juan Ruiz, sino que llega, según vimos, a los propios textos mozárabes. La propensión retórica a una norma consabida se mantiene a través de la poética medieval, tanto mozárabe como provenzal, y mantiene su fuerte disciplina hasta el Renacimiento. Los tópicos, lejos de sufrir una disminución de valor, son buscados como preciosos títulos por estos autores, que llegan a la originalidad en muchos casos a pesar suyo.

Claves en el lenguaje erótico

Las claves lingüísticas ya aparecen en la literatura de Castilla la Nueva en el *Libro de Buen Amor,* y su estudio dará mucha luz a pasajes hoy de muy difícil interpretación, como es el episodio del Arcipreste con Fernand García, el de la famosa cántica de los clérigos de Talavera y otros muchos. Su fundamento principal es la antífrasis, es decir, el doble y opuesto sentido aplicado al léxico vulgar. Un grado intermedio es la "contaminación", o sea el matiz equívoco añadido a palabras de apariencia inocente.

La culminación de estos procedimientos se produce en el campo celestinesco y tiene el tema erótico como centro específico. Pero no es en los autores toledanos donde mejor puede estudiarse la organización sistemática de esta clave. Es un autor andaluz, es decir, perteneciente a la novísima región castellana, el que consigue recoger el más completo vocabulario antifrásico. Francisco Delicado, en su *Loçana Andaluza* [16], es el mejor guía en este equívoco terreno.

El doble sentido aplicado a palabras de uso vulgar llega en esta obra a límites insospechables. Es amplísima la contaminación de los pronombres personales y posesivos. La raíz última de la personalidad aparece de este modo "sexualizada", despojada de todos sus otros rasgos que se consideran insignificantes: *él, ella, ello, nosotros, me, mi, mio, se, si, suyo, tuyo, vuestro,* olvidan toda referencia que no tenga como fin la actividad sexual del sujeto. Otro tanto sucede con los demostrativos: *acá, aquí, ahí, allá, allí, esto,* e incluso con los indefinidos: *otro, todo, nada, ninguno.* Atención especial merece el uso intensivo de *lo,* que abarca varias acepciones y se aparta en buena medida de su valor actual, desplazado en sentido erótico hacia el femenino *la.*

---

[16] Edición y prólogo de Antonio Vilanova. Selecciones Bibliófilas, Barcelona, 1952.

Esta misma desviación se extiende y contamina a las propias palabras representativas de la estimación moral: *bien, bueno, malo, virtud, honra, honor, honesto, reputación,* etc., no sólo cambian, sino que invierten su sentido en cínicas antífrasis.

Siguiendo este procedimiento es lógico que sean aquellas raíces verbales como las de los auxiliares *ser, haber, estar* y *tener,* que corresponden a conceptos básicos, las más contaminadas. Tampoco es sorprendente que el verbo vicario *hacer,* símbolo de cualquier actividad, sea el que presente la máxima frecuencia entre todas las palabras contaminadas.

La terminología favorita de este increíble mundo lingüístico del burdel, que retrata Francisco Delicado, está tomada, como en cierto modo era de esperar, de los campos idealistas más apartados y opuestos al suyo. Las palabras típicas de la espiritualidad religiosa y caballeresca; de la Iglesia y de la milicia, son saqueadas con la característica ironía violenta de la picaresca; con la maligna intención de invertir y humillar los valores considerados como más altos: *padre, madre, iglesia, comunidad, oficio, cofradía, novicio, feligrés, beneficio, cirio, campanario, plática, sede.* De gran interés es el uso, con nada favorable intención, de *hidalgo, hidalga, doña, doncella, linaje, señor* y *caballero.*

La terminología militar es de muy antigua y popular aplicación a los temas eróticos. Valga el conocido verso de Góngora "a batallas de amor, campos de pluma" como concepto representativo. Francisco Delicado, y con él toda la literatura picaresca y celestinesca, emplea con naturalidad, seguro de ser fácilmente interpretado, los términos militares: *armar, desarmar, batallar, combatir, pelear, cabalgar, atalayar, lance, armada, combate, combatiente, arte militario, artillería, bandera, bisoño, lanza, broquel, botín,* etc. En un plano secundario aparecen términos propios de la caza o el campo: *cazar, hurón, liebre, cuervo, ave, vedado.*

Y no termina aquí este curioso repertorio; también los nombres propios, de persona o de lugar, "personifican" los temas consabidos: *Diego Maçorca, Perico el Bravo, Pedro Aguilocho, Tragamalla, Cornualla, Ripa, Xodar.* Sustantivaciones bien expresivas: *el tú m'entiendes;* onomatopeyas que probablemente no por azar también aparecen en cantos de Navidad: *dinguilindón.* Todo es presa de esta obsesiva literatura erótica.

Sin duda, buena parte de esta clave tiene raigambre clásica, fácil de documentar en Plauto, y sobre todo en Petronio: *hacer, cosa, acto,* e incluso encontramos palabras de clara etimología griega, como *çaphos,* pero en ninguno de estos autores se llega a un sistema tan extenso ni tan consecuente.

La explicación de esta extraña desviación semántica a que aparece sometido el léxico de muchas obras celestinescas puede buscarse por varios caminos: como artificio para esquivar una censura siempre vigilante, como reflejo literario de una lengua real. Pero sobre todas ellas domina la compleja y contradictoria mentalidad de los propios autores; su total obediencia a una norma literaria que ha acabado por organizar su propio lenguaje.

Crítica de Castilla la Vieja

La literatura épico-heroica, característica de la Castilla nórdica, no se continúa en la toledana, ni la orientalizada, irónica, picaresca y coloquial literatura de la "nueva" región castellana enlaza con los poemas épicos, sino que les opone a menudo su crítica burlesca y la superioridad incomparable de su técnica. Superioridad que tiene su fundamento en la intensa evolución lingüística de los siglos anteriores.

Esta crítica por el castellano "nuevo" de los idealismos caballerescos y místicos del "viejo" es una constante histórica evidente. Hay muchos motivos para creer que el *Libro de Buen Amor* esconde multitud de alusiones irónicas al *Poema de Mío*

Cid y a otros poemas épicos. El *Lazarillo de Tormes,* las "novelas ejemplares" picarescas de Cervantes, y el *Quijote,* no disimulan su ironía frente a los modelos caballerescos, derivados de la épica, e incluso frente a la mística, que tanta relación guarda con aquéllos. Hasta en el uso de los tratamientos y de las formas verbales es fácil descubrir, en estos autores, una intención humorística, una parodia de las fórmulas reverenciosas y cortesanas, propias del viejo estilo castellano [16].

---

[17] M. CRIADO DE VAL, *Lenguaje y cortesanía en el Siglo de Oro español; El futuro hipotético de subjuntivo y la decadencia del lenguaje cortesano,* en *Arbor,* núm. 83, noviembre 1952 (C. S. I. C.).

PARTE SEGUNDA

FISONOMIA DE CASTILLA LA NUEVA

La anterior reconstrucción histórica y geográfica aspira a recoger con sus rasgos peculiares el contorno de Castilla la Nueva, fijado en su momento de mayor relieve, es decir, en su "clasicismo", y delimitado frente al de su más próximo, pero también más diferenciado punto de referencia: Castilla la Vieja. Pero esta delimitación sería infructuosa si no tratáramos de sorprender también la expresión, el sentido íntimo de su cultura, el acento y significado de sus palabras: es decir, su "fisonomía".

Los procedimientos para llevar a cabo una investigación fisonómica de esta naturaleza son muy diversos; tanto como los campos en que puede operarse. El hombre va dejando en todas sus actividades huellas características, pero, a su vez, todo cuanto le rodea acaba, antes o después, por modificarle. Para situar dentro de un claro concepto esa esencial realidad que es Castilla la Nueva era preciso una audaz intromisión en los campos de la geografía y de la historia. Pero la última y más precisa caracterización la hemos buscado en fuentes lingüísticas y literarias.

Tanto la forma lingüística como su aplicación literaria, especialmente cuando aparecen en momentos de formación o de plenitud, son magníficos campos para el estudio fisonómico. Nos proporcionan documentos directos y auténticos en los que la falsificación sólo puede equivocarnos en proporciones insignificantes. Ningún otro documento histórico podría darnos con mayor fidelidad la imagen del siglo XIV castellano que un texto literario como el *Libro de Buen Amor*. Los propios acontecimientos históricos esconden, en la interpretación de los contemporáneos y en mayor proporción todavía en la de los historiadores alejados de su realización, mucho mayores riesgos.

La desconfianza tradicional de los historiadores hacia las fuentes literarias sólo puede justificarse por una imperfección de los métodos de estudio, a menudo contagiados de literatura. Pero la objetividad cada vez mayor de los procedimientos de análisis estilístico ha de dar a nuestros textos una creciente autoridad y un más decisivo interés a su trasposición del campo lingüístico y literario al geográfico e histórico.

No es necesario y ni siquiera conveniente aglomerar los rasgos para conseguir un buen retrato ni nos interesa acumular los índices estilísticos de Castilla la Nueva en esta segunda fase de nuestra "teoría". Nos limitaremos a los grandes autores, a las cimas expresivas que acertaron a recoger los más auténticos caracteres de la región, y especialmente a Juan Ruiz, que atrae nuestra atención máxima, por ser suma y arquetipo de Castilla la Nueva en el período medieval.

En esta caracterización son tres los aspectos fundamentales, formales o temáticos, que destacamos: el "diálogo", como clave estilística; el "ciclo celestinesco", como tema literario principal; la "picaresca", como género específico de una crítica antiheroica, de oposición al idealismo occidental de Castilla la Vieja, fruto de un desequilibrio social y de una contaminación que desborda lo puramente literario.

La correlación de la lengua y de la creación literaria con los determinantes geográficos, que ha sido el eje del capítulo anterior, no sólo se mantiene en esta segunda parte, sino que adquiere mayor intensidad. Consideramos, por ejemplo, que la justificación principal de que sea en Castilla la Nueva donde el diálogo literario adquiere su pleno desarrollo está en sus caminos; en el continuo ir y venir de gentes, razas y culturas por el gran eje caminero que la atraviesa, y que alcanza su mayor intensidad en el tramo que une a Toledo con Alcalá de Henares. La técnica literaria vendrá a dar la forma adecuada, pero el modelo vivo de este diálogo está en las ventas y posadas de esta vía y en la continua vocación regional, patente también hoy, por la conversación, casi siempre irónica y de un peculiar escepticismo. Sin la continua atención a la geografía no tendrán sentido los pasajes más interesantes del *Libro de Buen Amor,* que es un extraordinario archivo fotográfico de la Alcarria y de la Sierra en el siglo XIV; ni el *Lazarillo de Tormes,* que refleja el Toledo de siglo y medio más tarde; ni el *Quijote,* que es retrato del deambular castellano hacia la Mancha y Andalucía.

El interés de esta correlación geográfico-histórico-lingüístico-literaria se manifiesta de modo muy evidente al estudiar los múltiples problemas de la picaresca. Esta honda crisis del espíritu medieval castellano corresponde al campo estratégico de Toledo y coincide con el conflicto inevitable entre sus varias minorías raciales; con la confusa y equívoca actitud de los conversos; con el desconcierto económico, en parte producido por la expulsión. Esta mezcla abigarrada de motivos se refleja en esa extraña fórmula literaria que llamamos, con más o menos propiedad, picaresca, y que es el máximo, más verídico y entristecedor documento que se conserva de la vida castellana y en gran parte española durante más de dos centurias.

El apogeo renacentista de la picaresca es también la partida de defunción del rasgo más antiguo y original de la región. La alegría realista y fuerte de Juan Ruiz; su tolerancia abierta y segura, su buena salud, dejan el paso a un agrio escepticismo judaizante y equívoco, demasiado profundo e intencionado, cuyas trazas encontramos en *La Celestina,* en el *Lazarillo* y en el *Guzmán.* Ellos, a su vez, abrieron el paso y provocaron la reacción del duro, áspero y uniforme castellanismo de fines del siglo XVII. La crisis interna que ha ido formando la moderna fisonomía española está archivada paso a paso en estos textos literarios, que bien pueden considerarse como una autobiografía de Castilla la Nueva, y que también reflejan varios aspectos comunes con las otras regiones españolas.

Capítulo V

LA CASTILLA DE JUAN RUIZ

Juan Ruiz, arquetipo de Castilla la Nueva

El *Libro de Buen Amor* es, sin duda, la creación literaria española que en mayor proporción ha subido en el interés de la crítica moderna. Puede afirmarse que ha entrado ya en el reducido número de los clásicos universales; sólo el *Quijote* o la *Celestina* pueden considerarse a su nivel en el campo literario español.

Para nosotros es, además, la exposición fundamental, el texto más representativo de la literatura medieval de Castilla la Nueva. En su estudio esperamos encontrar los datos y orientaciones que sirvan de base a nuestro intento de definir la fisonomía de la región en su momento cultural más autóctono.

Juan Ruiz no es un personaje de leyenda caballeresca, como el Cid, así como tampoco es la épica el género propio de la nueva Castilla. Para ser en todo consecuente con su carácter equívoco y popular, la gran figura de Juan Ruiz, que tan intensamente nos es descrita a través de su *Libro,* está impenetrablemente escondida en la documentación histórica. Apenas tiene otro valor que el comprobar esta total ausencia de datos históricos la escritura citada por Antonio Sánchez y recogida por Cejador, según la cual en el año 1351 era Arcipreste de Hita un tal Pedro Fernández. La deducción que hace Cejador sobre la probabilidad de haber muerto ya Juan Ruiz por estas fechas es gratuita; de igual suerte podía estar preso en Toledo, o no haber figurado nunca en la lista de los arciprestes de Hita [1].

La tajante afirmación que hoy cabe hacer es ésta: nada sabemos históricamente del supuesto Arcipreste de Hita; ni siquiera podemos afirmar que fuese tal Arcipreste. Los datos concretos que aparecen en su libro y que parecen garantizar esta realidad son desvalorizados en buena proporción por las características textuales que permiten sospechar una interpolación.

Así, la estrofa 575, en la que se afirma tajantemente: "Yo Johán Ruyz, el sobredicho arçipreste de Hita", tiene muy pocas probabilidades de ser original. Sólo aparece en el códice más moderno, es decir, en el de Salamanca, y, como acertadamente opina Cejador (nota de su edición), no corresponde ni a la rima, ni al sentido ni al vocabulario del texto.

Todavía tienen menos garantía de ser primitivos los encabezamientos de los capítulos en que se alude al Arcipreste como autor y protagonista, ya que son segura obra de los copistas. Igual cabe decir del colofón que aparece en el códice de Salamanca, y en el que con demasiada precisión se dice: "Este es el libro del Arçipreste de Hita, el qual conpuso seyendo preso por mandado del Cardenal don Gil, Arçobispo de Toledo". Sin

---

[1] En la *Soledad Laureada* de Fray Gregorio de Argáiz (tomo I, capítulo CXXXIV), al tratar de la vida del Arzobispo Gómez Manrique, se cita, aunque sin dar nombre, a un Arcipreste de Hita que podía ser casi contemporáneo de Juan Ruiz. Se aprecia en el texto la gran autoridad que en la época tenía el cargo de Arcipreste. Dice así: "En primero de Setiembre año de mil trescientos y setenta y dos, tomaron los Padres de San Benito possesion de la Iglesia y Santuario de Nuestra Señora de Sopetran, metiendolos en ella el Arcipreste de la Villa de Hita, por orden del señor Arzobispo de Toledo Don Gomez Manrique".

duda el copista pudo recoger unas noticias tradicionales, pero nada probatorio podemos deducir de referencias tan alejadas del texto primitivo.

Queda la estrofa 19, también rotundamente afirmativa de que el autor "Juan Rruys" era "Arçipreste de Fita". Aparece en el códice de Salamanca y en el de Gayoso, pero su rima es independiente del resto del pasaje y no presenta dificultad su interpolación por un copista primitivo.

Las contradicciones dentro del texto, en todo lo que en él puede considerarse autobiográfico, deshacen, además, toda pretensión de establecer unos datos seguros y concretos. Si es cierto que se afirma en varios pasajes que el autor fué Arcipreste de Hita, también se nos dice que era casado "aquí en Ferreros" (1028). No vale la tesis de que esta afirmación esconde un doble sentido, pues también el doble sentido puede ser fundamento de la aparente jerarquía arciprestal de Juan Ruiz. En una obra tan irónica, tan hondamente penetrada de crítica anticlerical como el *Buen Amor,* es lógico que sea una figura arquetípica la que aparezca como protagonista. Abundan en la obra alusiones burlescas que toman a esta figura por blanco de una crítica genérica. Así, en las figuras del Arcipreste, o cuando en la descripción de Marzo, el demonio del celo "rremesçe a los abades: arçiprestes é dueñas fablan sus poridades" (1283) haciéndoles que "pierdan las obladas é fablen vanidades". El texto termina con un verso excesivamente despectivo para ser autobiográfico: "Todos, ellos é ellas, andan en modorría" (1284).

Esta intención crítica y su expresión literaria a través de arquetipos de apariencia autobiográfica es una constante a lo largo de todo el *Libro* [2]. En varias ocasiones se trata de simples tó-

[2] El mismo nombre de Juan Ruiz puede no tener más valor que el de un pseudónimo, escogido precisamente por su misma vulgaridad. En el *Libro de la Montería* aparece citada por dos veces una casa de "Juan Ruiz", y en otra ocasión se habla también de Antón Ruiz. Pero

picos de la sociedad medieval. Así, por ejemplo, en la supuesta carta a los clérigos de la Talavera, de la que aparece el propio Arcipreste como emisario. Incluso más de medio siglo después podemos encontrar réplicas reales de su mismo contenido, y, lo que es más curioso, en clerecías de la más próxima vecindad a la villa de Juan Ruiz. Véase la siguiente "representación que hicieron algunos clérigos de Brihuega ante el Alcalde por haber puesto presas a sus mancebas", en el año 1408:

> "E sabedes muy bien que las tales leyes nin otras en los dichos ordenamientos contenidas, fechas contra los que regañan ó juegan dados, que nunca se han guardado fasta aqui. E que la tal pena que pertenesce à nuestro Arçobispo que la su merced las mandase guardar e non se guardasen e auria lugar los denunciadores de las tales penas, por lo qual la dicha carta aunque por nos deuió ser conplida pues que non fué dada por Cortes con acuerdo de los señores Ferrando infant e de la señora Reyna, tutores e rregidores del rreyno." ,
>
> Por ende nos decimos e afrontamos e rrogamos que vos non entrometades a proceder contra las dichas "caseras" de algunos de nos, que las tienen desta villa e vicaria..." [3].

Son muy semejantes argumentos, el mismo tono e idéntico problema al que irónicamente aparece planteado en el *Buen Amor,* y al que las Ordenanzas de Soria y Briviesca habían tratado de poner coto sin grandes resultados. No hizo otra cosa Juan Ruiz que dar forma literaria a un tópico de la vida eclesiástica de su época.

no pensamos que sean alusiones al autor del *Buen Amor,* sino, muy al contrario, prueba de que este nombre era corrientísimo en la época y debía de tener el sentido genérico y popular que hoy atribuímos a "Juan Pérez".

[3] A. Pareja Serrada, *Brihuega y su partido,* Guadalajara, 1916, apéndice 8 bis, págs. 139-140.

Pero estos argumentos no tienen tampoco peso suficiente para deshechar toda probabilidad de que nuestro autor hubiese sido verdaderamente Arcipreste de la villa. Especialmente no creemos dudoso, ante la suma de pequeños indicios que presenta el texto, que fuese un clérigo más o menos relacionado con órdenes religiosas. Es un hecho interesante, que puede tener gran trascendencia en la futura investigación de la vida de Juan Ruiz, su constante relación con las comunidades benedictinas. Es clara la coincidencia entre los puntos de su itinerario y las actuales ruinas de varios conventos para ser debido a una mera casualidad. Sopetrán, Bonaval, Santa María de la Sierra, jalonan el itinerario entre Hita, el Vado y Sotos Albos. Cabe pensar en una relación profesional del Arcipreste con estas comunidades próximas a Hita. La investigación en los archivos monásticos quizá pudiera descubrir algún rastro de Juan Ruiz, que por otros caminos nos parece ya imposible encontrar.

La relación de Juan Ruiz con Sotos Albos y con Ferreros [4] es, por otra parte, muy distinta a la que puede suponer un simple excursionista. Dada la importancia antigua de estos pueblos, mucho mayor que la actual, según lo atestiguan sus iglesias, en especial la muy interesante de Sotos Albos, cabe pensar que Juan Ruiz pudo ser párraco o visitador de ellas en un determinado período de su vida. No obstante, el eje fundamental de la vida del autor es Hita, la hoy insignificante aldea alcarre-

---

[4] Sotos Albos tenía, según Madoz, 150 casas, la iglesia de San Miguel Arcángel y la ermita, casi construída, de Nuestra Señora de la Sierra, "que fué de los monges de San Benito". En la actualidad el número de casas es menor, se conserva la iglesia románica y, a cierta distancia del pueblo, las ruinas del monasterio benedictino, adosadas a una casa de construcción moderna.

Doscientas casas y una iglesia dedicada a San Justo y Pastor tenía Ferreros, en tiempo de Madoz. Hoy son numerosos los corrales semiderruídos y debe de ser más pequeño el número de vecinos. La iglesia, de gran tamaño, es desproporcionada con relación al vecindario, síntoma claro de un proceso de decadencia.

ña, que fué encrucijada no sólo de la vida y la obra de Juan Ruiz, sino también, en parte, de la del primer Marqués de Santillana, su discípulo.

Una crítica imparcial debe detenerse ante esta afirmación de carácter un tanto genérico; ni la documentación histórica ni el texto, llegado a nosotros en copias inseguras y tardías, autorizan otra cosa que no sea la reconstrucción del medio regional y de la época en que vivió el autor, en realidad anónimo, del *Libro de Buen Amor*.

HITA, LA VILLA DE JUAN RUIZ

Hita, ciudad yerma

Si el llegar a un preciso contorno biográfico de Juan Ruiz parece empresa, hoy por hoy, inasequible, es, por el contrario, tarea fácil reconstruir su especialísima personalidad y el ambiente que le rodeaba. En el *Buen Amor* está el autorretrato íntimo del autor, sin datos ni fechas concretas, pero dentro de su entera circunstancia social y regional.

Este realismo geográfico de Juan Ruiz llega de tal modo a la esencia de los pueblos y de las regiones en que vivió, que todavía hoy nos es fácil reconocer sus pasos e identificar en la ruina actual de los pueblos alcarreños y serranos la vida más intensa que debieron tener en los siglos medios.

Esta evolución negativa de la región en que vivió el Arcipreste es quizá la constante más expresiva; la característica actual más desconcertante, que se nos descubre al seguir, paso a paso, los itinerarios del *Buen Amor*. Campos, monasterios y pueblos yermos, o en camino de serlo, van jalonando las viejas rutas del Arcipreste. Donde el siglo XIV conociera una vida activa hoy sólo quedan insignificantes aldeas que se mantienen con dificultad en una tierra pobre y despoblada. Hita, Trijueque, Torija y la propia Brihuega, en la Alcarria; Sotos Albos, Otero Herreros, Valsaín, en la Serranía. Incluso las propias capitales, Guadalajara, Alcalá y Toledo pueden alinearse entre las míseras ruinas de un pasado que prometía desarrollos más generosos. Asombra pensar que este empobrecimiento regional se produce en la Península a pesar de ser hoy más del triple el número de sus habitantes.

Hita [5], sede del supuesto arciprestazgo de Juan Ruiz, es hoy un recinto casi enteramente yermo, vuelto en los pequeños restos de vida que conserva a la más primitiva organización. En las cuevas o "bodegos" de sus casas derrumbadas reviven unos cuantos vecinos un régimen de vida semejante, en muchos aspectos, al que debió tener el poblado en sus orígenes ibéricos.

Durante nuestra última guerra, Hita volvió a ser posición fuerte y, por desgracia, zona fronteriza durante varios meses. A raíz de la "campaña de Guadalajara" quedó estabilizado el frente ante la villa, dominada desde las alcarrias vecinas. El cañoneo diario fué dañando su caserío; las vigas de madera fueron quemadas en los días de invierno y se desmantelaron casi todas las casas deshabitadas. El aspecto del caserío al término de la campaña era realmente desolador. Pero hubiera sido bastante fácil su reconstrucción, sin gran pérdida en la estructura tradicional, de no haberse acordado reedificar el pueblo en distinto emplazamiento. Así ha surgido el actual pueblo de Hita, desdoblado su vecindario entre la parte nueva, construída al lado de la carretera y los bodegos, ruinas y casas ruinosas del casco antiguo, al que parte de los vecinos siguen apegados. Los restos de la muralla, de la iglesia de San Pedro, de la plaza y de las calles que señalan el viejo trazado, descendiendo del cerro,

---

[5] Según la describe Madoz, Hita "está situada en una eminencia y rodeada de murallas con un castillo. Aunque parecen ser obra de moros, se ve en los cimientos y materiales haber andado la mano de los romanos"

dan a la villa de Juan Ruiz el aspecto de unas excavaciones arqueológicas. Se trata, en realidad, de todo lo contrario: un extraordinario monumento histórico-literario abandonado.

Causas de la despoblación

Algunas de las causas iniciales de esta despoblación de Hita son semejantes a las que convirtieron en yermas a varias ciudades medievales de la misma zona. La ordenación estratégica del poblado en torno a un cerro amurallado, que corona en su cima un castillo, no es cómoda ni adecuada para una comunidad moderna. Las piedras de sus murallas, de su castillo, de sus iglesias e incluso de sus casas, son materiales demasiado apetecibles para los constructores de carreteras y de "nuevos poblados". La vía de comunicación que pasa por Hita, es decir, la carretera de Madrid a Zaragoza, pasando por Soria, bordea el viejo recinto, pero ha decaído, por la muy superior importancia de la carretera que sube por Torija al páramo alto de la Alcarria. De todos modos, quizá esta carretera de Soria sea la única razón de que todavía encontremos una huella de comunidad en el cerro de Hita, y de que su situación actual no sea tan absolutamente devastada como la de las ciudades hispano-musulmanas que bordeaban el viejo camino entre Toledo y Segovia, siguiendo el curso del río Guadarrama: Canales, Olmos y Calatalifa, desaparecidas hasta en los últimos residuos de su población al desviarse la comunicación entre ambas Castillas.

Sin embargo, la decadencia moderna de Hita no sólo debe relacionarse con estas causas locales, sino con un proceso más general que abarca a una extensa zona alcarreña. Junto a la villa de Juan Ruiz existen otras, como Trijueque, de etimología ibérica, antigua villa amurallada, que sirvió de prisión residencia a la Beltraneja; Torija, fortaleza templaria, en donde todavía se conserva el recuerdo toponímico de un "barrio judío"; Jadraque, cuyo castillo flanqueaba por el Norte el de Hita; Brihuega, actual cabeza de partido, de clara etimología céltica, centro de una fuerte industria lanera, de la que sólo quedan vestigios actuales. Incluso la capital, Guadalajara, que era prototipo para Juan Ruiz de la vida ciudadana, y hoy apenas pasa de la categoría de pueblo, toda esta región ha sufrido una intensa reducción a partir del siglo XIV. La primacía absorbente de Madrid, la decadencia ganadera y textil y el progresivo empobrecimiento de la tierra son causas importantes. Pero quizá la más decisiva haya sido la pérdida de valor estratégico que al fin de la Reconquista enlaza el destino de Hita, Torija, Trijueque, Jadraque, Brihuega, Pedraza, Medinaceli, ejes defensivos en la línea del norte toledano con los de Alarcos y Calatrava y el propio Toledo, al Sur; Zorita de los Canes, al Oeste. La autoridad cada vez más fuerte de la Corte arruina o al menos desarraiga a las grandes casas nobiliarias, que daban vida fugaz pero intensa a regiones como la Alcarria. Los poderosos señoríos de Medinaceli, Mendoza y Silva mantienen su valor local hasta fines del siglo XV. Después, las nuevas ciudades, llanas y de fácil desarrollo, crecen en la inmediación de estas incómodas fortalezas, ya sin valor, que se despueblan rápidamente.

Breve historia de Hita

Carecemos de noticias sobre la existencia, muy probable, de un castro ibérico o celtibérico en el cerro "testigo", de fácil y natural defensa, que determina la historia de Hita. La toponimia acusa claramente una penetración ibérica en el abundante sufijo *ueque* de otros pueblos vecinos: Trijueque, Jirueque, Manzaneque. También por la toponimia cabe deducir la presencia celta.

Nada de extraño tiene este hecho, dada la ruta, no sólo posible, sino obligada, de cualquier emigración que procediera tanto de la dirección SE como de la NO, bordeando la sierra.

Hita es una formidable atalaya de este itinerario, que domina una extensa planicie.

Muy escasas son las referencias a Hita en el período romano. La calzada entre Emerita y Caesaraugusta, reseñada en el Itinerario Antonino, establece una "mansión" en Caesada o Caesata, situada entre las de Arriaca (Guadalajara) y Segontia (Sigüenza). De acuerdo con el cálculo miliario y con la norma bien conocida de los ingenieros romanos de buscar la línea más recta en el trazado de sus caminos, es bastante lógico identificar la actual Hita con la Caesada romana, pero no es problema resuelto por la moderna arqueología. Según los planos de Kiepert, Saavedra y Cuntz, sería el término del actual pueblo de Espinosa de Henares por donde pasaría la calzada. A restos de la mansión, citada en el Itinerario Antonino, corresponderían los hallados en la proximidad del pueblo, de los que habla Madoz en su Diccionario. En el artículo sobre Espinosa de Henares dice así:

> "Dentro de él (término) se encuentra una ermita (La Soledad), el desp. del Monte y vestigios y ruinas de edificios; habiendo sucedido que al hacer algunas operaciones agrícolas, y principalmente al extraer piedra para la construcción de un molino, se hayan encontrado varios suntuosos sepulcros de piedras, y dentro de ellos huesos y anillos de oro y otros metales."

Saavedra sitúa también a Caesada en el mismo punto:

> "En el despoblado del Monte, término de Espinosa de Henares y cerca de Carrascosa, siguiendo de Guadalajara a Sigüenza todo el río Henares con el camino de hierro. Hay varios puentes enteros o caídos, que indican la vía desde Guadalajara, de que han dado noticia a la Academia los ingenieros Srs. Ortega y Arroquia, y en aquel sitio hay ruinas mencionadas por los mismos y por Madoz" (*op. cit.* pág. 88).

Sobre el terreno no parece confirmarse esta opinión con entera evidencia. Los restos encontrados, y que según tradición conservada en el pueblo, son de un antiguo emplazamiento de éste, conocido por el nombre de Santas Gracias, no son romanas ni hay el menor resto de calzada en sus alrededores. Tampoco parece normal que la línea, casi enteramente recta, que sigue la calzada desde Alcalá a Sigüenza, se curve para pasar por Espinosa sin clara razón topográfica. Esta desviación obliga a cruzar por dos veces el Henares, contra todas las normas de la ingeniería romana.

La correspondencia de Caesada con el actual término de Hita es propuesta por Ceán Bermúdez:

> "Pudo ser (Hita) lo que llamaban Cesada o Caisada y era de la Celtiberia. Fué mansión de tres caminos que salían de Mérida y acababan en Zaragoza, en esta forma: octaba del que pasaba por Toledo; décimatercera del que atravesaba por Fuenllana; vigésimosegunda del que rodeaba por Salamanca, y décimoquinta del que salía de Astorga, torcía por Cebrones y terminaba tam bién en Zaragoza" [6].

La falta de restos arqueológicos de la calzada no es sorprendente, ya que han sido cubiertos o destruídos por la moderna carretera. Hay, sin embargo, algunos topónimos, "la calzadilla", "portillejo", bastante expresivos. También hemos encontrado, en diversos lugares del pueblo, trozos de columnas de indudable procedencia romana. Por otra parte, en textos como el *Poema del Cid* hay una indirecta confirmación del paso normal entre Medinaceli, Hita, Guadalajara y Alcalá (446-446b). La dirección de la calzada, en el caso de ser Hita la mansión, sería recta, y los datos miliarios de una variante del Itinerario serían coincidentes [7].

---

[6] *Sumario de las antigüedades romanas que hay en España, en especial las pertenecientes a las Bellas Artes*, Madrid, 1832. Véase también F. Fuidio, *Carpetania romana*, Madrid, 1934.

[7] Los datos miliarios son confusos debido a la existencia de dos variantes: Caesada, XXIV, y Caesata, XXXII.

Queda una posibilidad intermedia: que entre Hita y Espinosa cruzase un rama transversal, que justificaría el diminutivo (calzadilla), y que podía enlazar la calzada principal con Clunia, base importante en la línea del Duero. Este tipo de enlaces corresponde bien con el sistema estratégico de las comunicaciones romanas, que suelen apoyar sobre un eje longitudinal una serie de ramales transversales. Técnica militar muy semejante a la actual.

Un curioso, aunque poco seguro, testimonio de la antigüedad romana de Hita lo recoge Fray Gregorio de Argaiz en su especie de historia de los conventos benedictinos en España, ya citada. En el Capítulo XXI del tomo primero, al tratar del monje San Gregorio, dice que "bolviendo a España en el (año) de 366 le dió la enfermedad vltima en la Ciudad de Amphitria, que es la villa de Hita, cerca de Guadalaxara". Más adelante (capítulo CXXXIV, tomo I), al describir las múltiples vicisitudes por que pasó el convento de Sopetrán, añade que "lo edificó el Abad Cecilio en la Ciudad de Amphitria, que se llamava Petra. Y es la dicha villa de Hita, *Amphitria dicta Petra Amphitriae condidit Heremitorium Cecilius Abbas.* Y es el nombre legítimo de esta Villa: porque era en ella el Ito, y mojón, para distinguir, y partir los terminos de la Carpetania con los Celtiberos o Termestinos, como auia otra piedra en Guadalaxara, y como lo significa el nombre Arabigo, que es lo mesmo Guadalaxara, que Río de la Piedra, o Mojón. Assi llamaron a esta Villa *Petra Amphitria* en Latin, y Griego, y los españoles al principio Piedra Hita, y mas brevemente decimos *Hita,* de que se vea en Hauberto lo que yo digo el año de sesenta y siete".

El Monasterio de Sopetrán

En el llano, al pie del cerro de Hita, se fundó el Monasterio, que, de acuerdo con la anterior y muy poco segura etimología, se llamó *Santa María de Sub Petram.* Es curiosa la confusión de Iuliano recogida por Argaiz, y que puede tener relación con relatos árabes, al hablar del Monasterio como si estuviera *Super Petram,* es decir, en lo alto del cerro y no a su pie.

Argaiz describe con gran detalle el milagro y conversión del hijo de Al-Mamun, así como también la milagrosa salvación del Rey castellano Alfonso VI, que "andando a caça de monteria, se hallo solo y tan embarazado con un Osso, que no tuvo lugar para desembolverse". Siempre el mismo extraño paralelismo entre los dos Reyes amigos y casi correligionarios.

Hita en el período musulmán

En el período musulmán, por fuerza hubo de desempeñar la gran fortaleza natural de Hita un importante papel. La documentación, muy interesante en este caso, sigue planteando problemas de atribución respecto a la correspondencia de Hita con la poderosa fortaleza de Sabatrán, que citan varios historiadores árabes.

En el Fath-al-Andalus [8] se sitúa esta plaza entre las de Santaver (villa desaparecida, a orillas del Guadalete, en el límite de la provincia de Cuenca con la de Guadalajara) y Toledo. Al Maracid la define como un castillo en el territorio toledano. Por el contrario, Ibn-Jaldun, en su *Historia de los árabes en España* [9], la remite a las montañas de Valencia. Es, pues, muy confusa la documentación originaria.

Leví-Provençal atribuye al solar del monasterio de Sopetrán, en el término mismo de Hita, la situación del fuerte musulmán. No correspondería muy bien la descripción de los historiadores árabes, que presentan a la fortaleza en lo alto de un cerro inex-

---

[8] Edición de J. González, Argel, 1889.

[9] Traducción de Oswaldo O. Machado, en *Cuadernos de Historia de España,* VI, Buenos Aires, 1946.

pugnable, con el emplazamiento del monasterio, en una vega sin valor estratégico alguno. Pero nada impide que el viejo nombre árabe se haya primitivamente referido al propio cerro de Hita y más tarde se haya desplazado al monasterio emplazado en su vecindad.

En el castillo bereber de Sabatrán se sitúa el centro de una de las más activas insurrecciones toledanas frente a Abd-al-Rahman I, acaudillada por el cabecilla Shaqya, en el año 768, y que alcanzó a dominar una extensa zona que comprendía las fortalezas de Santaver, Coria, Medellín e incluso Mérida. Insurrección que duró cerca de nueve años, hasta que Shaqya fué asesinado en el camino de Hita el año 777. La relación entre Hita y Santaver tendría en esta época una gran fuerza regional.

Tradición hagiográfica

Una confirmación indirecta de la antigua relación entre la región alcarreña de Hita y las de La Vera y Trujillo puede ser la curiosa expansión a estas zonas del culto alcarreño a la Virgen de Sopetrán, que es también la Patrona de Jarandilla (en La Vera) y de Almoharín (cerca de Trujillo). La leyenda tradicional enlaza este culto con el reinado de Al-Mamun. Según ella, un hijo del Rey toledano, Alimaimōn, al volver a la capital conduciendo prisioneros cristianos de Castilla fué cegado repentinamente, curado y convertido después, habiendo sido bautizado en la Ermita de la Fuensanta, cercana a Hita. Recibió el nombre de Pedro o Petran, de donde la etimología popular deriva el nombre de Sopetrán.

Hay en este relato evidentes reminiscencias del milagro y conversión de San Pablo, pero, a nuestro fin, su interés mayor está en que atestigua una antigua relación entre dos regiones que pudo bien fundarse en un período de dominación bereber sobre la faja fronteriza que corre a lo largo de la Cordillera.

Este contacto entre poblaciones tan apartadas y tan indiferentes en la actualidad a todo mutuo interés, como son Hita y Jarandilla, debió de ser en época musulmana más intenso, y bien pudo quedar en parte incorporado y confundido en el culto mariano.

Hasta fecha tardía ha salido una procesión desde Jarandilla que, después de recorrer más de cincuenta leguas y presidida por el Alcalde de Jarandilla o su representante, iba a rendir homenaje a la Virgen de Sopetrán. Allí se juntaba con el Alcalde y vecindario de Hita, con peregrinos de otros pueblos, y todos, presididos por el Abad del monasterio benedictino de Sopetrán, visitaban el lugar donde fué bautizado el hijo de Al-Mamun. Estos datos vienen a confirmar una influencia muy antigua de Sopetrán (o sea de Hita) sobre una extensa región fronteriza [10], ya en época musulmana y en los primeros tiempos de la reconquista toledana.

Reconquista de Hita

De la reconquista de Hita, simultánea a la incorporación del Reino toledano por Alfonso VI, y que la tradición atribuye a Alvar Fáñez, hay el testimonio de la Crónica de Alfonso VI, en donde se dice que después de la ocupación de Toledo fueron tomadas Talavera, Santa Olalla, Maqueda, Alhamín, Argenza, Magenza, Magerit, Olmos, Canales, Calatalifa, Talamanca, Viceda, Guadalajara, Hita, Ribas... [11]. También en un privilegio de 1138 aparece citada Hita, en una lista de villas pertenecientes al Arzobispado toledano, que es de suponer serían de principal importancia, y que coincide en buena parte con la lista anterior. Son: Talavera, Maqueda, Sancta Eulalia, Escalona, Alfamín,

---

[10] Es interesante como indicio de la gran importancia de Hita en época musulmana la cita de Idrīsī en su *Descripción:* "La provincia de las Cuevas, donde están Zorita, Hita y Calatrava" (Ed. de A. Blázquez, pág. 9).

[11] E. TORMO Y MONZÓ, *Las murallas del Madrid de la Reconquista,* Madrid, 1945, pág. 160.

Ulmos, Canales, Calatalifa, Magerit, Talamanca, Buytrago, Guadalfaxara, Alcalá, Fita, Penna-Fora, Belenna, Cogollut [12].

Varios de estos nombres corresponden hoy a yermos o a insignificantes aldeas. Especialmente hay dos zonas, hoy casi despobladas, que debieron tener intensa vida medieval: la del río Guadarrama (Olmos, Canales y Calatalifa) y la que forma un triángulo entre Hita, Beleña y Cogolludo. Es necesario contar con la gran transformación sufrida por estas zonas para situar adecuadamente los textos literarios.

De la importancia medieval de Hita, dentro del Reino toledano, puede también juzgarse por el destacado lugar que ocupaba su milicia en las campañas de Alfonso VI contra los almorávides, a raíz de la conquista de Toledo. Derrotado el alcayde de Hita, Fernando Fernández [13], en la gran ofensiva de Alí, de la que apenas logró defenderse la propia Toledo, es, más tarde, otro de sus alcaydes, Martín Fernández, uno de los capitanes predilectos del Emperador. Junto con el famoso alcayde de Toledo, Munio Alfonso, interviene en las campañas contra Córdoba y Sevilla [14]; es nombrado gobernador del castillo de Peñas Negras [15]; interviene en el combate de los Pozos de Algodor, en el que muere Munio Alfonso [16], y participa destacadamente en la conquista de Almería. En el *Poema de Almería* se dedican varias estrofas a describir el campamento y la figura del capitán alcarreño: "Blanco de rostro, aventajado de cuerpo y de miembros, es bello, fuerte, honrado, y tiene el mando de la mesnada" [17], y añade el *Poema* más adelante: "Si yo pudiera hablar con pro-

---

[12] A. González Palencia, *Los Mozárabes de Toledo,* vol. preliminar, pág. 159.

[13] *Chronica Adefonsi Imperatoris,* edición y estudio de L. Sánchez Belda, Madrid, C. S. I. C., 1950, v. 113.

[14] Idem, v. 176.

[15] Idem, v. 143-146.

[16] Idem, v. 178-183.

[17] Idem, v. 245.

piedad, ¿quién podría equipararle, exceptuando los reyes?" [18].

El núcleo judío

Hecho destacado en este perfil medieval de Hita es el número y, sobre todo, la importancia económica de la colonia judía. Durante un año, Hita sirvió, según la Crónica del Rey Don Pedro, de depósito a Samuel Levy, recaudador general del Rey. En el Repartimiento hecho a los judíos por Rabbi Jacob Aben-Núñez, Juez Mayor de los judíos, y físico del Rey Don Enrique IV, en 1474, se adjudica al aljama de Hita el pago de 3.500 maravedís, es decir, igual cantidad que a "el aljama de los judíos de Toledo, con los judíos de Torrijos, e de Galvez, é con los judíos que se fueron a vivir a Lillo". Aun contando con la gran crisis que por la reciente persecución pasaban los judíos de la capital, puede juzgarse por este dato el volumen de la colonia de Hita. Sólo la superaban en el Reino toledano las de Ocaña (11.000 mvs.), Guadalajara (6.500 mvs.), Huete (5.700 mvs.) y Alcalá (5.000 mvs.).

Otros indicios que confirman este hecho aparecen en la documentación de la casa de Mendoza, que constantemente alude al vecindario judío de Hita [19]. Así, en el testamento otorgado por don Pero González de Mendoza, Cogolludo, a 9 de agosto de 1383 (Archivo Histórico Nacional, Casa de Osuna, legajo 1.762), se encomienda a los judíos del aljama de Hita 1.500 maravedís para atender al culto de la capilla del castillo. También en el Codicilio otorgado por el primer Marqués de Santillana, a 5 de julio de 1453 (Casa de Osuna, legajo 1.762), aparte de mencionar los especiales motivos de gratitud del Marqués a

---

[18] Idem, v. 260.

[19] Américo Castro (*La realidad histórica de España*, pág. 469) recoge el dato, ya atestiguado por Fritz Baer, de que eran al menos cuatro los médicos judíos de Hita. Sirve también este dato para confirmar el amplio vecindario medieval de la villa.

los Caballeros, escuderos y "buenos omes" de su villa de Hita, lega al convento de Sopetrán, entre otras mandas que muestran su gran interés por él, la propiedad de Heras, que el Marqués había comprado a don Çagut Baquix "judío my vasallo, vesino de la my villa de Hita" [20].

En los pueblos inmediatos del actual partido de Brihuega debieron ser también importantes las colonias judías. Todavía hoy se conserva la tradición del barrio judío en el pequeño pueblo de Torija.

Hita en el siglo XIV

La Hita del siglo XIV, es decir, la Hita de Juan Ruiz, estaba en el momento de su apogeo castrense y ciudadano. Su castillo, verdaderamente inexpugnable en la cima del cerro, regía la ladera poblada de un laberinto de callejas, "fondón bien poblado", ceñido por una amplia muralla, de la que hoy apenas se conservan restos de una puerta y recuerdo de otras tres: Poniente, la Laguna, el Pozo y Molina. Contaba con un arciprestazgo y con tres parroquias: Santa María, San Juan y San Pedro. Su población, de número difícil de calcular, sería muy parecida, en su conjunto heterogéneo, a la de Toledo. El aljama poderoso, más que por su número por su dinero, sufriría, explotaría y conviviría humildemente con la fuerte guarnición militar, castellana o mozárabe, y con los moriscos labradores y artesanos. En el *Libro de Buen Amor,* obra segura de un mozárabe, escrito con ironía anticastellana, pero sin el menor temor a ser confundido con un judío o morisco, está recogido el ambiente, el lenguaje, el modo de ser, vivir y pensar de esta extraña sociedad; es la imagen de un espectáculo que sólo durante muy pocos siglos y

[20] En tiempo del Marqués el convento de Sopetrán, arruinado, estaba reducido a tres monjes. Él lo restaura y lo incorpora a la Orden de San Benito, trayendo doce religiosos de Valladolid.

en la limitada región toledana tuvo su entero y deslumbrante desarrollo.

Hita en la literatura medieval

La documentación de Hita en la historia literaria medieval es antigua, y sorprende la atención de varios de nuestros principales autores hacia ella. Descontado el *Libro de Buen Amor*, encontramos varias citas en el *Poema del Cid:*

> "Fita ayuso e por Guadalfajara
> fata Alcalá lleguen las algaras" (446-446b).

El itinerario de la gran calzada de Mérida a Zaragoza está latente en estos versos. También se percibe con justeza el paisaje invariable de las alcarrias al fondo de la marcha del Cid camino de Alcocer:

> "Vanse Fenares arriba quanto pueden andar,
> Troçen las Alcarrias e ivan adelant" (542-543).

La bien comprobada riqueza de los aljamas de Hita y Guadalajara andaría por medio, con seguridad, en los continuos "negocios" de Mío Cid. Detrás de los moros, que cita, estarían con toda seguridad los judíos:

> "Fabló con los de Castejón, y envió a Fita y a Guadal-
> esta quinta por quanto serié conprada, [fajara,
> aun de lo que diessen oviessen grand ganançia.
> Asmaron los moros tres mill marcos de plata" (518-521).

En la *Leyenda de los Infantes de Lara* [21], Gonçalo Guçios habla de Hita como heredad de Diego Gonçales, uno de los siete Infantes:

---

[21] *La Leyenda de los Infantes de Lara.* Ed. R. Menéndez Pidal. Madrid, Centro de Estudios Históricos, 1934, vol. I, págs. 320-9.

"Diovos el conde a Pedraza e a Fita por heredade,
la media es cercada e la otra por çercare" (I, pág. 320, 9).

Indirectamente, nos da la fecha en que fué amurallada la villa, si bien no hay que pensar que esta labor fuese hecha una sola vez en la accidentada historia de la fortaleza.

Hay dos menciones de Hita en la *Vida de Santo Domingo de Silos,* de Berceo, y ambas confirman el gran prestigio militar de la fortaleza y su extensa población:

"Fita es un castiello fuert e apoderado
infito e agudo, en fondón bien poblado,
el buen rey Don Alfonso le tenie amandado,
el que de Toledo, si non so trascordado..." (733).

"Caualleros de Fita, de mala conosçencia,
nin temieron al Rey, nil dieron reuerencia,
sobre Guadalfaira fizieron atenençia
ouieron end algunos encabo repintençia..." (736).

Según el *Poema* de Berceo, los caballeros de Hita serían cristianos que atacaron a los moriscos de Guadalajara, protegidos por Alfonso VI. Juan, el caballero de Hita a quien libró Santo Domingo de las iras del Rey, queda en la penumbra, pues, según dice el *Poema* "perdióse un cuaderno" en el que terminaba su historia.

Señorío del Marqués de Santillana

Pero, seguramente, el dato de mayor interés literario es el íntimo contacto de la villa alcarreña con los dos grandes autores de los siglos XIV y XV: Juan Ruiz y el Marqués de Santillana. Iñigo López de Mendoza, señor de Hita y Buitrago, antes de ser Marqués de Santillana, es el sucesor directo de Juan Ruiz en la temática de las serranillas y del refranero, y uno de los pocos autores que recuerdan directamente al Arcipreste en su obra. Dice así el Marqués en el *Prohemio a sus obras,* que envió al Condestable de Portugal: "Entre nosotros usóse primeramente el metro en assaz formas: asy como el Libro de Alixandre, los votos del Pavon, e aun el Libro del Archipreste de Hita".

El mayorazgo de Hita había sido establecido por Juan I, en 1380, a favor de Pero González de Mendoza, abuelo del Marqués [22], en agradecimiento por los servicios prestados en la batalla de Aljubarrota. Desde entonces, la villa quedó firmemente ligada a la poderosa familia de los Mendoza, al igual de otras extensas zonas de la Alcarria y de la Sierra. En 1405, Hita recibe en triunfo al primer Marqués, y en los años siguientes, de continuas revueltas políticas, le sirve de refugio y de base de retirada. Las estancias del Marqués en su villa no siempre fueron momentáneas; a raíz de la batalla de la Higueruela se encastilló en la fortaleza, temeroso de ser castigado por el Rey Don Juan II, y en ella permaneció durante una larga temporada. No es aventurado deducir que en alguna de estas frecuentes estancias del Marqués en Hita llegara a sus manos un ejemplar del *Libro* del Arcipreste, cuyo recuerdo en la villa estaría todavía reciente.

LA TOPONIMIA DEL CAMPO DE HITA

En la toponimia del campo de Hita, arquetipo ideal de la de toda la Alcarria, y en las referencias arqueológicas que el propio Juan Ruiz nos da constantemente en su *Libro* (sobre cultivos, ganadería, itinerarios, etc.), hemos ido a buscar una ex-

---

[22] Figura esta documentación en el archivo del Infantado. Véase *Obras de Don Iñigo López de Mendoza, Marqués de Santillada.* Ed. J. AMADOR DE LOS RÍOS, Madrid, 1852.

F. Layna Serrano ha estudiado también detenidamente, y en muy variados aspectos, Guadalajara y su provincia, en torno a la casa de Mendoza.

plicación del estilo y de la propia vida y figura del autor, quizá más enigmático, pero también uno de los más auténticos, vigorosos y sinceros de nuestra literatura.

Los topónimos que hemos recogido corresponden a los actuales términos de Hita y de Rebollosa de Hita, pueblo limítrofe. Han sido tomados de varias fuentes muy distintas: de las *Memorias y capellanías de la Iglesia de San Juan de la villa de Hita* (siglo XVI), de las *Memorias de las iglesias de Santa María y San Pedro de la villa de Hita* (1736), del *Libro primero de memorias de la parroquia de Santa María de la villa de Hita* (1762), existentes en la actual parroquia de San Juan; de una *Copia de las Haziendas de Ecclesiasticos* (1752) y de los *Cuadernos de amillaramiento de 1854 a 1880,* del Ayuntamiento de Rebollosa de Hita.

La devastación de fondos parroquiales y concejiles sufrido por esta región hace imposible comparar estos datos con documentos anteriores. Sin embargo, la persistencia de la toponimia es extraordinaria, y no serían grandes las variantes. Estas son casi imperceptibles entre los varios documentos utilizados y la toponimia actual; es decir, hay una invariable continuidad entre el siglo XVI y el XX. Nada nos autoriza a pensar que entre el XVI y el XIV fuesen mucho mayores los cambios. Las pequeñas modificaciones suelen corresponder o bien a nuevos topónimos, no siempre tan fáciles de identificar, como el muy curioso de *barranco Mambrú,* o bien a atracciones semánticas, casi siempre en nombres propios: *Isabela* por *Sabela, Angélica* por *Gélica.*

La toponimia, como toda investigación geográfica, exige la comprobación en el terreno. Ni siquiera los buenos planos topográficos pueden reemplazar a la visión directa del paisaje. Muchos nombres en principio incomprensibles se vuelven claros a la vista del lugar a que se refieren. Hemos comprobado directamente los datos de esta toponimia de Hita y de Rebollosa, zona familiar que nos es bien conocida.

Toponimia "descriptiva"

Como es lógico, son muy abundantes los topónimos que incluyen una referencia al aspecto del lugar; la descripción de un accidente o característica del terreno. Entre ellos destacan, por su extraordinaria frecuencia y por la composición nominal, los formados por el prefijo "val": *valdepadilla, valdelorno, valsordo, valbueno, valdemedel, valdeatienza, valdeatorre, valangosto, valdecastillo, valdecalavera, valdeherrero, valdesanlázaro, valdeancheta, valdeavira, valdelanar, valdelosolivos, valdemesones, valdegorbán, valdeazores, valdelasmozas, valencoso, valdetorno, valdespinoso, valparrancano, valdelajarrilla, valdealorre, valdeaparicio.*

La combinación del prefijo sustantivo "val" con otro sustantivo o con un adjetivo puede ser directa mediante la preposición *de* o mediante preposición más artículo. El sustantivo y el adjetivo caracterizan mediante un rasgo más concreto la idea genérica de valle. La unión entre los dos elementos es más o menos íntima; grados de intimidad que son síntoma de mayor o menor arcaísmo.

Otros prefijos habituales son "tras", combinado con un sustantivo; combinación que puede incluir un artículo: *traslafuente, traslahermita, traslastapias, trascarrera, traslascuevas, traspalomares.*

Menos frecuentes son los prefijos "tramas" y "entrambas": *tramasfuentes, entrambasfuentes;* "cerro": *cerrocantosal;* "caña": *cañaluzo;* "fuen": *fuenpresa, fuentreja;* "carra": *carramonte, carrahonda, carramálaga;* "camino": *caminochico, caminohancho;* "pozo": *pozoprado;* "campo": *camposanto;* "canti": *cantihuesares;* "llano": *llanoherrera;* "barranco": *barrancoprado, barrancorrobles;* "entre": *entrecerrillos.*

Este prefijo topográfico no llega en otros casos a una composición tan intensa con preposiciones, artículos y nombres. Pero coinciden estas combinaciones en dar una imagen bastante accidentada del terreno, que en esta zona alcarreña no es tan llano ni monótono como en otras de la Meseta. Así, también es característico de estos nombres, más o menos compuestos, la fuerza expresiva y una intensa y extensa fusión de elementos lingüísticos. Predominan los apelativos "alto", "rincón", "peña", "barranco", "cuesta", "monte", junto a los de "nava", "fuente", "camino", "haza", "quiñón":

alto desgalgaperros, alto de las churras, alto de cabeza gorda, alto del areñal, alto de la vega de pavela, alto de los centenazos, alto del teinado, alto de valdepadilla;
peñaranda, peña el gallo, muela de alarillas;
barranco de la villa, barranco de la zorra;
bacho de la dehesilla;
rincón de la tablada, rincón de frías, rincón de Badiel;
cuesta matamala;
quiñón de la aldea, quiñón de la senda de Valdeancheta;
camino aledo, camino viejo;
caño de los pobres;
haza de los talisios, haza de abuela;
landa de San Vicente, landa de las higuerillas;
balsa del trabajón;
navajo de zalagarda;
monte de las tajadas;
oya de la cueva de Zoovider;
navas de Archilla;
serbal de valhondillo;
majuelo del moreno;
la puente tablada;
cabeza del val;
castilhuesares de las navas.

Es realmente extraordinaria y fácil de percibir la fuerza y armonía de estos compuestos, que en su simple enumeración logran un alto nivel poético. Es el mismo efecto de las palabras inconfundibles de Juan Ruiz. Composición típica del habla campesina, que nunca aparece en la misma medida en los compuestos procedentes del habla de ciudad.

Otros nombres más vulgares con referencia descriptiva a aspectos o lugares del campo, son abundantes: *las rozas, pedernal, relucideros, alberizas, los yesares, las cuevas, las vueltas, la solana, el guijarral, arreñales, las peñuelas, el coto, el sotillo.*

El reflejo en la toponimia de los cultivos y de las plantas habituales en la región es una buena ayuda para caracterizar el aspecto antiguo del campo y su consiguiente reproducción literaria.

Se advierte en los nombres del campo de Hita una mayor abundancia de montes y pastos que en la actualidad: *el roble, el olmar, olmarejo, carrasquilla, el espinar, enebro, el retamal, el reciollar, marañuela, Rebollosa, indrinal, indrinillos, regalizia, zumacar, tomillares, zarzilla, noguerillas.*

Entre los frutos, muy variados, destacan las referencias a la vid: *la parra, los parrales, moscatelar, el alvillar, majuelo, serbal, guindalera, los guindos, cerecillo, moreras, el moral, membrillar, manzana, higueruela, horteruelos.*

De la vida ganadera, todavía viva en la región, aunque muy atenuada respecto a épocas anteriores, hay un recuerdo constante en la toponimia: *las majadas, la dehesa, la deseja, dehesillas, la cañada, la cordelera, cañadillas, aguaderos, el aguado, cabanillas, merino, las ovejas, ternerías, pradieles.*

De los animales caseros y del campo hay referencia a los siguientes: *las galgas, perrera, la mula, muleta, borriquillo, butrera, la urraca, zorreras, el culebro, culebrillas.*

Sorprende, en este fiel panorama toponímico, no encontrar apenas referencia a los cereales, que son y han sido siempre la base fundamental de su economía. Quizá su misma vulgaridad les hace inadecuados para la caracterización a que tiende normalmente todo topónimo. Aparecen, no obstante, algunas indicaciones secundarias: *herillas, las trillas, haza, guiñón.*

Topónimos personales

Los nombres de persona recogidos por la toponimia son muy difíciles de identificar. La referencia suele ser genérica o, cuando se precisa, tiene un sentido tan local que casi nunca es posible confrontarla con un dato o recuerdo histórico: *la Pascuala, la Pacheca, la Sabela (Isabela), la Gélica (Angélica), Josefa, Rodrigo, Martín Bermejo, Sancho (d) el Cobo, Pedro Blanco, Don Diego, la Daganza, María Alvarez, Juan Gil, Pedraba (Pedro abad), Sancho Ruiz, Sancho la Rocha, Mambrú.*

Este último topónimo, de formación moderna, se justifica por la famosa batalla de Brihuega entre la coalición hispano-inglesa al mando de Malborough (el popular Mambrú de las canciones infantiles) y el Ejército francés, en la Guerra de la Independencia. Los lugares de la batalla fueron los mismos de otro decisivo encuentro de la última guerra civil: el triángulo formado por Brihuega, Torija y Trijueque, que se extiende hacia las laderas de la campiña de Hita.

Muy interesante es el recuerdo de los pobladores "exóticos", franceses, judíos, moros y gitanos, que no debieron ser nunca abundantes, pero que, sin duda, tuvieron una importancia hoy por completo desaparecida: *francesa, la gascona, la gasca, judía, valdejudía, Ricota, valdemoro, gitana.*

En su inmensa mayoría, los nombres de este campo son románicos, pero no faltan términos de difícil interpretación: *guirre, condemios, briega, taroba, rupiroz, ganzo, jaimar, vitalos, bayayo, longar.*

Los apreciativos

De interés excepcional es el sistema de sufijos apreciativos que aparecen con extraordinaria frecuencia. Como sucede en otros aspectos del habla vulgar, en esta región la huella afectiva en el lenguaje es muy intensa, destacando el hecho de ser una suma de los sufijos peninsulares y no la especialización de uno de ellos lo que se refleja en la toponimia. Esta síntesis es un rasgo muy característico.

Indudablemente predomina sobre todos el diminutivo en "illo": *vadillo, bahillo, pocillo, cerrillo, los olmillos, la culebrilla, borriquillo, montecillo, lagunilla, indrinillos, olivillo, la tuncadilla, la balsilla, la estevilla, el sotillo, carrapinilla, la veguilla, las manillas, el cerecillo, las hontecillas, la asomadilla, la calerilla, el angostillo, el pocillo, noguerillas, santillo, barranquillo, casilla, charquillas, las tapiadillas, las cañadillas, las herillas, las dehesillas, riolmillo, la aguililla, la redondilla, zarzilla.*

No faltan ejemplos de "ito", "ico", "ino": *la frasquita, arroyo chiquito, pollita, santicos, la cruz de Martinico, santines, merlina.*

Con bastante frecuencia aparecen apreciativos en "uelo": *el pozuelo, los majuelos, los horteruelos, anchuela, aldehuela, la caleruela, la callejuela, la higueruela, las peñuelas, las marañuelas.*

"Eto", "ato", "izno" presentan ejemplos menos numerosos: *muleta, veleta, valdeancheta, los giletes, el poyato, el gollizno.*

De otros sufijos más o menos despectivos, el más usual y muy característico de la región es "ejo": *castillejo, tomillarejo, el olmarejo, el pilarejo, deseja.*

"Ajo", "acho", "azo", "uzo", "anco", "ano", y, sobre todo, "on" concurren en el campo despectivo-aumentativo: *trapajos, rupacho, Recacha, zornoza, ladrillazos, centenazos, cañaluzo, pozanco, la ontiana, valparrancano, perdigote, el mangote, mazote, artesón, el torrejón, el picarón, el cambrón, el tallón, valdelarvón, calzones, laderones, tajones.*

Coincide este amplio sistema de sufijos presente en la toponimia del campo de Hita y Rebollosa, tanto con el habla vulgar actual de la región como con el lenguaje, muy característico en este sentido, del Arcipreste. En todos ellos, las notas destacadas son: la frecuencia en el uso de apreciativos, su fuerza expresiva y caracterizadora, la gran variedad de sufijos y compuestos.

Como también sucede en el habla vulgar actual, la toponimia alcarreña se caracteriza por un variado dialectalismo, fruto de su situación geográfica fronteriza. Aragón, la Mancha, la región soriana y Madrid influyen en su lengua que, a pesar de ello, mantiene un fondo primitivo muy poderoso y peculiar. Una síntesis parecida define el lenguaje del *Libro de Buen Amor,* aun cuando sean muy diversas las condiciones de los tres códices conservados.

REFERENCIAS GEOGRAFICAS EN EL LIBRO DE BUEN AMOR

Juan Ruiz encabeza la lista de autores castellanos que tienen como cualidad característica el ser andariegos. Su *Libro* es un archivo de datos geográficos recogidos con gran fidelidad; galería de imágenes directas y precisas, tomadas, día por día, en pueblos y caminos.

Conviene, no obstante, hacer una clasificación previa, y separar las alusiones a aquellas zonas en que vivió el Arcipreste; las que visitó en sus viajes; las que conocía por algún rasgo popular, y las que cita a través de textos literarios, bíblicos y latinos especialmente.

La geografía bíblica es en el *Libro de Buen Amor* muy somera y popular. Apegada, cuando se trata del Viejo Testamento, a rasgos pintorescos o personales. Se acuerda del pozo de Babilonia, en que estuvo preso Daniel, por su semejanza con la "negra prisión" a que él mismo debió estar condenado. Se vuelve a acordar de Babilonia por la vanagloria de Nabucodonosor, y de Egipto por la "cobdicia" de sus habitantes, pero no muestra un interés ni un conocimiento profundos de los libros del Antiguo Testamento.

En los relatos cristianos se muestra claramente la condición popular del autor. Judea, Galilea, Belén y Nazaret son los únicos lugares presentes en su *Libro*. El primero corresponde, como es lógico, a la Pasión; los otros tres, a la vida "gozosa" de Santa María.

Las alusiones al mundo clásico son también extremadamente superficiales. La disputa entre el sabio griego y el "ribaldo" romano; una ingenua alusión al Reino de Rodas, y otra bastante extraña a la destrucción de Troya, que atribuye a la codicia. Estos son sus recuerdos más concretos del mundo antiguo.

De la geografía de su mundo contemporáneo hace Juan Ruiz una jerarquía, de acuerdo con el sentido medieval. Suele describir los lugares de acuerdo con un rasgo destacado de su economía o de su industria. La riqueza de Francia y de su capital, París, se destacan en dos ocasiones: "Non conpraría Françia los paños que vestíe" (1.244), "Non conprarien la seña Paris nin Barçilona" (1.243). Montpellier es conocido por sus jarabes y medicinas (1.338). Flandes (a donde va a hacer fortuna Don Pitas Payas), y en especial Malinas, es alabado por sus "camissas fronçidas" y sus paños (1.394). De Italia, sólo cita a Bolonia y Roma. Hay una alusión a las especies de Alejandría (1.338), y otra, bastante extraña, a Bujia, en el pleito del lobo y la raposa (321-348).

Geografía "gastronómica"

El conocimiento que muestra Juan Ruiz de las poblaciones españolas alejadas de su centro castellano es muy genérico, como de quien probablemente no las había visitado, pero da una idea muy precisa de sus productos más característicos y del intercambio peninsular, muy intenso en la Edad Media. Los cortejos de Doña Cuaresma y de Don Carnal son aprovechados por Juan Ruiz para describir un panorama de "especialidades" gastronómicas con indicación de su origen regional: las anguilas de Valencia (1.105), las truchas del Alberche (1.105), los cazones de Bayona (1.107), los camarones del río Henares (1.107), las bermejas langostas de Santander (1.111), los arenques y besugos de Bermeo (1.112), los sávalos, albures y las "nobles" lampreas de Sevilla y Alcántara (1.114), los congrios de Laredo (1.118), ceciales y frescos, los "hidalgos" salmones de Castro Urdiales (1.119).

La exquisita geografía pesquera del Arcipreste no tiene equivalente en el campo rival de Don Carnal, en el que apenas aparecen indicaciones geográficas. El vino de Toro es alabado (1339) frente al "valadí" (en el códice de Gayoso dice "de Valladolid"). En jarabes y golosinas era bien conocida Valencia (1338), y en sal para la cecinas debía estar bien acreditado el pueblo de Velinchón (1115). Los caballos de España (1244), el papel de Toledo (1269) (no es claro si alude a su abundancia en la villa o al uso que el propio Arcipreste hacía de él) y la riqueza de Barcelona (1243) completan este resumen "ideal" de España en la mente de Juan Ruiz.

Una referencia de otro orden pero del máximo interés para nuestro tema es la de los escuderos de "Castiella", que ya en el siglo XIV encubrían su pobreza a fuerza de nobles apariencias:

> Muchos buenos cavalleros en mucha mala siella,
> Salen los escuderos en la salla cortiella:
> Cantando ¡Aleluya! andan toda Castiella (1240) [23].

Para un toledano como Juan Ruiz esta Castiella no significa el Reino de Toledo, sino Castilla la Vieja.

---

[23] Transcribimos según la edición de Cejador. Su texto es incorrecto y aparecen a menudo mezcladas variantes de los tres códices existentes. Confiamos tener en fecha próxima la edición crítica del *Libro de Buen Amor,* actualmente en curso. Para nuestras citas de otros autores clásicos véase cap. IV, notas 1-12.

Zonas familiares

Se condensan en el *Libro de Buen Amor* los recuerdos de la vida, sin duda larga, de su autor. Tendremos siempre la dificultad y el riesgo de confundir la autobiografía real con la literaria, pero las referencias geográficas son los datos más objetivos a que podemos recurrir en este difícil camino.

La zona principal, documentalmente la más segura, en que vivió el Arcipreste es la de Hita. En numerosas ocasiones aparece la alusión a su cargo eclesiástico en la villa (19, 575, 1709), en lo cual, aunque no siempre, coinciden los tres códices conservados (Gayoso, Salamanca y Toledo). Nada contradice que fuese realmente Arcipreste en Hita la documentación escasísima que conservamos de la época en la región; pero nada tampoco acredita que lo fuese.

Guadalajara, como es natural, viviendo en una villa de la actual provincia, era bien conocida por Juan Ruiz. Su importancia ciudadana, según se deduce del "enxienplo del mur de Monferrado é del mur de Guadalhajara", sería mayor que la de hoy, absorbida como está por Madrid. El ratón campesino de Monferrado no se aviene con la vida agitada del "mur" ciudadano de Guadalajara. No deja de sorprendernos esta imagen de la hoy pequeña villa alcarreña, pero esta versión confirma la proximidad de Juan Ruiz, que la considera prototipo de ciudad.

La segunda zona que hubo de ser familiar al Arcipreste es la de Alcalá de Henares. Cuando la nombra no disimula su intención autobiográfica:

> "Por amor desta dueña ffiz' trobas é cantares.
> Ssenbré avena loca ribera de Henares" (170).

> "Quiero yr á Alcalá é moraré y la feria,
> Dende andaré la tyerra, dando á muchos laseria" (1312).

Fija, mucho vos saluda uno que es de Alcalá (1510).

La afirmación "es de Alcalá" se debilita por el hecho de que sólo aparece en el códice de Salamanca. En el de Gayoso dice: "que mora en Alcalá", y en el de Toledo: "que es en la villa".

De todas formas hay base textual clara para creer que Juan Ruiz nació o por lo menos vivió algún tiempo en Alcalá; que gustaba de visitarla en ferias, y que aprovechaba estas visitas para saludar a sus amigos o parientes y dar "á muchos laseria" en las tierras del contorno. No hay nada incompatible en esto con su estancia habitual, antes, al tiempo o después, en el arciprestazgo de la villa nada lejana de Hita.

Tercer contorno familiar al Arcipreste es la Sierra. Las anteriores referencias, más o menos ciudadanas, se vuelven al llegar este punto enteramente campesinas. Juan Ruiz vive o pasa por la serranía en íntimo contacto con la vida ganadera de los agostaderos segovianos. Más adelante trataremos de sus itinerarios por esta zona. Pero es interesante aventurar una hipótesis inicial cuyo convencimiento tenemos fuertemente arraigado. El Arcipreste no iba de excursión por los peligrosos pasos de la Sierra, ni lo que se refleja en las cánticas es resultado de un simple viaje de ida y vuelta a "su tierra", sino de una larga estancia. No hay lógica posible en un solo itinerario que pasa por varios e innecesarios puertos; con nieve y con sol; en distintas direcciones; con largos encuentros con muy diferentes serranas. Ni el conocimiento preciso de la región, que muestra el Arcipreste, se adquiere en una sola experiencia.

Hay, además, otros claros indicios: en la 1.ª Serranilla se dirige a Sotos Albos, lugar esencial de su itinerario segoviano; en la 2.ª Cántica va camino de Ferreros, aldea a la que también alude en la 4.ª Cántica. Estos dos pueblos, con Segovia, son los objetivos a que él se dirige, desde la que llama "su tierra".

En principio creemos que Juan Ruiz "vivió" algún tiempo en la región. Probablemente en su juventud, antes de ser Arcipreste, si es que lo fué, sería cura [24] de algunos de los pueblos serranos que cita: Sotos Albos y Ferreros [25]:

"Llegué con sol tenprano al aldea Ferreros" (985).

"Mas yo so cassado
Aquí en Ferreros" (1028).

La indicación de "so cassado" es equívoca. Por el contrario, es muy expresiva la localización "aquí en Ferreros".

Comprobación actual

Sobre el terreno se confirma la extrema autenticidad de los relatos e imágenes transmitidos por Juan Ruiz. Frente por frente al pueblo de Sotos Albos se alza el Puerto de Malagosto. Su vertiente cubierta de monte bajo y pedregal no aparenta tener dificultades. Preguntamos a varios vecinos del pueblo, reunidos en la única taberna que hoy existe, sobre el camino más corto para pasar a pie la Sierra. Nos confirman que es el Puerto citado por Juan Ruiz, el que hoy todavía utilizarían de no seguir la carretera general.

En nuestra encuesta nos sorprende una extraña y reveladora coincidencia. Uno de los vecinos al preguntarnos si es que pensamos atravesar la Sierra por el Puerto de Malagosto, no

---

[24] Entonces, como ahora, las pobres parroquias a que irían destinados los curas jóvenes, serían las de los pueblecillos serranos.

[25] La situación actual de estos pueblos coincide con la de Hita, Toledo o Guadalajara, y, en realidad, con casi toda la de la región que recorre Juan Ruiz, en estar sometidos a una implacable regresión. Casas arruinadas, solares cada vez más extensos, iglesias de tamaño desproporcionado con el mísero vecindario, acusan una antigua prosperidad, o al menos una vida social más intensa.

Sorprende especialmente la antigüedad e importancia de las iglesias y monasterios que jalonan la ruta del Arcipreste. La bella iglesia románica de Sotos Albos bien pudo albergar, como párroco, al cura joven y andariego de las *Cánticas*.

puede menos de advertirnos sobre los riesgos y dificultades con que vamos a tropezar. El terreno—nos dice—que desde lejos parece abierto, es en realidad áspero y es fácil desorientarse. El mismo—añade—buscando una novilla días atrás, perdió la senda y al caer la noche fué incapaz de volver al pueblo. Amaneció en la otra vertiente de la Sierra, en el pueblo de Lozoya. No es necesario recordar la semejanza de este relato, absolutamente espontáneo y ajeno a preocupaciones literarias, con las aventuras del Arcipreste.

Otro dato de gran interés, también confirmado por esta encuesta sobre el terreno, es la persistencia en las costumbres de la región de enviar pastoras a cuidar el ganado en el monte, que en ocasiones han de permanecer allí largas temporadas. Van preferentemente las jóvenes, sin novio en el pueblo, por estar más libres para estos períodos de ausencia. No serían muy distintas las pastoras que servirían de guía a Juan Ruiz en sus andanzas por la Sierra.

Estancia del Arcipreste en Segovia y Toledo

De su estancia en Segovia la interpretación más recta es atenerse a las propias palabras del autor, que es poco propicio a inventar lo que puede describir:

"Luego después, desta venta fuyme para Ssegovia,
Non á conprar las joyas para la chata Troya;
Fuy veer una costiella de la serpiente groya,
Que mató al viejo Rrando, según dise en Moya" (972).

Parece probable que la "costiella de la serpiente groya" fuese algún animal o resto arqueológico atribuído a una de tantas e indescifrables leyendas medievales, que estaría expuesto en Segovia. Viviendo cerca, en Ferreros o Sotos Albos, no es extraño que la curiosidad empujara al Arcipreste a ir a verle. Desde Hita, Alcalá o Toledo no es tan comprensible semejante viaje.

De su estancia en Segovia no le quedó a Juan Ruiz un recuerdo muy grato. Gastó su dinero y no encontró las maravillas que esperaba. Hay, no obstante, un eco indirecto del gran prestigio medieval de la villa:

"Estid' en esta çibdat é espendí mi caudal;
Non fallé poço dulçe nin fuente perenal.
Dix', desque vi mi bolsa que se parava mal:
"Mi casilla é mi fogar çien sueldos val." (973).

Nos dice con toda exactitud la duración de su visita a Segovia:

"Tornéme para mi tierra dende á terçer dya" (974).

La cuarta región en que, a lo largo de su vida, debió habitar Juan Ruiz es Toledo. Metrópoli suya es lógico que en una o muchas ocasiones tuviera que visitarla si es que no perteneció a alguno de sus conventos, donde pudo observar las costumbres y golosinas de las monjas, que tan minuciosamente describe en el episodio de Doña Garoça (1332-1507). También debió de ser probable escenario de su prisión. Lo cierto es que las alusiones a Toledo tienen un inconfundible sello de haberle sido muy poco agradable la estancia en ella:

"Entrada de quaresma víneme para Toledo,
Cuydé estar viçioso, plaçentero é ledo;
Fallé y gran santidad é fizome estar quedo,
Pocos me rresçibían nin me fazían del dedo" (1305).

No debía serle muy grato el ambiente de la ciudad, ni debían ser numerosos sus amigos:

"Por la çibdat andava rradío é perdudo" (1310).

Tampoco en los monasterios era favorable la oportunidad. Probablemente se hacía sentir la autoridad del Arzobispo Don Gil:

"Non quese porfiar, fuéme á un monesterio,
Fallava por esa claustra é por el çiminterio

Muchos rreligiosos rreçando el salterio,
E vy que non podía sofrir aquel lazerio" (1307).

El desenlace de este episodio de Don Amor, que encubre con más o menos fantasía al propio Arcipreste, es muy expresivo:

"Echáronm' de la çibdat por puerta de Visagra" (1306).

Dado el especialísimo humor de que está impregnado el *Libro,* sería temerario tomar en sentido recto estos versos. Pueden perfectamente tener el significado más opuesto.

En otras ocasiones cita a Toledo, siempre con indicaciones autobiográficas muy probables:

"Señora, la mi sobrina, que en Toledo seya" (657).

Si tod' esto escriviese, en Toledo no' ay papel (1269);

En la primera cita parece indicarse alguna relación de parentesco con gentes de Toledo. La segunda puede interpretarse como que era abundante el papel en la ciudad, o bien, y esto parece más lógico, que Juan Ruiz escribía en la propia Toledo. Su "mala presión" no estaría muy lejos de la temible "santidad" del Arzobispo Don Gil; si bien tenemos tan poca seguridad en la realidad de esta "cárcel" como en todos sus demás datos autobiográficos.

Otros viajes probables

Hay indicios en el *Libro* de otras probables estancias, más o menos pasajeras, de Juan Ruiz. En Calatayud (patria de Doña Endrina); en la región de Talavera y Oropesa a donde llevó las cartas, reales o fingidas, de la amonestación arzobispal; en Andalucía, que pudo bien recorrer en algún invierno, según los versos:

...En eyvernada visité á Sevilla
E toda Andalusía, que me non fyncó villa (1304).

La región extremeña de Cáceres, Trujillo y Medellín; las de Plasencia y la Vera y posiblemente Castro Urdiales, al que cita con alguna insistencia:

> Dada en Castro d'Ordeales é en Burgos resçibida (1073).

> "Saly desta lazeria, de cuyta é de lastro,
> Fuy tener la quaresma á la villa de Castro,
> Muy byen me rresçibieron á mí é á mi rrastro;
> Algunos y fallé, que me llamavan padrastro" (1311).

Sólo una de estas citas es de clara referencia a Castro Urdiales. La segunda puede referirse a una villa toledana que tuviera el mismo nombre genérico.

Nada contraría la posibilidad de que en un *Libro* que resume la impresión de toda una vida, larga e intensa, como la de Juan Ruiz, se superpongan o confundan diversos períodos. Por varios lugares del extenso arzobispado toledano es indudable que hubo de pasar Juan Ruiz antes de su dudoso arciprestazgo en Hita, y de dar con sus huesos de alegre poeta en una cárcel del Arzobispo. Pero lo más interesante es que la huella dejada en el *Libro* de su paso por unos cuantos pueblos y caminos tiene garantía de autenticidad.

El Libro de la Montería de Alfonso XI, guía topográfica y posible fuente del Buen Amor

Para confirmar la geografía del *Buen Amor*, contamos con un auxiliar valiosísimo: el *Libro de la Montería* [26], contemporáneo del Arcipreste y atribuído al propio rey Alfonso XI, vencedor del Salado. En él se reseñan con impresionante minuciosidad los montes de caza de varias regiones peninsulares. Su riqueza toponímica, todavía inexplorada, no tiene rival en toda la literatura española, y en él se da la circunstancia, favorable a

---

[26] Edición de José Gutiérrez de la Vega. Biblioteca Venatoria, vol. II, Madrid, 1877.

nuestro fin, de que son los montes próximos a la corte toledana los mejor conocidos y descritos por el autor o autores, que al referirse a otras regiones se conforman con descripciones mucho más vagas.

Paso a paso van describiéndonos los monteros reales, y a veces el propio Monarca, los lugares convenientes para las "vocerías" y para las "armadas". Se advierte una evidente complacencia en dar el nombre exacto de los parajes, de acuerdo con la buena ley cazadora en que continuamente se insiste: "Et por esto probamos Nos, que el buen venado qui lo bien porfiare, faciendo los monteros como buenos, non habrá al si non morir, demas *sabiendo los monteros la tierra*" (11, 278).

Esta complacencia en el conocimiento de la tierra en que también se recrea Juan Ruiz, establece ya un parentesco entre ambos libros. Pero hay indicios bastante claros para pensar que algunas coincidencias entre el *Libro de la Montería* y el de Juan Ruiz no son absolutamente casuales. Si pensamos en la enorme difusión de las obras de caza en el siglo XIV, y especialmente la atribuída al Rey, no tiene nada de extraño que el Arcipreste estuviese familiarizado con la lectura de éste o de otros libros similares. También los autores árabes participaban ampliamente en esta literatura; libros como el de Gatrif son seguros antecedentes de los testos romances.

Correspondencia muy interesante es la que se trasluce a través de la intención irónica que de extraña manera acompaña al *Libro de la Montería*. En la "Carta final", que sigue al texto, nos ha llegado una intencionada crítica anticaballeresca, que recuerda, aunque esté dirigida contra aspectos distintos, a la famosa "Carta a los clérigos de Talavera", del Arcipreste. Son muestras las dos del típico criticismo toledano frente al mundo cristiano-caballeresco de la vieja Castilla.

Son varios e importantes los problemas geográficos del *Libro de Buen Amor,* que sólo pueden resolverse con ayuda del *Libro de la Montería,* debido a que coinciden ambos en los itinerarios serranos. Los mismos pasos de la cordillera, y en un orden similar, aparecen descritos por el Arcipreste y por los monteros reales. Sirva de ejemplo el pasaje siguiente:

> "Et es la vocería en el camino que va de Val de Lozoya al puerto de Zega, et desde el puerto de Zega por cima de Sierraposada fasta encima del puerto de Mal Agosto: et desde el puerto de Mal Agosto el camino ayuso fasta la casa que esta diuso del puerto" (11-177-8).

Quizá el problema de la primera serranilla con el doble paso de Juan Ruiz por Lozoya y Malagosto se aclare con esta descripción. Más adelante estudiaremos el punto capital de los viajes de Juan Ruiz, es decir, la localización de la ermita de Sancta María del Vado, con la ayuda inestimable del *Libro de la Montería.*

GANADERIA Y AGRICULTURA EN EL LIBRO DE BUEN AMOR. SU PAISAJE DE LA SIERRA

Contamos con una buena prueba documental sobre las varias regiones de Castilla la Nueva en que vivió el Arcipreste. En su *Libro* alternan los ambientes serranos, ganaderos, con los alcarreños o toledanos, de predominio agrícola. La autenticidad de las imágenes transmitidas por Juan Ruiz no permiten suponer, como sería el deseo de Lecoy, una procedencia bibliográfica. Están vistas del natural, con esa inconfundible precisión que hace de este *Libro* el documento más fidedigno de la vida toledana en el siglo XIV.

En la Sierra, tanto en la Edad Media como hoy, la agricultura es rudimentaria. Es la ganadería el recurso principal de sus habitantes, que en tiempos anteriores, cuando el ganado merino era una de las principales bases de la riqueza peninsular, alcanzaba algunas comarcas alejadas, hasta la Sierra de Malagón.

Muchos pueblos de la Sierra son altas majadas a una altura a veces superior a los 1.400 metros. De este tipo serían las aldeas que conoció y observó Juan Ruiz.

Su definición de la organización trashumante, en su escueta brevedad, coincide con la conclusión principal de nuestra actual bibliografía sobre la Mesta: "Rrehallas de Castiella con pastores de Ssoria" (1222). Esta era la armadura esencial de todo el complejo sistema, prototipo y base de la economía medieval castellana.

Costumbres ganaderas

Sobre las costumbres de los pastores demuestra Juan Ruiz un conocimiento directo, fruto de sus temporadas de vecino de la Sierra:

"...Bien sé guardar mata
E yegua'n çerro cavalgo,
Sé'l lobo cómo se mata:
Quando yo enpos dél salgo,
Ante l'alcanço, qu'el galgo.
Ssé bien tornear las vacas
É domar bravo novillo,
Sé maçar é faser natas
É faser el odresillo,
Bien sé gitar las abarcas
É taner el caramillo,
Cavalgar bravo potrillo" (999-1000).

En los años jóvenes que reflejan las serranillas es muy probable que Juan Ruiz no sólo conociese sino que practicase esto mismo que dice.

En su afición musical, bien probada a lo largo del *Libro*, incluiría los "estrumentos" típicos de los pastores del tiempo:

"El pastor lo atyende por fuera de carrera,
Taniendo su çanpoña é los albogues, espera;
Su moço el caramiello, fecho de cañavera;
Tanía el rabadán la çitola trotera" (1213).

El sistema de pastor, mozo y rabadán, era la base jerárquica de los rebaños trashumantes. Sus armas más eficaces la "cayada" y la "honda":

"Arrojóme la cayada
E rodeóme la fonda,
Abentó el pedrero" (963).

Las veredas y caminos de los pastores, vaquerizos y yegüerizos, en la serranía, acabaron siendo bien conocidos por Juan Ruiz. Las serranas debían de ser los guías no siempre desinteresados:

"Levóme consigo,
Dióme buena lunbre
Com'era costunbre
De sierra nevada.
Dióm' pan de çenteno
Tyznado, moreno,
Dióme vino malo,
Agrillo é ralo,
E carne salada.
Dióm' queso de cabras" (1029).

En otra ocasión completa este cuadro de costumbres y comidas serranas medievales, que en muchos aspectos coinciden con las de hoy:

"Dióme foguera d'ensina,
Mucho conejo de ssoto,
Buenas perdiçes asadas,
Hogaças mal amassadas,
É buena carne de choto.
De buen vino un quartero,
Manteca de vacas mucha,

Mucho queso assadero,
Leche, natas, una trucha" (968-9).

Las escenas tan familiares para él de los ganados pastando en los prados, saltan, como fotografías instantáneas, de las páginas de su *Libro*:

Vyó en unos fornachos rretoçar á menudo
Cabritos con las cabras, mucho cabrón cornudo (768).

Cabrones é cabritos, carneros é ovejas
Davan grandes balidos... (1185).

Las comparaciones tienen el detalle inconfundible de lo observado directamente:

Sus tovillos mayores que d'una añal novilla (1016).

Los perros y la vida ganadera

Significación especial tiene el interés y el indudable temor que inspiran a Juan Ruiz los perros. Para un caminante como él no tiene duda que uno de los más temibles enemigos con que podía tropezar eran los mastines, guardianes de ganados y de pueblos. Son numerosísimas las citas en que la imagen del alano o del mastín se nos aparece con todo su vigor impresionante:

"Començo de ladrar mucho el mastyn masillero" (178).

"Alano carniçero en un río andava,
Una pieça de carne en la boca passava" (226).

"Un mastyn ovejero de carrancas çercado" (332).

"...el can con grand angosto
E con rravia de la muerte su dueño trava al rrostro"
(1704).

Compara incluso a los mastines con los judíos en la Pasión:

"Aquestos mastines
Asy ante su faz
Travaron dél luego todos enderredor" (1051).

La escena tiene en otras ocasiones mayor dulzura, pero nunca falta la aureola temerosa:

"Las alanas paridas en las cadenas presas" (1221).

"Más fijos malos tyene, que la alana rraviosa" (1600).

Se conserva todavía la interjeción de los pastores en los casos de alarma: "¡Aba! ¡aba! vaqueriços, acorrèdnos con los perros!" (1188).

Los mastines, guardianes de casas y ganados, eran atraídos por los ladrones por medio de pan relleno con çaraças:

"Como contesçió al ladrón, que entrava á furtar,
Que falló un grand mastyn: començóle de ladrar;
El ladrón por furtar algo, començól' á falagar.
Medio pan lançó al perro, que traya en la mano,
Dentro yvan çaraças; varruntólo el alano:" (174-175).

Hay en el libro la imagen pueblerina del perro (1324) "mal atado... tras la puerta" (656), acechando como Don Melón: "¡Catat, catat; cóm' assecha! ¡Barrúntanos como perro!" (874). O del perro viejo que "non ladra á tocón" (942), ni puede cazar (1356), pierde los dientes y corre "poquillejo" (1359). El cazador en lugar de acariciarle y alabarle ante los vecinos le hiere con el palo cuando se le escapa el conejo por el valle (1358-61).

Recoge Juan Ruiz algunos refranes en que es el perro protagonista: "amidos faze el perro barvecho" (954). "Que a las veses mal perro rroe buena coyunda" (1623). "El can que mucho lame, sin dubda sangre saca" (616).

El cuidado con que Juan Ruiz clasifica y define cada raza canina es una prueba más de su afición al detalle, de su atentísima observación. Junto a los mastines "masilleros" o alanos y a los ovejeros, no se olvida de otras variedades que debían ser corrientes en la región:

> En derredor de ssy traye muchos alanes,
> Vaqueros é de monte tray' otros muchos canes,
> Ssabuesos é podencos, que l' comen muchos panes,
> E muchos nocharniegos, que saltan matacanes (12220).

El buen galgo lebrero, tan popular hoy todavía en los pueblos alcarreños, "corredor é valyente" (1357), "ligero é sotil" (324), enemigo tradicional de la zorra: "que de la rraposa es grand abarredera" (324). No olvida tampoco al perrillo doméstico, juguete de las dueñas ricas:

> Un perrillo blanchete con su señora jugava,
> Con su lengua é boca las manos le besava,
> Ladrando é con la cola mucho la falagava (1401).

Influjo de la "montería"

El interés por los perros puuo llegar al Arcipreste por otro camino distinto al ganadero: por su afición a la caza o a la lectura de libros de montería. En el de Alfonso XI la atención a los "canes" llega a tal extremo que son ellos los auténticos y admirados protagonistas. En los relatos de caza en que el Rey se sitúa en el lugar de narrador, nunca falta la anotación de los nombres de perros que destacaron, con observaciones finales de este tipo:

> "Et entre los otros canes quel dieron, diéronle este can Guerrero, que había andado el día de ante con él. Et porque fizo buena fazaña este can, et duró esta montería un día, et una noche, et otro día fasta medio día, posimoslo en este libro" (11, 145).

A lo largo del libro "primero" se dan amplias instrucciones para el trato de los canes en la montería, destacándose las dos razas principales: los alanos y los sabuesos. Toda la primera parte del libro "segundo", que comprende veintidós capítulos, se destina a tratar de las llagas y enfermedades de los perros. La parte segunda, que comprende nada menos que cuarenta y seis capítulos, trata de la cría, de la comida, de las medicinas y remedios más aconsejables.

Los alanos, sabuesos y podencos de que habla Juan Ruiz eran verdaderos privilegiados de la sociedad medieval y merecían ser descritos con la minuciosidad con que aparecen en el *Libro de la Montería.* Descripciones que probablemente rememora Juan Ruyz en sus parodias y retratos personales:

> Primeramente el sabueso, para ser fermoso, debe haber estas fechuras. La cabeza cuadrada, et non agudo el rostro, et que haya la nariz un poco tornada arriba. Et si fuere prieto, que haya la nariz blanca; et si fuere blanco, que haya la nariz prieta; et haya las orejas colgadas, et non muy grandes, et bien apegadas a la cabeza; et los ojos tristes, et que caten adelante, et el cuello non muy corto, nin muy luengo; et que haya los pechos abiertos; et que haya los brazos enfiestos, et non luengos, nin delgados, et las cuartiellas pequeñas; et las manos redondas, et apodencadas, et el arca bien colgada; et los costados cortos; et el lomo bueno, et non cargado de carnes en las ancas; et las corvas de las piernas bien anchas, et corvas; et los pies que los haya segund las manos; et la cola que la haya espigada, et non muy luenga, nin muy gruesa; et el cuerpo que non sea muy grande, nin muy pequeño. Otrosí, la sabuesa que haya la cabeza de talle de culuebra, et los ojos mayores que el sabueso, et que cate a la nariz, et las orejas mas colgadas, et mas delgadas que el sabueso, et el cuello mas luengo, et non tan abierta de pechos como el sabueso; et los brazos, et las cuartiellas, et las manos, et el arca, et el lomo, et las piernas, et las corvas, et los pies, que

los haya como el sabueso; pero que haya mayores caderas, et que sea mas luenga de costados, et la cola non tamaña, nin tan espigada como el sabueso. Et tambien el sabueso como la sabuesa que non hayan el cabello sedeño" (1, 113-4).

"Las fechuras que debe haber el alano para ser fermoso son estas; que haya la cabeza de talle de congrio, et bien cuadrada, et bien seca, et la nariz blanca, et bien abierto de boca; et las presas grandes, et los ojos bien pequeños, et que cate bien á la nariz; et las orejas bien enfiestas, et bien redondas; pero que esto de las orejas todo va en el que lo faña en facergelas bien tajadas, ó mal; et que haya el cuello luengo; pero que se sigua bien, que non sea muy grueso, nin muy delgado; et que haya los pechos bien abiertos, et los brazos que los haya bien enfiestos, et non delgados, et la cuartiella pequeña, et las manos redondas, et altas, et el arca colgada et grande, et que non se le parezcan las tetas; et que haya el lomo bueno, et non cargado en las caderas, et que se le parescan á mala vez los huesos del espinazo; et la cola que sea más contra gruesa que contra delgada, et que sea bien espigada, et que la traiga bien; et las corvas que las haya bien anchas, et bien arregazadas, et los piés que se siguan con las manos, et que sea de buen cabello, et blando, et de cuerpo que non sea muy grande sin razon. Et el alano que estas fechuras hobiere, será fermoso, et de razon debe seer tomador.

La alana que sea mas aguda de rostro, et que non haya tamaña boca como el alano; et que haya los ojos pequeños, et un poquillo longuetes, pero que cate á la nariz, et que sea mas luenga de costados, et que hayan mayores caderas, et que non sea tan abierta de pechos, et en todo lo al que sea de las fechuras del alano" (1, 115-7).

La "boca de alana" (1014) que Juan Ruiz atribuye a la serrana de la Tablada (1014), y tantas otras descripciones burlescas de su *Libro,* incluído su famoso "autorretrato", tienen indudable conexión con estas atentísimas descripciones venatorias.

Lobos y ganados

La lucha tradicional entre lobos y ganados tiene una amplia resonancia a todo lo largo del libro. La figura del lobo "carniçero" (291), hipócrita (317), de dientes inconfundibles (420), que hurta y mata las ovejas: "Vy que las degollava en aquellas erías" (335); polígamo: "toda bestia de cueva quiere, segunt natura, conpaña sienpre nueva" (73); con pública barragana en la mastina "que guarda las ovejas" (337); al que sólo los carneros valientes resisten a veces (766) aunque sean sus vasallos y quinteros (327). Describe la loba que se conforma con vivir en un vil forado (337) y prefiere "al más astroso lobo, al enatío" (403). Hay un reflejo del temor popular a todo lo que el lobo representa: "arredrávanse de mí, como si fuese lobuno" (1308); de su lucha con pastores, mastines y galgos: "pastores é mastines troxiéronlo en torno, de palos é pedradas ovo un mal sojorno" (773); "Sé' lobo cómo se mata" (999). También aparecen claras repercusiones del refranero: "el que al lobo enbía, á la fe carne espera" (1328; 1494); "so la piel del oveja trayes dientes de lobo" (420).

Frente a él los corderos son descritos en su imagen consabida: mansos (728), sin oponer resistencia: "estudo más queda que un cordero" (1415), transformándose a los dos años en "eguados carneros", "con armas, de prestar" (483). En el cortejo de don Carnal aparecen los corderos saltadores (1085), de "chica pellea" (1214) que acaban sus días al llegar la Pascua (556-771). Es muy expresiva la escena del matarife medieval representado por don Carnal: "Al cabrón, qu'está gordo, él muy mal gelo pynta, faz'le fazer ¡be! quadrado en boz doble é quinta" (1218). Recoge también Juan Ruiz el clásico refrán "quando te dan la cabrilla, corre con la soguilla" (870).

Dentro de este mismo ambiente ganadero no faltan las curiosas estampas en que aparecen becerros, novillos, toros y vacas, con un sentido muy semejante al actual. Incluso se advierten claras alusiones a corridas pueblerinas en las que debían figurar especialmente las vacas:

"Es la bivda tan sola, más que vaca, corrida" (743).

"Ssé bien tornear las vacas e domar bravo novillo" (1000).

"Feríanlo de los cuernos el toro y el novillo" (314).

Los becerros de ojo redondo como don Melón (874) ya anuncian lo que será en su día el buey (730). Es muy plástica la estampa de los toros que "enerisan los çerros" (1188), al ver acercarse a don Carnal, y muy pintoresca la alusión a las vacas:

"Dizen los naturales que, si non son las vacas,
Mas que todas las fenbras son de coraçón flacas,
Para lydiar non firmes, mas qu'en afrecho estacas;
Salvo si son vellosas, ca estas son berracas" (1201).

El peligro en los viajes por la Sierra

No era sólo el peligro de los perros el que amenazaba a Juan Ruiz en los caminos, sino también el de los ladrones que roban "á camineros las joyas preçiosas" (231), y sobre todo el peligro de perder la ruta; alejarse de la "carrera" y enredarse en las veredas y caminos de vaqueros. Muy numerosas son sus alusiones a este problema medieval:

"Perdí luego la mula é non fallava vyanda" (950).

"Non tomes el sendero é dexes la carrera;" (920).

"La carrera as errado
E andas como radío" (988).

"Herré todo el camino, como quien non sabía" (974).

Los pastores y pastoras eran la ayuda indispensable en estos casos; eran los que orientaban sobre los caminos de la Sierra

"Díxele que me mostrase la ssenda, que es nueva" (983).

"Echóme a su pescueço por las buenas rrespuestas
É a mi non me pesó, porque me levó a cuestas,
Escusóme de passar los arroyos é cuestas" (958).

Aunque exagerado por el humor del Arcipreste, el carácter de las serranas debía de ser bastante generoso:

"Assañóse contra mí, resçelé é fuy covarde.
Ssacóme de la choça, llegóme á dos senderos
Amos son byen usados, amos son camineros" (984-85).

Su descripción de las serranas, intencionadamente exagerada, responde al prototipo de algunas aldeas actuales de la Cordillera. La pobreza y la decadencia progresiva que caracteriza a muchas zonas de montaña es causa en esta región de bocio y cretinismo, si bien no en la medida de otras zonas de Gredos.

Demuestra ser práctico Juan Ruiz en las normas habituales de los viajes. Sabe cuál es la hora mejor para pasar el puerto:

"Façía un dia fuerte, pero era verano;
Pasé de mañana'l puerto por sosegar tenprano" (996).

Y conoce la terminología regional:

Ençima dese puerto fasía oruela dura," (1006).

Coincide, en fin, su imagen de la Sierra cubierta de pinares [27], con el aspecto actual:

"Por el pynar ayuso fallé una vaquera" (975).

"Fallé cerca el Cornejo, de tajava un pyno
Una sserrana lorda..." (993).

[27] El pinar es la típica vegetación de la Sierra de Guadarrama, frente a otras zonas de la Cordillera, como la Sierra de Gredos, pobladas de especies de hoja ancha y caduca.

Realismo directo, casi increíble en un autor medieval, normalmente cegado por la imitación reverente de los modelos tradicionales.

EL PAISAJE DE LA MESETA

Junto al paisaje de la Sierra describe Juan Ruiz el de la Meseta; a las escenas ganaderas suceden las agrícolas, con una gran variedad de cultivos. Corresponde este paisaje a capítulos muy diversos del *Libro,* y pone de manifiesto la semejanza, por no decir identidad, entre la economía y la vida agrícola de la meseta toledana, especialmente en su parte alcarreña, durante el siglo XIV y en la actualidad. Asimismo, es evidente el conocimiento preciso que de esta vida campesina tenía el Arcipreste. Los mismos animales domésticos, la misma caza menor, las mismas aves de presa, y, en general, toda la fauna que hoy caracteriza a la zona alcarreña la vemos retratada, con una minuciosa y personal visión, en los "enxienplos" y en las comparaciones a que tan aficionado es Juan Ruiz. "Omes, aves y bestias" forman en su poesía de hombre del campo, un conjunto naturalista, que es reflejo fiel no de una fuente bibliográfica, sino de la vida de una región que ya en el siglo XIV tenía unas características bien definidas, que apenas han cambiado en lo fundamental.

Describe el Arcipreste la vida cotidiana en la aldea medieval "de muro byen çercada" (1412). Al llegar la noche se cerraba la puerta y también "los portiellos, feniestras é forados" (1412-3), no sólo por temor a posibles ataques, sino para proteger a los animales caseros de zorras y otras alimañas que, como hoy, rondaban los corrales o entraban en las casas "a ffurtar de noche por çima del fumero" (327). Los gallos asustadizos, con el temor de perder a sus gallinas a manos de la raposa (1098), eran los encargados de vigilar durante la noche: "Essa noche los gallos con miedo estodieron, velaron con espanto, nin punto non dormieron" (1098). Llegado el caso despiertan a los vecinos: "Dieron voces los gallos, batieron de las alas" (1099).

Conoce y admira el Arcipreste la astucia y la "arteria" de la raposa, que se hace la muerta para huir del peligro e incluso resiste golpes y heridas, siempre que no sean mortales (1412-19). El enemigo tradicional de gallos y gallinas (321-366-1412) conoce bien las eras del pueblo (327) y tiene actitudes muy fáciles de encontrar también en la expresión de los hombres: la lisonja (1437) y la hipocresía: "do vees la fermosa, oteas con rraposya" (319).

Un dato de particular interés, que bien puede ser reflejo de tradiciones mozárabes, es el gusto del Arcipreste por acumular nombres diversos al referirse a un mismo animal. Al hablar de la zorra es particularmente visible su gusto por esta variación; su complacencia, intercambiándolos, por evitar la monotonía: rraposa (81-6), raposilla (897), golpeja (87), gulpeja (329), comadre (88-323), gulhara (349), marfusa (1437). Su conciencia de este procedimiento estilístico él mismo la declara: "nonbles e maestrías más tyenen que raposa" (927). Nos recuerda esta superabundancia léxica los relatos árabes, que tanto se complacen en acumular varios nombres de un mismo objeto.

A las afueras del pueblo encontraría Juan Ruiz, como hoy, los muladares "cerca un rrío" (1387), que bien podía ser el Badiel, que pasa por las inmediaciones de Hita, el Henares o cualquier otro de la misma región. Allí vería a los gallos "escarbando de mañana con el frío" (1387), y a las "gruesas" gallinas: "escarva la gallyna é falla su pepita" (977-1103). Eran buenos regalos para monjas (1394), especialmente si no se trataba de pollos invernizos, como los que describe insuperablemente en la comedia de don Melón y doña Endrina: "¡Mesquino é magrillo!: ¡non ay más carne en él que en pollo yverniso después de Sant Migel" (829).

La estampa del molino a la sombra de los sauces (774-6), con la cochina rodeada de su prole, es de un gran realismo y revela una actitud estética absolutamente moderna: el lobo que merodea corriendo el término se acerca entre los sauces y pretende "tomar el cochino que so la puerca yaçe" (778). Pero ella le hace caer al cauce: "en la canal del molino entró, que mal le plaçe" (778).

Los animales de labor

La atención de Juan Ruiz hacia los animales domésticos es extraordinaria, y revela toda una larga vida en contacto con la vida de las aldeas. En los establos ya existirían los mismos animales de hoy: asnos, caballos, bueyes y mulas.

Por el asno tiene Juan Ruiz una especial curiosidad, de carácter muy popular. Sus "caçurrias" (895), sus continuos rebuznos, especialmente ruidosos en la época de celo (1285), sus cabezotas orejudas, que le asemejan a un juglar necio: "estava ay el burro: fesieron dél juglar. Como estaba byen gordo, començo a rretoçar" (894), "non sabie la manera, el burro, del señor: escota el juglar neçio el son del atabor" (899). Su algazara o albuérvola (898) hace recordar a un atambor sonante (894-8). En otros pasajes también le describe en su popular figura juglaresca: "salió bien rebusnando de la su establía: como garanón loco, el nesçio tal venía: rretoçando e fasiendo mucha de caçorría" (1405). Necio y perezoso (314), el asno no deja de ser una buena ayuda para el labrador: "más val' con mal asno el ome contender, que solo é cargado fas á cuestas traer" (1622). Maldoliente, cargado el espinazo de leña (1404), andando "mal é poco" (239), atacado por los tábanos en el verano (1292), aguijado sin piedad cuando duda o cojea (641), comido, al fin, por los cuervos después de muerto (507). Esta es la figura realista que ve Juan Ruiz, y a la que a menudo compara con prototipos humanos, como las pastoras de la sierra: "Las orejas tamañas como d'añal borrico" (1013), o con los abades y las dueñas a las que Marzo envía los tres diablos que a "omes, aves é bestias mételos en amores" (1281). Es sorprendente la elección del burro como único de los protagonistas de este tríptico de encarnaciones, y más curiosa todavía la coincidencia del refranero, que también compara los diablos con los asnos.

El paso del caballo armado por las callejas aldeanas, con sus "lorigas bien levadas" (237), haciendo gran estruendo con pies, manos y "con el noble freno", y espantando a todos los otros animales (237-83), nos ha conservado una estampa medieval de brillo extraordinario, gracias a la excepcional retina de Juan Ruiz. Así como también la imagen contraria, es decir, la del caballo viejo e inútil por alguna herida de guerra, que era dedicado, como hoy, a las faenas más duras, para aprovechar sus últimas fuerzas:

> "Desque salyó del canpo, non vale una çermeña:
> Á arar lo pusieron é á traer la leña,
> Á vezes á la noria, á vezes á la açenia:
> Escota el sobervio el amor de la dueña:
> Tenía dessolladas del yugo las cerviçes,
> Del inogar á vezes fynchadas las narizes,
> Rrodillas desolladas, faziendo muchas prizes;
> Ojos fondos, bermejos como pies de perdizes;
> Los quadriles salidos, somidas las yjadas,
> El espinazo agudo, las orejas colgadas:" (241-3).

En otros pasajes del libro completa Juan Ruiz estas imágenes con la del caballo gordo, bien herrados los cascos, espantadizo, que acaba enfermando de "adyvas", por comer "yervas muy esquivas" (298-302).

También los numerosos refranes que se diseminan por el libro tienen a menudo al caballo de protagonista: "El que non tyene que dar, su cavallo non corre" (512); "Façe andar de cavallo al peón el serviçio" (620). "Sy no l' dan de las espuelas al cavallo farón, Nunca pierde faronía nin vale un pepión" (641).

La habitual correspondencia entre animal y persona la establece Juan Ruiz en este caso con la pastora de "Dyentes anchos é luengos, cavallunos, maxmordos" (1014). Dos datos interesantes son: el gran prestigio de los caballos españoles, "El cavallo d'España muy grand' preçio valíe" (1244), y la estampa del judío montado sobre el rocín (1184-7).

Bueyes y mulas

El buey era el animal de labor más apreciado en la España medieval. Todavía estaba en sus comienzos la competencia que más tarde impondría el uso de la mula en una amplia zona de la meseta, y que hace que sean hoy raros, aunque no inexistentes, los bueyes en la zona alcarreña.

En el *Buen Amor,* los bueyes tienen un aire digno y silencioso (1398), y se admira su gran valía: "Non los conpraríe Dário con todos sus thesoros" (1215). Juan Ruiz distingue bien sus distintos pelajes y conoce la nomenclatura exacta de ellos: "Muchos buxes castaños, otros hoscos é loros" (1215). Diferencia el "buey de cabestro" (151) de los "buexes de herías" (1272), y el "buey viejo lyndero" (1092), que hace su labor fecunda "paso á paso" huncido al "yugero" (1092). La estampa del buey viejo indefenso es, como la del caballo, bien percibida por Juan Ruiz: "El golhin al buy viejo derribóle los dientes" (1113).

No faltan tampoco las escenas en que es la mula el protagonista, en las que es descrita de acuerdo con el concepto y la imagen actuales. Predomina la alusión a su empleo como medio de transporte: "Que non ay mula d' alvarda, que la siella non consienta" (710), "Perdí luego la mula é non fallava vyanda" (950). El carácter difícil de este animal está reflejado en el verso siguiente: "Como mula camuçia agusa rrostro é dientes" (395). "Remeçe la cabeça", como hace la mujer a quien sus padres quieren casar a disgusto. Suenan ya en la aldea de Juan Ruiz las mismas voces de hoy para espolear a los animales: "Nin por un solo "¡harre!" non corre bestia manca" (517).

Los animales "chicos"

A su vista en la vida cotidiana estaban también otros pequeños animales, que hoy, como entonces, podemos contemplar, y a los que él retrata con instantáneas fulgurantes y precisas. Los "loçanos" y sosegados pavones (563), paseando por la floresta (1289) y haciendo la rueda ante la envidia de las cornejas (285-8). El propio Arcipreste se describirá en su irónico autorretrato con el andar "infiesto, bien como de pavón, el paso segurado é de buena rasón" (1486). Los gordos ansarones, ruidosos ballesteros de don Carnal (1082) "Mayor rroydo fasen é más voses syn recabdo diés ánsares en laguna, que cient buexes en prado" (1398). Por San Juan se hacía gran matanza de ellos (556). Los ánades y navancos, escuderos de don Carnal, que hacen "su alardo çerca de los tysones" (1082). Los faisanes, infanzones de la misma mesnada (1086); el apuesto cisne, sin rival "en blancura é en dono, fermoso, rrelusiente" (1438).

Como en el campo actual, tenían especial simpatía popular las golondrinas, buenas consejeras (745-762), que hacen su nido sin temor en la propia casa del cazador: "como era grytadera é mucho gorjeador, plógo al caçador, que era madrugador" (751). Los tordos, negros y gritadores (1014-1439); las picazas parladeras (920), amigas de escondrijos, que por su afán de alborotar servían de juego y de risa en las plazas: "Sy non parlas' la pycaça más que la codorniz, no'l colgarien en plaça nin rreyerien lo que diz'" (881). Urraca era el principal de los muchos nombres de Trotaconventos (923): "bien ó mal que gorgee, nunca l' digas pycaça" (924).

Los pardales, dueños de eras y caminos (747), que al hacerse viejos saben ya todos los recursos del cazador: "Ca todo pardal viejo no s' toma en todas redes" (1208); el çarapico, de luengas narices (1013). Los pequeños pájaros cantores, tan del agrado del Arcipreste: calandrias, ruiseñores, orioles (1614-5). Sorprende su alusión al papagayo, exótico en la región, y al que llama, no con mucha propiedad, ave pequeñuela (1615). Claro es que no se refiere al tipo de papagayo hoy más vulgar, procedente de América, sino a especies de procedencia africana mucho más pequeñas.

La cigüeña mansillera (202), volando con el largo pico abierto, voraz "venternera" (202), que cuando está en el exido no acoge en el nido a los cigoñinos con gran calor (978). Una de sus principales víctimas son las ranas pintadas (407) y cantadoras, que saltan y juegan despreocupadamente en la charca: "bien solteras andavan" (199). Sus voces vanas, su saltar en el agua (412), su miedo (1446), su deseo de saber nadar (1491), son los rasgos que observa Juan Ruiz. Tampoco olvida a la garza de alto cuello, como doña Endrina (653), que oculta cuidadosamente su nido: "Ffallarás muchas garças, non fallarás un huevo" (66). Ni la referencia al erizo negro (288), que pelan los pastores con ayuda de agua y rocío (992).

El mur o ratón tiene un papel destacado en el libro. Participa de la consabida predilección del Arcipreste por las cosas chicas. Defiende su tradicional afición al queso: "por un mur muy pequeno, que poco queso preso, diçen luego: Los mures han comido el queso" (571); sabe distinguir el ratón campesino "de franca barva" (1370), frugal y vegetariano, amigo de la "pobredat alegre" (1384) del ratón de ciudad, siempre en peligro, corriendo a su forado. Una categoría especial tiene el que él llama mur-topo, escarnio y risa en el famoso parto de los montes, cuando "la tierra començó á bramar" (98), y que tiene su cueva muy peligrosamente cerca de los ríos.

Luce en estos "ensienplos" la maestría de Juan Ruiz en el uso de los diminutivos afectivos: murisillo (1429-1431); "chiquillos dientes" (1432); "poco á poquillo" 1431).

De más pequeños animales, más o menos domésticos, sólo hace Juan Ruiz una breve alusión a la especie de parásitos más abundantes en la Edad Media: "Sy ella (la serrana) algund día te quisiese espulgar, sentiría tu cabeça qu' eran vigas de lagar" (1018).

La caza

No sabemos si Juan Ruiz fué cazador, pero lo cierto es que hay en su libro una completa antología de las especies que podían y en gran parte pueden todavía encontrarse a nuestro alcance en la región alcarreña. También conocía la caza mayor, bien sea por su experiencia en la sierra o porque, sin duda, en su tiempo se extendía a regiones más extensas la presencia de lobos, jabalíes, e incluso osos, que hoy sólo milagrosamente se podrían cazar en la Alcarria.

La caza de venados, de las "bestias cosseras" (313), que confían su salvación en la huída, era deporte aristocrático. El Infante, hijo del Rey de moros Alcaraz (129), pide permiso a su padre "de yr á correr monte, caçar algún venado" (133). Los ballesteros utilizaban "saetas é quadrillos" (271), empendolados con plumas de águila para "ferir los venados" (271). La persecución paciente, con ayuda de perros, era el procedimiento habitual de esta caza: "La çierva montesyna mucho seguida canssa, caçador, que la sigue, tómala quando descanssa" (524), "Andame todo el día como á cierva corriendo" (826). Junto al ciervo cita Juan Ruiz al corzo (1091) y al gamo (1088), si bien no parece tener sobre estos animales una imagen tan viva y directa como de otros.

Más vigor tiene en su libro la figura del "jabalyn" (todavía se dice en la Alcarria jabalín y jabalines): "el jabalyn sañudo dávale del colmillo" (314). Destaca su fuerza: "venieron muchos gamos é el fuerte javalí" (1088). Hay un solo rasgo, pero muy expresivo, del oso. De la huella de la serrana dice: "Mayor es que de osa su pisada do pisa" (1012), y otro de la cabra montés: "Vino el cabrón montés con corças é torcaças" (1091).

De todos modos, es la caza menor la que parece haber sido más familiar al Arcipreste. Conoce el reclamo: "Al bretador semejas, quando tañe su brete: canta con dulçe engaño; al ave pone abeyte, fasta que l'echa el laço, quando 'l pie dentro mete;" (406). También conoce bien las artes del "caçador bien sotil pasarero" (746), que tiende cuerdas y lazos y espera a que grane el cáñamo para tender sus redes (746-752) y coger las tórtolas, pardales e incluso alguna confiada abutarda. Para la caza de liebres y conejos se utilizaba con el mismo entusiasmo que hoy en los pueblos alcarreños el galgo "ligero é sotil" (324): "A la liebre, que sale, luego l' echa la galga" (1219). El buen cazador, aparte de ser madrugador (751), no debe dejar el rastro de la liebre una vez levantada: "Pedro levanta la lyebre é la mueve del covil, non la sygue nin la toma, faz' como caçador vyl" (486). Dibuja Juan Ruiz a las liebres "de coraçón flaco, ligeras en correr" (1448), "El miedo de las liebres las monjas le tenedes" (1444). Se hace eco de una probable creencia popular: "Señor, dize (la liebre), a la dueña yo la porné la hiebre, darl' hé sarna é diviesos, que de lydiar non se mienbre" (1090). Son muy frecuentes sus comparaciones entre liebre y mujer: "Muger e liebre seguida, mucho corrida, conquista" (866).

Junto a la liebre describe al "conejo de ssoto" (968), hábil en correr: "El conejo por maña doñea á la vaca" (616), que hace su nido bajo la roca: "La peña tien' blancos, prietos; pero todos son conejos" (666). El galgo viejo no sirve para sujetar al conejo cuando salta (1359) para que el cazador o el pastor lo "enpiuelen" dándole con la cayada "tras el pestorejo" (991).

En la delantera de don Carnal figuran por derecho propio liebres y conejos (1082-1117).

Las perdices, a cuyos pies compara los ojos "fondos, bermejos" de los caballos viejos (242), era comida de pastores (968) y de dueñas y monjas (1385); la codorniz, silenciosa (881); la paloma, limpia y mesurada (563); la tortolilla, "sola, sin compañero", según la tradición popular, que quizá por ser ave migratoria localiza Juan Ruiz en el "rregno de Rrodas" (1329); las torcazas (1091-1113), son todas ellas aves típicas hoy también de la cinegética alcarreña.

Entre las aves de rapiña destaca la figura del águila "capdal", de grandes uñas (306), atalayando a todas las otras aves desde "la faya" (270), hasta que el ballestero la derriba con la flecha empendolada con sus propias plumas (271-72); el milano, que vuela "desfanbrido" (413); el açor (801) y el falcón, atraído por el señuelo como la dueña por Trotaconventos (942).

La fauna "antipática"

La actitud de Juan Ruiz ante este menudo mundo natural, que tan atentamente observa, está impregnada de afectividad. Hombres y animales comparten virtudes y defectos sin una frontera clara entre unos y otros. Es actitud muy propia de todo el que vive en contacto directo con el campo. El signo positivo predomina absolutamente en esta observación afectiva de Juan Ruiz. Sólo un pequeño grupo de animales nos son presentados con cierta repulsión: Así sucede con el cuervo, negro y estúpido (1437), único ser vivo que habla bien de la muerte, ya que "de muertos se farta" (1529): "Señores, non querades ser amigos del cuervo" (1531), nos advierte Juan Ruiz. Su propio canto es anuncio de desgracia, según sigue siendo tradición; onomatopeya impresionante en los versos del planto a Trotaconventos: "cras, cras" (1530-2), que se repite con creciente intensidad. Tremenda crítica encierra el símil de los frailes ante el rico que está para morir: "Como los cuervos al asno, quando le tiran el cuero: cras nos lo levaremos, ca nuestro es por fuero" (507). La sátira clerical de Juan Ruiz tampoco olvida a las monjas: "Son parientes del cuervo, de cras en cras andavan" (1256). Tampoco son muy de su agrado las cornejas (285), a cuyas plumas compara el pelo de la serrana de la Tablada: "Cabellos chicos, negros, como corneja lysa" (1012). La araña, de quien todos huyen (1526); la sierpe, que se esconde en los forados (868) e impulsa la curiosidad popular, propicia a creer en serpientes groyas (972), como la que el propio Arcipreste fué a ver a Segovia. Hay un punto de simpatía en la descripción de la "culuebra chica" que el hortelano encuentra "amodorrida" por el frío debajo de un peral. La lleva a su casa, pero antes de que pueda cogerla ya se ha escondido en un forado de su propia cocina (1348-1353).

El gato tampoco tiene la simpatía del Arcipreste. Vigilante, inoportuno y misterioso: "Non vido á la mi vieja ome, gato nin can" (1324), es para él imagen de las almas presas por el diablo: "Los gatos é las gatas son muchas almas mías, que yo tengo travadas" (1474). Es curiosa y de dudosa interpretación la frase proverbial que cita: "Que el ome mal pisa é el gato mal rascaña" (1383).

Animales exóticos

Toda esta fauna enorme y personalísima que recoge el Arcipreste, es enteramente regional, son animales que él tuvo al alcance de su vista, y que hoy todavía podemos contemplar nosotros en el mismo campo alcarreño de Hita. Aparecen, no obstante, en el libro unos pocos animales exóticos. Alguno, como el mono, llegarían fácilmente a las tierras toledanas desde el norte de Africa y servirían, como hoy, de atracción en mano de juglares y titiriteros. Don Simio es alcalde de Bugía, y él mismo afirma que viene nuevamente "á esta vuestra tierra, non conosço la gente" (330), probando con ello la conciencia clara que tiene el autor del estricto regionalismo de sus animales. A través de fuentes literarias le llegaría a Juan Ruiz idea de la ballena, de la que sólo conoce su tamaño gigantesco (421-835-1120). Influiría en este recuerdo la muy divulgada historia de San Brandán y de la tradición bíblica.

Más interesantes son sus abundantes citas del león que vive en la "frida montaña" (1425). La tradición esópica y zoomórfica se complica en el texto con una alusión muy concreta al Rey Alfonso XI: "Rregnando nuestro señor el león masillero, que vin' á nuestra çibdat por nonble de monedero" (326). El era, sin duda, el "león orgulloso" (311) que a todos domina. Pero Juan Ruiz debió sobrevivir al año 1350, en que murió el Rey castellano ante Gibraltar, ya que parece aludir a su muerte y a la ambición de sus cortesanos en los enxienplos del león que "estava doliente" (82-89) y del león "que se mató con ira" (311-17). Su fuerza, generosa con los pequeños, podría también reflejarse en el enxienplo del "león é del mur" (1425-1434).

Zoomorfismo

El fondo zoomórfico del libro de Juan Ruiz no sólo se pone de manifiesto en esta íntima esencia natural, sino en su sistemática aplicación a los protagonistas humanos de nombres de animales: doña Urraca, don Furón, el cortejo de don Carnal y doña Cuaresma. Corresponde esta representación, incluso en el tipo de los animales y plantas que en ella predominan, con las antiguas alegorías que aparecen en frisos y volutas de algunas iglesias románicas o mozárabes, cuya significación desborda las influencias cristianas y enlaza con la tradición ibérica.

LA TRADICION ESTILISTICA. EL PAISAJE EN LA CELESTINA

En *La Celestina* aparece claramente manifiesta la tradición literaria de la nueva Castilla, y en especial de las características más salientes del *Libro de Buen Amor*. Incluso en su reflejo del medio geográfico.

Los autores de *La Celestina* no son, evidentemente, hombres de campo y aldea como Juan Ruiz, sino típicos ingenios de ciudad, de pequeña ciudad, no enteramente alejada de las costumbres del campo. Observan todavía las imágenes campesinas, pero sin la fuerza, sin la inconfundible animación de la naturaleza que penetra todas las descripciones del Arcipreste.

La semejanza en ciertos aspectos es, sin embargo, notable. Sigue la misma región imponiendo sus peculiaridades; es similar la actitud ante muchos animales domésticos: asnos, caballos, perros, etc., que, sin embargo, están descritos con evidente influjo literario.

Entre los animales domésticos, el asno conserva su mismo destacado perfil, imagen del hombre torpe (I, 57-2), que sigue ciego al impulso amoroso (I, 33-28). Hay en *La Celestina* una peculiar atención a transformaciones y procedimientos de hechicería: "el veneno, que lo conuertio en asno" (I, 162-10), "sesos de asno" (I, 44-15). Las imágenes puramente naturales son inexpresivas (I, 74-21). Más interés tiene una exclamación popular transmitida con auténtico realismo: "Xo, que te estriego, asna coxa" (I, 47-23). Relativamente numerosas son las alusiones al caballo, si bien no es el caballo campesino, como en Juan Ruiz, sino el palafrén el que predomina; el cuidado de su limpieza (I,67-20); la estampa familiar y ciudadana del mozo de caballos (I, 155-4): "¡Quien lo vee yr al agua con sus cauallos en cerro!" (I, 264-20).

Por contraste, es más precisa que en el texto de Juan Ruiz la alusión a los toros como diversión popular, más o menos sistemáticamente organizada: "Todos passan, todos rompen, pungidos y esgarrochados como ligeros toros, sin freno saltan por las barreras" (I, 28-19); "Aquella cara, señor, que suelen los brauos toros mostrar contra los que lançan las agudas garrochas en el cosso" (I, 113-25). No cabe más exacta y viva descripción de una "corrida" castellana.

Confirma el carácter cortesano de los autores la falta de referencias a los animales de labor por los que tanto interés sentía Juan Ruiz. Sólo accidentalmente se alude a ellos "¿A donde yra el buey que no are" (I, 80-19); "las suzias moscas nunca pican a los bueyes magros y flacos" (I, 224-25).

La ganadería y su cortejo natural de perros, lobos y pastores, tampoco tiene, salvo algunas imágenes bien percibidas, una gran importancia en el fondo expresivo de *La Celestina:* "aullido de canes" (I, 290-9); temor popular a "los ladradores perros con sus crueles dientes" (I, 236-13); alusión al mismo procedimiento reseñado por Juan Ruiz para desembarazarse de ellos: "se suelen dar las çaraças en pan embueltas porque no las sienta el gusto" (I, 200-8). Aparece una curiosísima referencia al falso mito de Minerva con el can, que, sin duda, es el resultado de la mala lectura por parte del segundo autor, Rojas, del primer acto, que seguramente diría "Minerva con Vulcán" [28]. También son numerosos los tópicos: "mansas" ovejas (I, 200-22; I, 224-20); el buen pastor (I, 238-4); el lobo en la conseja (I, 263-34), que en ocasiones dejan paso a una figura más expresiva: "como lobo cuando siente poluo de ganado" (I, 218-8). Es notable la intensificación de este naturalismo en el *Tractado de Centurio.*

---

[28] Otis H. Green, *Celestina, Auto I: "Minerua con el can"*, en *Nueva Revista de Filología Hispánica,* VII (1954), 470-4.—Martín de Riquer, *Fernando de Rojas y el primer acto de la Celestina,* en *R. F. E.,* XLI, 1957, 373-395.

La caza menor, en especial la volatería, está muy presente en *La Celestina,* ya sea por afición del autor o por la naturaleza y el ambiente de la obra. La perdiz es el ave que con más frecuencia y precisión aparece citada: "Vna perdiz sola, por marauilla buela" (I, 145-3); "no puedes ver de encandelado, como perdiz con la calderuela" (I, 159-29); "el falso boezuelo con su blando cencerrear trae las perdizes a la red" (I, 200-17). Estas artes de cazador se combinan con las de cetrería, que tanto pesa en el ambiente de la obra. Naturalmente, en la vida de un caballero como Calixto, la caza era capítulo muy principal.

Alimañas y otros pequeños animales del campo son también citados en *La Celestina.* Coinciden, sin apenas variación, con los que cita Juan Ruiz, pero hay una gran distancia entre las vividas estampas del Arcipreste y la literaria naturaleza de *La Celestina.*

Un animal destaca su contorno con el especial vigor de las imágenes muy intensamente vistas. El reptil, en sus varias formas, aparece como tema constante de la *Tragicomedia:* "prado lleno de serpientes" (I, 296-26). "Madre mia, que me comen este coraçon serpientes dentro de mi cuerpo" (I, 183-23); "hecho serpiente, que huye la boz del encantador" (I, 116-27); "las yeruas deleitosas donde tomays los hurtados solazes se conuiertan en culebras" (I, 252-1). Son constantes y tensas las alusiones temerosas a las víboras: "Mas seguro me fuera huyr desta venenosa biuora que tomalla" (I, 107-4); "Por la aspera ponçoña de las biuoras de que este azeite fue hecho" (I, 78-12); "lengua de biuora" (I, 44-14); "bocado de la biuora" (I, 184-18). No hay la menor concesión afectuosa, como en Juan Ruiz, hacia el animal que más temor supersticioso sigue inspirando a nuestro sentir popular.

Tienen interés dos curiosas correspondencias, que sólo en parte pueden considerarse casuales entre el texto medieval y el renacentista: la alusión a los papagayos y ruiseñores (I, 279-11) y el cortejo de "pollos y gallinas, ansarones, anadones, perdizes, tortolas, perniles de tocino, tortas de trigo, lechones" (I, 177-18), que nos recuerda el cortejo de Don Carnal.

Junto a la ballena y al simio, que también aparecen en el *Buen Amor, La Celestina* cita a otros varios animales exóticos: el pelícano, el camello y a dos más o menos fantásticos: el roc y el echeneis. No puede extrañarnos que el autor, menos sencillo y natural que el Arcipreste, guste de estos alardes eruditos.

Como resumen, podemos deducir tres conclusiones principales: tradición naturalista de *La Celestina,* que enlaza directamente con Juan Ruiz; coincidencia en las referencias regionales, aunque éstas sean menos precisas en *La Celestina* que en el Arcipreste; actitud ciudadana, no popular, del autor o autores renacentistas ante el mundo natural.

TEORIA DE LOS MESES EN EL LIBRO DE BUEN AMOR Y EN EL REFRANERO

La atención hacia el campo y sus labores, resumida en la alegoría medieval de los meses, es peculiar en el estilo de Juan Ruiz, que la da forma con la íntima complacencia del conocedor directo, más inspirado en la contemplación del natural que en la imitación de los libros.

En su descripción de los meses utiliza Juan Ruiz una técnica que bien puede considerarse peculiar suya y base de su estilo. Consiste en recoger en una síntesis pormenorizada las imágenes y temas populares, los elementos que juzga utilizables de las fuentes literarias o artísticas, y su propia observación y experiencia. Toda esta suma, aparentemente heterogénea, se unifica en su libro gracias a la inconfundible huella estilística, viva y personal del autor. La originalidad de Juan Ruiz no está en los temas, que intencionadamente están buscados entre los más populares de su tiempo y de su región, sino en el desarrollo, en la detallada paráfrasis. De modo similar están concebidas la *Comedia de Don Melon y Doña Endrina* (maravillosa ampliación del esquema inexpresivo del *Pamphilus* latino), el *Planto a la muerte de Trotaconventos,* que infunde vida e interés al monótono esquema de los plantos medievales; la *Carta a los clérigos de Talavera,* etc., etc. Siempre es la misma técnica: una simple armadura temática, clásica o popular, elevada por arte del propio estilo a creación original.

La descripción de los meses [29] pertenece a una antiquísima tradición literaria e iconográfica, que se extiende por el occidente europeo medieval, y cuyos ejemplos más característicos pueden contemplarse en los pórticos góticos y en las miniaturas de los libros de horas. Sin necesidad de recurrir, como hace Lecoy, a la iconografía francesa o italiana, que no es nada probable que conociera Juan Ruiz, hay en iglesias medievales españolas ejemplos de este mismo tema, muy próximos a las localidades alcarreñas del Arcipreste. En la puerta de la iglesia románica de Beleña, pueblo en las inmediaciones de Hita, que el Arcipreste, indudablemente, conocía, y lógicamente sería su fuente más directa; en el friso de la parroquia de Campisabalos, de la misma provincia de Guadalajara [30], ya aparecen las consabidas figuras rústicamente representadas del hombre matando un cerdo (Enero), calentándose al fuego (Febrero), podando (Marzo), la muchacha con un ramo de flores (Abril), el caballero cazando con halcón (Mayo), el campesino escardando y cogiendo fruta (Junio), segando (Julio), trillando (Agosto), vendimiando (Sep-

---

[29] J. CARO BAROJA, *Representaciones y nombres de meses.* "Príncipe de Viana", núm. XXV.

[30] Véase F. LAYNA SERRANO, *La arquitectura románica en la provincia de Guadalajara,* Madrid, 1935.—J. CARO BAROJA, *La vida agraria tradicional reflejada en el arte español.* Estudios de Historia Social de España, I, Madrid, 1949.

tiembre), transportando vino o aceite (Octubre), comiendo en un banquete (Noviembre).

La popularidad de estas representaciones las multiplicaría, sin duda, en otras iglesias no conservadas y en infinidad de miniaturas de libros religiosos. La fuente iconográfica de Juan Ruiz es en este caso muy clara, sin necesidad de traspasar las fronteras de su región.

Algo semejante sucede con las fuentes literarias. El *Libro de Alexandre,* antecedente inmediato, describe los meses representados en la tienda del Conquistador con mucho mayor realismo que los textos, citados por Lecoy, de Bonvesin de la Riva y de Matfré Ermengaud [31]. Es clara e indudable la relación del Arcipreste con el poema riojano, si bien desborda con mucho la extensa descripción del *Libro de Buen Amor* (144 versos) a la del *Alexandre* (52 versos).

Aparte de esta diferencia y del más intenso realismo del Arcipreste, se apartan ambos textos en el detalle de las labores correspondientes a cada mes. La estampa campesina de Juan Ruiz es reflejo de la meseta toledana, al sur de la Cordillera Central, por donde corre la gran frontera divisoria del olivo. La agricultura y la ganadería se combinan en una economía pobre pero de gran variedad. La diferencia entre el campo de *El Buen Amor* y el del *Alexandre,* representativo de una región más al Norte, como es la Rioja, se advierte en la falta en este último de toda referencia a cultivos extraños a su agricultura, como es el olivo; en el mayor retraso de las labores y en la ausencia de referencias a otros cultivos, como el de la miel, que para un habitante de la Alcarria no pueden nunca ser olvidados. Estas mismas diferencias, pero más acentuadas, se observan si hacemos la comparación con documentos que tengan por modelos zonas más al Norte. El calendario vasco, junto a rasgos similares, que indican un

[31] *Op. cit.,* 276-7.

común fondo, refleja unas labores más tardías y alude a plantas como el helecho, desconocidas en Castilla. Las representaciones francesas, dejando aparte sus esquematismos, carecen del detalle local y realista de las españolas. Como por la toponimia y los itinerarios geográficos podemos identificar así la localización de una obra literaria gracias a sus imágenes y referencias campesinas.

Las labores del campo en el Buen Amor y en el Refranero

Pero ni con las fuentes iconográficas ni con las literarias puede llegarse a una completa explicación del texto del Arcipreste. Así lo reconoce, bien a su pesar, el propio Lecoy, perseguidor implacable de toda posible originalidad de Juan Ruiz. Son precisas, para poder comprender el enorme salto que separa su imagen realista del campo de las pobres alegorías que le sirven de modelo otras causas, entre las que destacan especialmente la experiencia popular recogida en el refranero [32], y, sobre todo, la observación directa del propio Juan Ruiz de la vida en el campo alcarreño.

En resumen, los caminos que seguimos para reconstruir la imagen campesina del Arcipreste consisten en buscar aquellos refranes que se inspiran, como él, en la observación popular; en comprobar en la vida actual del campo alcarreño las escenas reales

---

[32] Véase: G. Correas, *Vocabulario de refranes y frases proverbiales y otras fórmulas comunes de la lengua castellana, etc.*, Madrid, 1924.—J. M. Sbarbi, *Monografía sobre los refranes, adagios y proverbios castellanos, etc.*, Madrid, 1891.—Idem, *Diccionario de refranes, adagios y proverbios, etc.*, Madrid, 1922.—F. Rodríguez Marín, *Más de 21.000 refranes no contenidos en la copiosa colección del maestro Correas*, Madrid, 1926.—Idem, *12.600 refranes más, no contenidos en la colección del maestro G. Correas, ni en "Más de 20.000 refranes castellanos"*, Madrid, 1930.—J. Coll y Vehí, *Los refranes del Quijote*, Barcelona, 1874.—L. Martínez Kleiser, *Refranero general ideológico español*, Real Academia Española, Madrid, 1953.

que él pudo contemplar, y todo ello sin olvidar las fuentes de inspiración literaria o artística que pudo tener a su alcance.

Transcribimos a continuación las estrofas de Juan Ruiz seguidas de sus correspondencias temáticas en el *Refranero:*

Primer tríptico.

1271) Tres cavalleros comen, todos á un tablero,
Asentados al fuego, cada uno señero,
Non se alcançarían, con un luengo madero,
E non cabría entr'ellos un canto de dinero.

1272) El primero comía primeras cherevias,
Comiença á dar çenorias á bestias d'establyas,
Da primero faryna á buexes de herías,
Ffaze dias pequenos é madrugadas frias.

1273) Comía nuevas piñas é asava las castañas,
Mandava ssembrar trigo é cortar las montañas,
Matar los gordos puercos é desfazer las cabañas,
Las viejas tras el ffuego ya dizen sus pastrañas.

1274) El segundo comía toda carne salpresa,
Estava enturbiada con la niebla su mesa,
Faze nuevo azeyte, con la brasa no l'pesa,
Con el frio á las veses en las sus manos besa.

1275) Comía el cavallero la cocina con verças,
Enclaresçia el vino con amas sus almueças,
Amos visten çamarras, quieren calientes queças:
En pos este estàva uno de dos cabeças.

1276) A dos partes otea aqueste cabeçudo,
Gallynas con capada comía á menudo,
Fazie çerrar las cubas é inchiallas con enbudo,
Echar deyuso yergos, que guardan vino agudo.

1277) Fazia á sus collaços fazer los valladares,
Rrehazer los pesebres, lynpiar los alvañares,
Çerrar silos del pan é fynchyr los pajares,
Más quería traer peña, que loriga en yjares.

El artificio de que se vale el Arcipreste en su relato es bien tradicional: agrupar de tres en tres la representación de los meses, de acuerdo con el esquema de los pórticos y de las miniaturas. Tres caballeros comen sentados a un tablero, ante un gran fuego: noviembre, diciembre y enero. Nos sorprende que sea noviembre el mes elegido para iniciar este curioso desfile. Sin embargo, esta iniciación está de acuerdo con el solsticio de invierno y tiene una probable tradición ibérica [33]. También, según indica Lecoy, pudo influir en Juan Ruiz la liturgia mozárabe que situaba el comienzo del año litúrgico en San Martín, el 11 de noviembre. Perteneciendo a una región, como la toledana, de tan arraigada tradición mozárabe, parece ser ésta una razón convincente. Queda, por último, el hecho de ser en el otoño la verdadera iniciación de las labores campesinas, la época de la siembra, que inicia cada año la vida del campo.

Ya en estas primeras estrofas aparecen claros contactos entre la versión del Arcipreste y la tradición del refranero. La idea, aparentemente literaria, de llamar caballeros a los meses iniciales la encontramos en los refranes aplicada especialmente a enero: "el mes de enero es como el buen caballero" (Hernán Núñez, Correas); "enero es caballero si no es ventolero" (R. Marín); "enero es el mes primero; si viene frío es buen caballero" (R. Marín). Curiosa es también la alusión a la hidalguía en relación con otro tríptico de meses (1271-1286): "abriles buenos y buenos hidalgos muy escasos" (R. Marín).

En noviembre, siguiendo la descripción de Juan Ruiz (1272-3), ya pueden comerse las primeras chiribías. Se recogen las bestias en los establos y se les da el pienso recogido en verano; se suelen echar zanahorias en el pienso y se les da harina a los bueyes de labranza. Van siendo los días cada vez más pequeños y más frías las mañanas. Se comen las piñas nuevas y se asan las

---

[33] Según J. Winson *(Le calendrier basque)*, el año vasco empezaba en septiembre. A. Campion *(Euskariana)* lo retrasa hasta octubre. Con el primero coincide J. Caro Baroja: *Sobre la religión antigua y el calendario del año vasco.* Trabajos del Instituto Bernardino de Sahagún de Antropología y Etnología, Madrid, 1948, VI, 77.

castañas mientras las viejas dicen sus patrañas "tras el fuego". Es época de siembra, de cortar la leña en el monte y de matar el cerdo.

Son varios los refranes que recogen estas imágenes, si bien no siempre es exacta la correspondencia, dentro del mismo mes, entre los datos del refranero y los de Juan Ruiz. Se advierte en este último una mayor anticipación de las épocas. La variada procedencia regional influye, sin duda, en estos cambios.

1273) Hay controversia en el refranero respecto a la época más adecuada para la siembra, pero predominan los refranes propicios a la labor temprana: "a primeros de noviembre, quien no sembró que no siembre" (R. Marín), "en noviembre, el que tenga que siembre" (R. Marín), "por San Andrés (30 de noviembre), sementera es" (Hernán Núñez Correas); "quien siembra temprano, ríe en invierno y llora en verano" (R. Marín); "por sementera tardía, nunca es mal año" (R. Marín).

Una divergencia similar se plantea en torno a la matanza del cerdo, que oscila entre San Andrés y la Navidad:

1273) "Por San Andrés, hay puercos gordos que vender" (R. Marín); "por San Andrés toma el puerco por los pies, y si no lo puedes tomar déjale estar hasta Navidad" (Correas); "por San Martín deja el puerco de gruñir" (R. Marín); "dichoso el mes que entra con tostones y sale con chicharrones" (R. Marín); "en diciembre, hielos y nieves, lebrillos de matanza y roscos de aguardiente" (R. Marín).

Otras correspondencias:

1272) "Si el buey quieres engordar, de mediado febrero hasta mayo le has de apacentar" (Correas); "por San Lucas suelta el buey de la coyunda, mata el puerco y tapa la cuba" (Correas).

1272) "Días de diciembre, días de amargura; apenas amanece, ya es noche oscura" (R. Marín).

1273) "En diciembre se hielan las cañas y se asan las castañas" (R. Marín); "el día de la Ascensión cuajan la almendra y el piñón, y el día de San Juan acaban de cuajar" (R. Marín).

La alusión a las viejas y a sus relatos, patrañas o refranes "tras el fuego" (1273), es muy frecuente en el refranero. Hay también que recordar el título que para su colección de refranes escogió el Marqués de Santillana, señor de Hita, la villa del Arcipreste.

En diciembre, sigue el relato de Juan Ruiz (1274-5), se comía la carne salpresa, es decir, prensada con sal. Son frecuentes y largas las nieblas, que llegan muchas veces a enturbiar la mesa a la hora de "la yantar". Se hace el aceite de la nueva cosecha, se esclarece el vino con almuerzas de yeso. Gracias a la brasa, a las zamarras y a las "queças" (o alquiceles) se soporta el frío, que besa a menudo las manos.

La cocina del caballero abundaba durante este mes en berzas, es decir, se comía el potaje de forma muy semejante a la actualidad. No debe sorprendernos el carácter, hasta cierto punto aristocrático de esta comida en la época.

En el refranero vemos reflejarse una gran parte de estas imágenes:

1274) "En diciembre niebla, lluvia o solano espera" (R. Marín); "después de San Andrés ninguna niebla llega a las dos" (R. Marín).

1274) "Deja ya San Silvestre entinajado el aceite" (R. Marín); "quien coge la aceituna antes de enero se deja el aceite en el madero" (R. Marín); "una por San Juan y ciento por Navidad" (R. Marín).

1274) "Enero el friolero entra soplándose los dedos" (R. Marín); "enero cuando se hiela la vieja en el lecho y el agua en el puchero" (Vallés, Hernán Núñez).

1275) Hay gran controversia en el refranero sobre el carácter popular o señorial de las coles y de las berzas. Unica coincidencia es la alusión a los primeros meses del invierno como la época mejor: "coles con nabos, manjar para palacio" (R. Marín); "coles y nabos, comer de picaños; nabos y coles, comer de señores" (Correas); "coles y nabos, comida de aldeanos" (R. Marín); "si a tu marido quieres bien, dale coles por San Andrés; y si lo quieres mal, dáselos por San Juan" (R. Marín); "en enero, la berza es carnero" (R. Marín); "por Santa Catalina, la berza es gallina" (R. Marín).

1275) "Enero, mes de zamarra, buena lumbre amarra" (R. Marín).

Enero, mes de dos cabezas, según el testimonio clásico, es época de labores caseras, adecuado para guardar y ordenar los frutos cosechados en el año. Se cierran las cubas, bien henchidas por medio de embudos; se echan yergos (flor de sauco) en aquellas cubas que guardan el vino agudo para que no se estropee. Los criados (collazos) trabajan haciendo valladares, rehaciendo los pesebres, limpiando los albañares. Es el mes final de la recolección, y deben quedar cerrados los silos y bien llenos los pajares. Las fiestas de la Navidad convidan a comer las gallinas con capada o capirotada (1276).

No es época grata para hacer guerras, y los collazos más prefieren traer en los hijares la "peña" que la loriga. (Cejador interpreta este versículo en el sentido de que más quieren "traer vestido de pieles en casa que loriga en la guerra". Nota al versículo 1277.) El refranero nos sirve en este caso de ayuda, al encontrar en él la siguiente sentencia: "para bien invernar, guarda la peña para marzo o más" (García Lomas). En nota de M. Kleiser leemos: *peña:* hierba seca pisada en la montaña. Cabe, según esto, interpretar que los criados prefieren bajar la hierba en peña de la montaña sobre los hijares a cargar con la loriga para ir a la guerra.

Otras correspondencias:

1276) "En enero, cásate, compañero, y da vuelta al gallinero" (Hernán Núñez); "en enero, echa gallina en el puchero" (R. Marín); "en enero, más que nunca, buen puchero" (R. Marín); "si el villano supiera el sabor de la gallina en enero, no dejaría ninguna en el pollero" (Vallés, Hernán Núñez, Correas).

1276) "Vino acedo y tocino añejo y pan de centeno, sostienen la casa en peso" (Hernán Núñez, Correas).

1277) "Manda y haz y no darás pan a collaz" (Hernán Núñez). (Ya aparece el término collazo en el fuero de Brihuega, tierra muy próxima a Hita.)

1277) "Enero, ovejas en el redil, pastor en el chozo y fía en abril" (R. Marín); "si en octubre sientes frío, a tus animales da abrigo" (R. Marín).

1277) "El mes de enero es la llave del granero" (R. Marín); "enero y febrero hinchen el granero" (Vallés).

Segundo tríptico.

1278) Estavan tres fijosdalgo á otra noble tabla,
Mucho estaban llegados, uno á otro non fabla,
Non se alcançarían con las vigas de Gaula,
Non cabríe entre ellos un cabello de Paula.

1279) El primero de éstos era chico enano,
Otras triste, sañudo, otras rríe loçano,
Tiene las yervas nuevas en el prado ançiano,
Pártese del invierno, con él viene verano.

1280) Lo más que éste mandava era viñas podar,
E enxerir de escoplo é gaviellas añudar,
Mandaba poner viñas para buen vino dar,
Con la chica alhiara non le pueden fartar.

1281) El segundo enbiava á viñas cavadores,
Echar muchos mugrones los amugronadores,
Vyd blanca fazer prieta buenos enxiridores:
Omes, aves é bestias mételos en amores.

1282) Este tyene tres diablos presos en su cadena,
El uno enbiava á las dueñas dar pena,

Pésales en el lugar do la mujer es buena;
Desde entonçe comiença de pujar el avena.
1283) El segundo diablo rremesçe los abades:
Arçiprestes é dueñas fablan sus poridades
Con aqueste conpaño, que les da libertades,
Que pierdan las obladas é fablen vanidades.
1284) Ante viene cuerbo blanco, que pierdan asnería:
Todos, ellos é ellas, andan en modorría,
Los diablos do se fallan, lléganse á conpañía,
Fazen sus travesuras é su truhanería.
1285) Enbía otro diablo á los asnos entrar:
En las cabeças entra, non en otro lugar,
Fasta que pasa agosto non quedan de rrebuznar,
Desde ally pierden seso: esto puedes provar.
1286) El tercer fijodalgo está de flores lleno,
Con los vientos, que faze, creçe trigo é centeno,
Faze poner estacas, que den azeyte bueno,
A los moços medrosos ya los espanta el trueno.

Siguen tres "fijosdalgo" en la tradicional teoría del Arcipreste: febrero, marzo y abril. También en este caso encontramos una curiosa repercusión en el refranero de la idea de hidalguía aplicada a estos meses.

Febrero se nos presenta, como es de rigor, mezquino de días y extremadamente variable: "otras triste, sañudo, otras rrie loçano". Ya crecen las hierbas nuevas anunciando la primavera.

Las labores del campo no son muy importantes en este mes. Lo más que se aconseja es añudar las gaviellas y, sobre todo, cuidar los viñedos: podar, injertar y plantar las viñas. No basta un pequeño vaso de vino (en la chica alhiara) para saciar a los que vienen temprano del campo.

Correspondencia con el refranero:

1279) La atención principal de los refranes se dirige a la corta duración del mes y a lo muy variable del tiempo en sus días: "febrero corto, el peor de todos" (Correas); "un día de febrero y otro candilero" (Vallés, Hernán Núñez); "en febrero, un rato malo y otro bueno; a la mañana moja el buey y a la noche le arruga el cuero" (Vallés, Hernán Núñez); "febrero el loco sacó a su padre al sol y lo apedreó" (Vallés, Hernán Núñez, R. Marín); "en febrero, un rato al sol y otro al humero" (Vallés, Hernán Núñez, Correas); "en febrero, un día malo y otro bueno" (Correas).

1280) "Tu viña alabada, en marzo la poda y en marzo la cava" (Vallés, Hernán Núñez, R. Marín); "quien no podó en marzo, vendimiará en regazo". Como se ve, no hay correspondencia entre la época de cavar y podar las viñas en el refranero y en Juan Ruiz.

Para marzo siguen las labores en los viñedos, cavando, injertando y amugronando. El renacer natural coincide con la época del celo: "omes, aves é bestias metelos en amores" (1281).

Tres diablos tiene presos marzo en su cadena, según Juan Ruiz: el primero, que entra en las dueñas. A partir de este momento "comiença de pujar el avena" (1282). El segundo, "rremesce" a los abades. El tercero, entra en los asnos, que ya no dejarán el celo hasta que pase agosto (1285).

Coincide el refranero con Juan Ruiz en la conveniencia de cavar las viñas en marzo. Trata también, aunque no siempre con alabanza, de la costumbre de amugronar en lugar de plantar nuevas cepas:

1281) "Quien tenga fuerza en el brazo, que cave y pode en marzo" (R. Marín); "amugronea tu viña, y de la vieja harás niña" (R. Marín); "más cunde el amugronar, que de nuevo plantar" (R. Marín).

La avena no es favorablemente acogida por el refranero:

1282) "A quien siembra avena siempre le pena, unas veces por mala y otras por buena" (R. Marín).

El celo agresivo de los asnos tiene una abundante y unánime expresión refranera:

1285) "El asno al diablo tiene so el rabo" (Hernán Núñez, R. Marín); "un burro en celo, si no le amarran, es el diablo suelto" (R. Marín).

El tercer "fijodalgo", abril, está "de flores lleno". Con los vientos fuertes y cambiantes hace crecer el trigo y el centeno. Se plantan las estacas de los nuevos olivos y comienzan a retumbar las tormentas.

1286) "En marzo, el verdor; en abril, la flor" (R. Marín); "abril saca la espiga a relucir" (R. Marín).

1286) "Abril sin granizo Dios no lo hizo" (R. Marín); "las zurriascadas de abril son muy malas de cubrir" (Marza Solano).

Tercer tríptico.

1287) Andan tres ricos omes ally en una dança,
E non cabría cntr'cllos una punta de lança,
Del primero al segundo ay una grand' labrança,
El segundo al terçero con cosa non alcança.

1288) El primero los panes é las frutas granava,
Figados de cabrón con rruybarvo almorçava,
Fuyan dél los gallos, ca todos los yantava,
Los barvos é las truchas á menudo çenava.

1289) Buscava cassa fría é fuya de la siesta,
La calor del estío fasíe l' doler la tyesta,
Anda muy más loçano, que pavón en floresta,
Busca yervas é ayres en la sierra enfiesta.

1290) El segundo tenía en su mano la hoz,
Segava las çevadas de todo el alhoz,
Comía las bevras nuevas é cogía el arroz,
Agraz nuevo comiendo embargósele la boz.

1291) Enxería los árboles con ajena corteça,
Comíe nuevos panares, sudava sin pereça,
Bevíe las aguas frias de su naturaleça,
Traye las manos tyntas de la mucha çereça.

1292) El terçero andava los çentenos trayendo,
Trigo é todos panes en las eras tendiendo,

Estava de los árbores las frutas sacudiendo,
El távano al asno yvalo malmordiendo.
1293) Començava á comer las chicas codorniçes,
Sacar barriles frios de los pozos helyçes;
La mosca mordedorea faz' traer las nariçes,
A las bestias por tierra, abaxar las çerviçes.

Los tres "ricos omes" que siguen: mayo, junio y julio, son de intensa labor en el campo; hay de por medio entre ellos "una grand' labrança".

El refranero la refleja en un escueto guión, de completo acuerdo con Juan Ruiz en las épocas y labores fundamentales: "en abril, espigado; en mayo, granado; en junio, segado; en julio, trillado, y en agosto, encamarado" (R. Marín).

En mayo se granan los trigos y las frutas. En el almuerzo medieval se comían "figados de cabrón con rruybarbo". Para la comida, los gallos ya crecidos, y a la cena, los barbos y truchas, que todavía hoy se crían en los ríos serranos y alcarreños. Empieza a apretar el calor, que hace apetecer las habitaciones frías y da dolor de cabeza en el mediodía de los campos. Es un mes alegre y "loçano", que invita a tomar el aire en los prados de la sierra.

Son numerosos los refranes que aluden a este mes. Nos sorprende el versículo, aparentemente contradictorio, de Juan Ruiz: "buscava cassa fria é fuya de la siesta" (1289). Cejador traduce siesta por calor, pero esto no es solución convincente. Creemos que se refiere al peligro de la siesta en el campo, de la cual huye el labrador, especialmente a la sombra de determinados árboles. El refranero está lleno de advertencias en este sentido: "en la umbría entra la cirujía" (R. Marín); "a la sombra del nogal no te pongas a recostar" (Hernán Núñez, R. Marín); "a la sombra del nogal no te vengas a recostar; y a la de la higuera ni un minuto siquiera" (R. Marín); "a la sombra de la higuera no te sientes ni duermas" (R. Marín). Por otros pasajes del libro cabe deducir que Juan Ruiz hace sinónimo siesta de mediodía: "todas las animalias, el domingo en la siesta, venieron ant' él a fazer buena fyesta" (893).

Otras correspondencias:

1288) "Mayo sazona los frutos y junio los acaba de madurar; y en él se comienzan a coger y lograr" (Correas).

1288) "El mejor cepón, para mayo le compón" (Correas); "el barbo, la trucha y el gallo, todo en mayo" (R. Marín); "toro y gallo, y trucha y barbo, todo en mayo" (Correas); "cuando el sol está en León, buen pollo con pichón, y buen vino con melón" (Correas).

Junio tiene " en su mano la hoz" para segar las cebadas. Se pueden coger las brevas y las uvas agraces que embargan la voz con su ácido. Alude el Arcipreste al arroz que no creemos existía entonces tampoco en la región. Los panales y las cerezas que cita a continuación, sí son propios de la Alcarria. También en este mes se injertan los árboles "con ajena corteça".

La siega suele atribuirse en el refranero al mes de julio mas que al de junio, pero recoge la misma imagen de Juan Ruiz: "en todo el mes de julio lleva la hoz al puño" (R. Marín).

1290) "Por San Juan, brevas comerás" (R. Marín); "cuando pintan las uvas, ya las brevas están maduras" (R. Marín).

1291) "La Alcarria da dos productos: miel y brutos" (R. Marín); "en mayo a una las lleva el gallo (las cerezas) en junio, a cesto y a puño" (Hernán Núñez, Correas).

Julio es el mes de la recolección del centeno. Se tiende el trigo en las eras y se sacude la fruta de los árboles. El calor del verano invita a beber el vino frío sacado de los pozos "helyçes". Los tábanos muerden a los asnos, y las moscas hacen bajar a las bestias la cerviz. En la vega de Hita abundan en este mes "las chicas codorniçes".

La atención del refranero se concentra en la lucha secular de las moscas y tábanos con las bestias, especialmente con los asnos: "en mayo, deja la mosca al buey y toma al asno" (Vallés, Hernán Núñez, Correas, R. Marín); "cien tábanos matan a un asno" (R. Marín).

Cuarto tríptico.

1294) Tres labradores vienen todos una carrera,
Al segundo atiende el de la delantera,
El terçero al segundo atiéndele en frontera,
El que viene non alcança al otro que l'espera.

1295) El primero comía ya las uvas maduras,
Comíe maduros figos de las fygueras duras,
Trillando é beldando aparta pajas puras,
Con él viene otonio con dolençias é curas.

1296) El segundo adoba é aprieta carrales,
Estercuela barvechos é sagude nogales,
Comiença á vendemiar uvas de sus parrales,
Esconbra los rrestrojos é çerca los corrales.

1297) Pissa los buenos vinos el labrador terçero,
Inche todas las cubas como buen bodeguero,
Enbya derramar la semiente al ero,
Açércase el invierno, bien como de primero.

La última trilogía la forman tres labradores: agosto, septiembre y octubre, muy unidos y seguidos uno de otro. La recolección no da espera ante la amenaza de las tormentas que pueden destruir en un día el esfuerzo del año.

Para agosto ya están las uvas maduras, así como también los higos en las duras higueras alcarreñas. Trillar y beldar en las eras es el signo del mes, que ya anuncia el otoño con sus "dolencias y curas".

1295) "Para agosto, la primera lluvia que anuncia el otoño" (R. Marín); "calenturas otoñales, muy benignas o mortales" (Hernán Núñez, Correas); "agosto, frío en rostro" (Correas, R. Marín).

1295) "Lo que en agosto madura, en septiembre se asegura" (R. Marín); "agosto, madura; septiembre, vendimia" (Vallés); "para agosto, ni vino ni mosto" (R. Marín). El vino de uvas agraces, o vino verde, no es bien mirado por el refranero: "al que ha de madurar en agosto, en abril se le ve el rostro" (R. Marín); "por San Miguel, los higos son miel" (R. Marín); "por Santiago y Santa Ana, da vuelta a tu higuerita por la mañana" (R. Marín); "quien no trilló en julio, trilló cuando pudo" (R. Marín); "en agosto, trilla el perezoso" (Hernán Núñez, Correas).

En septiembre se preparan las cubas, se estercolan los barbechos y se sacuden los nogales. Ya se puede comenzar a vendimiar las parras. Se limpian los rastrojos, se cercan los corrales; exactamente igual que en la actualidad. Es abundante la correspondencia refranera: "al principio de septiembre apareja las cubas para vendimiar las uvas" (R. Marín); "por San Gil, nogueras a sacudir" (Callés, Hernán Núñez, Correas); "madura la uva en agosto y septiembre ofrece el mosto" (R. Marín); "por San Simón y San Judas, cogidas son las uvas" (Hernán Núñez); "no es bueno el mosto cogido en agosto" (R. Marín).

Por último, en octubre se pisan las uvas y se hinchan las cubas en las bodegas. Juan Ruiz conocía bien, y lo demuestra con evidencia en su paráfrasis de los meses, todo el proceso de elaboración del vino. Con octubre terminan y vuelven a empezar las labores del campo. Se comienza otra vez a sembrar, "açércase el invierno bien como de primero" (1297). El giro inmutable de los meses repite siempre en el campo la misma historia: "por todos los santos siembra tu trigo y prueba tu vino" (R. Marín); "por San Simón, siembra, varón; por todos los santos, con ambas manos" (Hernán Núñez, Correas).

Las labores del campo en el Libro de Buen Amor y en la actualidad

La ayuda del refranero es inapreciable para la interpretación no sólo de este pasaje, sino de todo el libro de Juan Ruiz, pero aún hay otro dato más fundamental, prueba definitiva de su regionalismo toledano para el que seis siglos de distancia no es suficiente motivo de cambio: la comparación con la actual vida campesina de la Alcarria. Naturalmente, algunos rasgos arcaicos ya no existen o nos es difícil interpretarlos sólo con la ayuda de las costumbres actuales, pero son los menos. Así sucede con la iniciación del año en el mes de noviembre o con la denominación de junio como mes de la cebada ("garagarrilla" en el calendario vasco). Sin embargo, junto a la posible penetración ibérica hay el hecho real de que es en este mes cuando se siembra en la región la cebada más corriente, es decir, la llamada caballar.

Entre las indicaciones de Juan Ruiz que no corresponden con exactitud a las actuales costumbres del campo alcarreño, destaca la época de la matanza del cerdo que él sitúa en noviembre y hoy se realiza en fecha más tardía. Este retroceso guarda estrecha relación, sin embargo, con las circunstancias del año: mayor o menor humedad, frío, etc. Algo más tardía es también la recogida de la aceituna, que corresponde hoy más a enero que a diciembre. Los olivos mejor que en abril suelen plantarse en mayo, y las viñas, devastadas por la filoxera, a fines del siglo pasado, siguen existiendo en la región, pero en mucha menor proporción, sin que ya sean habituales las faenas de elaboración del vino que describe el Arcipreste. Tampoco es hoy costumbre cavar sino arar la tierra de los viñedos, pero la época, marzo, es la misma. No corresponden muy exactamente los períodos de replanteo, injerto (en Juan Ruiz para junio y en la actualidad para abril y mayo), ni los agraces aparecen en junio, sino algo más tarde. Otro tanto sucede con la cata de los panales. Unicamente en años excepcionales puede realizarse esta labor en el mes de junio como atestigua Juan Ruiz.

Frente a estas diferencias, en parte compensadas por la reforma gregoriana del calendario, destacan por su importancia multitud de coincidencias que hacen muy evidente la continuidad tradicional. Corresponden a unas épocas semejantes la siembra y recolección del trigo y de la cebada (caballar y lahilla), centeno y avena, cereales característicos de la región; el arbelado de la mies; las labores en las viñas: de poda en febrero y amugronamiento en marzo; la pisa en octubre; la recolección de las uvas "de los parrales" para guardar colgadas durante el resto del año; las labores caseras de los criados en los meses de invierno; la recogida en estos mismos meses del ganado en los establos, huyendo del frío de las dehesas; las cabañas para guardar las viñas que se deshacen en invierno; la pesca de barbos y truchas en los ríos que bajan de la Sierra (barbos en el Henares, truchas en el Bornoba); la misma cazuela con los pollos viejos cuando ya comienzan a crecer los nacidos en febrero; la primera cata de la miel en junio en los años buenos; las primeras frutas a fines de julio (cerezas, ciruelas y perillas de San Juan); las nueces de septiembre.

La misma implacable rutina de las labores y de las estaciones sigue ordenando la vida de los pueblos alcarreños faltos del acicate innovador de la industria. Tenemos por ello a nuestro alcance la misma contemplación de escenas y costumbres que describe Juan Ruiz, y que el refranero por un camino muy semejante ha resumido en sus innumerables estampas. Buena prueba todo ello del realismo popular y también de la localización geográfica de nuestro autor.

LOS ITINERARIOS EN EL LIBRO DEL ARCIPRESTE

El estudio toponímico y geográfico se complementan con la comprobación sobre el terreno de los itinerarios descritos en el

Libro de Buen Amor. Es necesario rastrear los caminos por donde ese incansable viajero que era Juan Ruiz peregrinaba a lo largo de su vida. Indirectamente comprueba nuestra tesis inicial sobre Castilla la Nueva, y sirve como prueba del peso decisivo de las vías camineras tanto en la historia como en la literatura o en la lengua de la región. Razas, invasiones, lengua, arte y literatura coinciden en la dócil obediencia a unas mismas leyes, hasta convertir los itinerarios camineros en clave estilística. El mismo estudio de las calzadas, caminos y cañadas que nos es necesario para comprender el desarrollo histórico del Reino de Toledo, nos es igualmente indispensable para su interpretación literaria.

Los itinerarios de Juan Ruiz corresponden a las varias regiones en que vivió. Hay unos itinerarios serranos, en torno al pueblo de Ferreros, en la vertiente segoviana de la Sierra y a Sotos Albos, más a Occidente en la misma línea; otros que corresponden con las varias rutas ganaderas de la meseta que Juan Ruiz debía conocer con detalle; los itinerarios alcarreños que tienen por centro a Hita, y los toledanos que utilizan la tradicional vía romana entre Mérida y Zaragoza. Hay también algunos indicios de excursiones del Arcipreste a más alejadas regiones peninsulares: Calatayud, Andalucía y Castro Urdiales. Son muy pocas, sin embargo, las pruebas sobre estos últimos, a nuestro alcance.

Itinerarios serranos

Identificarlos es cuestión más difícil de lo que a primera vista parece. Conviene dividir las llamadas cánticas de serrana, que es la parte del libro en que están recogidos, en las dos series que en realidad las forman: de un lado las paráfrasis o composiciones en cuaderna vía, a las que llamaremos *Cánticas de Serrana,* y de otro las canciones en verso corto, o zéjeles, a las que denominaremos

Serranillas. Sólo en parte coinciden unas con otras, según puede verse en el esquema siguiente:

1.ª Cántica de Serrana

El protagonista va "a probar la sierra" (950).

Viaja en mula que pierde en el camino "pasada de Lozoya" (950-1).

No encuentra comida (950).

La fecha del viaje es precisa: día de San Meder (951) o Emeterio, pero la interpretación no es tan segura (según Cejador, el 8 de marzo; según Reyes y G. Menéndez Pidal, el 3 de marzo).

Nieva y graniza (951).

Pasa por Lozoya (951).

Pasa por "cima de ese puerto" (952). (Sin duda se refiere al puerto de Lozoya, lo que confirma la cita anterior).

Se encuentra con una vaqueriza que le detiene en una vereda estrecha, "de vaqueros" (952-4).

Pregunta a la vaquera cuáles son las joyas usuales de la tierra (955). (Parece indicar con esto que es forastero).

Le pide posada (955).

Insiste en que hace gran frío (955).

Carga la vaquera con el viajero una vez que éste promete los regalos (957-8).

Dice al final que hizo de esta aventura varias coplas (958).

1.ª Serranilla

Pasa el Puerto de Malagosto (959). (Si fuera el mismo viaje de la cántica hubiera tenido que retroceder.)

La serrana (vaqueriza) le detiene (959-962).

Va hacia Sotos Albos (960).

Le dice la pastora que pague o vuelva "por Somosierra" (962). (Es dato importante, pues parece confirmar que el viajero procede de la región norte de la Alcarria.)

Nieva y graniza (964).

El viajero ofrece regalos a la serrana (966).

Esta carga con él "la cuesta ayuso" (967).

Le lleva a su venta (968). (Se trata de uno de los varios cantares que dice el autor hizo sobre la misma aventura.)

2.ª Cántica de Serrana

Se dirige a Segovia (972).

Va de excursión a ver la "costiella de la serpiente groya" (972).

Está en Segovia tres días y se gasta el dinero (973-4). (Probablemente serían días de ferias o fiestas.)

Vuelve a "su tierra" (974).

Quiere pasar por Fuenfría en lugar de por Lozoya (974).

Pierde el camino (974).

Encuentra a una vaquera (975).

Esta le derriba con la cayada (977).

Le lleva a su cabaña (980).

Le da de comer (982-3).

Pregunta el viajero por la vereda "que es nueva" (983).

La serrana le indica dos buenos "senderos" (985).

El nombre de la serrana parece ser el de Algueva (983).

Llega el viajero, de madrugada, a la aldea de Ferreros (Otero de Herreros) (985).

Dice Juan Ruiz al final que hizo un cantar de esta aventura (986).

2.ª Serranilla

Se encuentra con la serrana (987-8).

La llama Gadea (987-8).

La encuentra a las afueras de la aldea de Riofrío (988).

Es vaqueriza (988).

La encuentra a la rivera de un río en una gran espesura (989).

Es por la mañana (989).

Ella le derriba con la cayada (991).

Le hospeda y le da de comer (992). (Sólo en parte coincide con la cántica.)

3.ª Cántica de Serrana

Es lunes antes del alba (993).

Comienza el camino (993).

3.ª Serranilla

Donde la casa del Cornejo (997).

En medio de un valle (997).

Cerca del Cornejo se encuentra una serrana "que tajava un pino" (993).

Ella le cree pastor y se deja engañar por él (994). (Dice al final que hizo "un cantar serrano"", de esta aventura.)

Era verano y día caluroso (990).

Había pasado de mañana el puerto "por sosegar tenprano" (996).

Encuentra a la serrana bien vestida (997). (No parece estar cortando leña como en la cántica.)

Le dice para engañarla que quiere casarse en la sierra (998).

No es asaltado como en otras ocasiones.

Se llama la serrana Mengua Llorente (1004).

4.ª Cántica de Serrana

Hace viento y frío (1006).

En la cima del puerto (1006).

Desciende corriendo y al pie del puerto encuentra a la serrana (1007-8).

Es yegüeriza (1008).

La serrana le lleva a "la Tablada" (1009).

Le pide alojamiento (1009).

Describe a la serrana pero no dice su nombre (1010-1020).

Dice que de esta aventura hizo tres cantares grandes, dos chanzonetas y otra "de trotalla" (1021). (Sólo conservamos un cantar grande y una "trotalla".)

4.ª Serranilla

Es cerca de la Tablada (1022).

Pasada la sierra encuentra a la serrana que se llama Alda (1022). (Aldara en el Códice de Salamanca.)

Es madrugada (1022).

Corre a la bajada del puerto (1024).

Describe a una serrana hermosa (1024). (Antítesis de la descripción que hace en la cántica.)

Le pide posada (1026).

La serrana le da de comer y le pide regalos (1029-1033).

Es día de nieve y frío (1023).

Dice el viajero que está casado "aquí en Ferreros" (1028).

Promete los regalos para su vuelta (1039).

La serrana no le da posada (1040-42).

De la comparación de estas varias composiciones y sobre todo de la comprobación de los datos geográficos citados por Juan Ruiz con la actual toponimia castellana, pueden deducirse algunas conclusiones bastante seguras. En primer lugar puede afirmarse que son diversos los viajes del Arcipreste por la Sierra, y no una excursión como creen Alfonso Reyes, G. B. Quirós y G. Menéndez Pidal. Son diversos los puertos, las direcciones y el tiempo de cada relato; es excesivamente largo el itinerario, y demasiado precisa la localización geográfica.

No es nada aventurado suponer que nos faltan varios de los cantares que el propio Arcipreste afirma haber compuesto. Sólo calculando sobre los propios datos de Juan Ruiz serían catorce en lugar de los ocho que se conservan, y cabe pensar, dado el carácter antológico del *Libro,* que habría superado ese número. Hay, pues, que contar con otras "excursiones" cuyos datos no han llegado a nosotros.

No se corresponden sino aproximadamente las cánticas con las serranillas, ni coinciden siempre las pastoras protagonistas de unas y otras, a las que el Arcipreste suele llamar por un nombre que puede ser real o figurado. Los recuerdos autobiográficos se combinan con las formas convencionales, poéticas, dentro de una fórmula muy característica, pero que siempre está fundada en un intenso conocimiento de los rasgos locales.

La ermita de Sancta María del Vado

Entre las referencias geográficas que van puntualizando los itinerarios de las cánticas y serranillas, destaca por su indudable personalismo y por encerrar la clave de la final dirección del Arcipreste a "su tierra", el "ditado a Santa María del Vado". Dice el texto que cuando salió "de todo este rroydo", es decir, del conjunto de aventuras pasadas, el protagonista fué a tener vigilia a la ermita de Santa María del Vado (1044).

La localización de esta ermita no ha sido seriamente intentada. Alfonso Reyes [34] se conforma con atribuirla al pueblo del Vado, en la provincia de Guadalajara, al pie del Pico Ocejón, a unos 45 kilómetros al norte de Hita. Gonzalo Menéndez Pidal [35] sitúa la ermita al pie del pueblo de Guadarrama. No da ninguna justificación precisa de esta afirmación ni hemos podido comprobar la existencia en el término de ninguna ermita con la advocación indicada ni datos sobre ella. Naturalmente, son innumerables los rastros de ermitas campesinas en cualquier zona peninsular, sin que ello tenga mayor trascendencia. La tesis general que está en la base del itinerario "único" de G. Menéndez Pidal, parece ser el principal argumento de esta localización.

El Vado

En la actualidad el pueblo del Vado está semisepultado por el pantano del mismo nombre, y su total desaparición será cuestión de pocos años. En las afueras, a unos 200 metros, todavía pueden verse las ruinas de una ermita de estructura románica y con todo el aspecto de haber acogido un culto intenso. Los últimos habitantes del pueblo la recuerdan de siempre en el estado actual y no tienen una idea clara de su advocación.

La situación del Vado al norte de Hita, casi al pie del Pico Ocejón, en uno de los pasos de Somosierra, corresponde bien con la referencia de Juan Ruiz. Según el *Diccionario,* de Madoz (artículo sobre El Vado), había "una ermita en el barrio de La Vereda (la Concepción); otra en Matallana (San Juan Bautista), y otra fuera de poblado, aunque muy inmediata (Nuestra Señora de las Angustias)". Esta última es la que corresponde a las ruinas que hemos descrito.

---

[34] *Juan Ruiz, Arcipreste de Hita: Libro de Buen Amor.* Edición, prólogo y notas de Alfonso Reyes, Madrid, Calleja, 1917, pág. 281.

[35] *Los caminos en la Historia de España,* pág. 60.

Otro dato interesante es la inmediata proximidad del Convento de Bonaval, en el término del vecino pueblo de Retiendas, y que bien podía tener relación con la misión de Juan Ruiz en sus viajes.

Cabe sin duda la posibilidad de que Juan Ruiz regresara desde tierras de Segovia (desde el pueblo de Sotos Albos sería en este caso la más probable dirección), y cruzase por Somosierra para descender pasando por el pueblo del Vado hasta llegar a Hita. Alcalá o Toledo quedarían descartados de este itinerario.

Otra posible localización

En el capítulo X (no en el V como afirma Cejador), libro II, del *Libro de la Montería,* de Alfonso XI, aparece una referencia que puede tener también alguna probabilidad aun cuando menor que la indicada del Vado. Se trata de una obra coetánea del *Libro* de Juan Ruiz, y además tiene el *Libro de la Montería* una minuciosidad geográfica insuperable. La descripción de los montes de la Sierra revelan un conocimiento palmo a palmo del terreno y los toponimos citados son absolutamente verídicos.

Dos son las referencias a Sancta María del Vado en el *Libro* de Alfonso XI. Pertenecen ambas al capítulo que titula: "De los montes de tierra de Segovia, et de Manzanares, et de Val de Lozoya", y están situadas en la descripción de los lugares pertenecientes al Real de Manzanares, muy próximos al actual pueblo del mismo nombre. La primera referencia es ésta: "La Dehesa de Sancta María del Vado es buen monte de puerco en ivierno, et en tiempo de panes".

Veinticuatro líneas más adelante dice así: "la Cabeza de Yescar, et la Texera, que es cabo de Manzanares, es buen monte de puerco en todo tiempo. Et es la voceria por cima de la cumbre de la sierra. Et son las armadas, la una a Sancta Maria del Vado, et la otra al Colladiello del Carrascal, et otra voceria allende el rio".

En la primera cita se refiere expresamente a una dehesa; en esta segunda parece aludir a un lugar mucho más preciso. Entre ambas citas aparece otra muy interesante: "et son las armadas en el rio, la una de yuso de Viñuelas en derecho del Soto, et la otra al Hermita, et las dos son encima de esta Hermita, catante el rio". Esta referencia concreta a una ermita, excepcional a lo largo del *Libro,* parece confirmar que era lugar muy conocido. La ampliación al nombre de la dehesa de Sancta María del Vado es también indicio de que un culto de esta naturaleza podía estar situado en las proximidades.

Hemos recorrido detenidamente los dos lugares en que Juan Ruiz pudo tener "vigilia". Por una curiosa circunstancia, ambos están hoy más o menos desfigurados por embalses (la presa de Santillana y el pantano del Vado). Tanto uno como otro eran vegas "al pie de la sierra", muy a propósito para un descanso después de los azares y aventuras por la sierra, como dice Juan Ruiz: "desque salí de todo aqueste rroydo" (1043) [36].

Son indicios de la primera situación de la ermita (en el actual embalse de Santillana) el topónimo "Cabeza Yescas" citado en la *Montería,* y la existencia en las inmediaciones de un "camino de la tejerina" y de un "camino al vado de las carretas". En este caso, el itinerario del Arcipreste procedería del puerto de Navacerrada o de la Fuenfría y se dirigiría al interior de la Meseta, con tendencia a poblaciones como Guadalajara o Alcalá.

La atribución al pueblo del Vado, aparte del indicio muy claro que supone la existencia de una ermita románica, tiene a su favor la proximidad con Hita. En este caso, Juan Ruiz habría podido pasar por Somosierra en dirección a Buitrago, según la vaquera le aconsejaba. Su procedencia sería Sotos Albos.

---

[36] En el Guadarrama, debido a su estructura, hay muy pocos valles: el del Lozoya, el del río Moros y el del Samburiel, principalmente.

Itinerarios ganaderos

Es evidente que Juan Ruiz conocía varios itinerarios de la Mesta. El viajar siguiendo las cañadas era norma habitual en su época, y en determinadas circunstancias necesidad indispensable. Desde Ferreros o desde cualquier otro punto de la Sierra podía también Juan Ruiz observar el doble paso anual de los rebaños, y bien por recuerdos propios o por relatos de los pastores tener clara noticia de los prados y pueblos extremeños; de Trujillo, Cáceres o Medellín; del valle de la Alcudia y del campo de Calatrava.

En el viaje de Don Carnal y de su libertador, el Rraby Acebin, hay una clara referencia a la cañada real segoviana, entre Segovia y los prados de Extremadura y Calatrava. Punto esencial de esta ruta era, y sigue siendo, el Campo Hazálvaro (1187), cruce de las dos cañadas reales, segoviana y leonesa, rodeado por majadas, descansaderos y corrales. Está situado en el término del Espinar, y "es terreno comun y baldio, abierto para los ganados trahumantes". Su cita en el *Libro de Buen Amor,* en lugar destacado, corresponde con su importancia en la red ganadera y confirma la buena documentación de Juan Ruiz.

Valsavin (1187), los puertos de la Tablada (1009-1022) y Somosierra (962), Valdemoriello (1186) y Valdevacas (1197), citados también en el *Libro de la Montería* (L. II, cap. X), son lugares del itinerario bien conocidos por los pastores trashumantes de tierras de Soria y de Segovia.

Muy expresiva es la precisión con que señala Juan Ruiz los puntos principales de "extremo" de las cañadas segoviana y leonesa, es decir, Alcudia y Calatrava, que revela a un conocedor directo.

El primer itinerario corresponde a la zona occidental de la cañada real leonesa, que recoge los ganados de los extremos de Cáceres, de los prados de Medellín y Trujillo. Desde el extremo de Medellín sube la cañada a que Juan Ruiz se refiere hasta el partido de Logrosán, sigue por los de Trujillo y Navalmoral hasta Puente del Arzobispo, donde enlaza con otro ramal de la cañada que viene del puerto de San Vicente.

Sigue esta cañada por el actual partido de Talavera de la Reina, ya en la provincia de Toledo; pasa por el partido de Cebreros, en la de Avila; por el de San Martín de Valdeiglesias, en la de Madrid; vuelve otra vez en la provincia de Avila, por el Tiemblo y Navalperal de Pinares, hasta enlazar en el Campo Hazálvaro con la cañada segoviana.

El otro itinerario a que parece referirse Juan Ruiz en el Combate de Don Carnal y Doña Cuaresma, corresponde a la cañada soriana, citada en el *Libro de la Montería* con el nombre de "cañada de los Caballeros".

Tercer itinerario a que también parece aludir Juan Ruiz es el de la cañada castellana, que desde el valle real de la Alcudia y campos de Calatrava sube hacia la serranía de Segovia. En la provincia de Ciudad Real, término de Alcolea, se dividen dos: la segoviana, que entra en la provincia de Toledo (Navahermosa, Toledo, Vargas, Torrijos, Illescas), pasa por la de Madrid (Villanueva de Perales, Valdemorillo, citado por Juan Ruiz, Galapagar, Manzanares, Miraflores, Lozoyuela, Buitrago y Somosierra), hasta llegar a la serranía de Segovia y distribuirse por los partidos de Sepúlveda y Riaza.

Otros itinerarios probables

Desde Hita, su residencia más habitual, ya hemos visto cómo podía el Arcipreste dirigirse a tierra de Segovia por los caminos muy numerosos que cruzaban la Sierra por los puertos de Somosierra, Malagosto o Lozoya, y desviándose más al Oeste, por los de Fuenfría y Navacerrada. También serían frecuentes sus viajes, siguiendo el curso de la calzada, a Guadalajara, Alcalá y Toledo.

Hay la probabilidad de que su viaje a Alcalá y a otros puntos que no cita de la ribera del Henares indiquen su nacimiento en esta región. Parece también deducirse que en este viaje vendría de Castro Urdiales.

Dentro de la no muy extensa zona que debió visitar el Arcipreste en una u otra ocasión de su vida, figura Sevilla y buena parte de Andalucía, la cual, nos dice, recorrió "en eyvernada" (1304). También debió conocer Calatayud, Talavera y Oropesa, a donde iría, como es natural, por la antigua calzada de Mérida a Zaragoza.

Resumen

En los varios itinerarios de Juan Ruiz sólo cabe establecer unas direcciones más probables, fundadas en los propios datos del texto, adaptadas a las rutas y a las posibilidades camineras de la época.

Los puntos principales, es decir, aquellos en los que el protagonista y autor debió residir en las varias épocas de su vida, son, a nuestro juicio: Hita, Alcalá, Toledo, Sotos Albos, Ferreros, y quizá también Valdevacas, "nuestro lugar amado" (1197), en la misma provincia de Segovia.

Por calzadas y cañadas, a través de veredas ganaderas y pequeños caminos de la Sierra fué recorriendo Juan Ruiz la región de Castilla la Nueva que describe en su *Libro*. Confirma su fiel geografía el *Libro* contemporáneo de Alfonso XI, los itinerarios romanos, las cañadas de la Mesta, inalteradas hasta fecha reciente, los puertos y collados serranos, que todavía persisten. Bien puede decirse que el *Libro de Buen Amor,* completo panorama literario y geográfico de Castilla la Nueva, sigue todavía hoy vigente en los aspectos fundamentales.

Cómo para cualquier reconstrucción de antiguos itinerarios peninsulares es un dato esencial el fijar con exactitud los pasos montañosos. Todos los puertos cruzados por Juan Ruiz persisten hoy con el mismo nombre, excepto el que él llama puerto de la Tablada. Por fortuna, el *Libro de la Montería* es muy concreto al señalarlo, así como también es clara la toponimia menor que le rodea. Dice el *Libro de la Montería* que "el monte del puerto de la Tablada et el puerto de la Fuente Fría es todo un monte" (II, pág. 169), y más adelante añade: "La Garganta de Ruy Velázquez es muy buen monte de oso, et de puerco en verano. Et son las vocerías, la una desde Monton de Trigo por el collado de la Chiva fasta el puerto de la Tablada: et la otra al collado de Mojapan: et la otra por la cumbre del Quintanar ayuso fasta la Cruz" (ídem). Todos los topónimos citados son fáciles de comprobar en la actualidad, así como también es muy clara, sobre el terreno, la disposición de las vocerías que irían bajando la caza hacia el valle. Era, pues, la Tablada, aunque con distinta orientación caminera, el actual puerto de Guadarrama.

Cuestión siempre incierta es el destino final de los viajes de "vuelta a su tierra" de Juan Ruiz. Hita, en primer lugar, y después Alcalá y Toledo, son los objetivos más probables, si bien pudo dirigirse a uno y otros en los varios viajes que, sin duda, realizó.

Destacamos en el plano adjunto las vías romanas, cañadas y caminos medievales que pudo utilizar, así como también los varios monasterios que pudieron servirle de escala, dada su probable relación con órdenes religiosas.

También aparecen señalados en nuestro plano aquellas villas, hoy yermas o en camino de serlo, como Beleña, que fueron, sin duda, bien conocidas por el Arcipreste.

Dentro de la aparente inseguridad que estos itinerarios plantean destaca el gran realismo de su geografía, que confirma la impresión general que produce el texto: un intenso viajar de Juan Ruiz por el limitado contorno del Reino toledano, en especial por la sierra segoviana y por la Alcarria.

LOS ITINERARIOS DE SANTILLANA, "LA CELESTINA", "EL LAZARILLO DE TORMES" Y EL "QUIJOTE"

El interés por el paisaje local, descrito con un realismo directo sin apenas presión literaria, no es exclusiva de Juan Ruiz, sino que forma parte de la tradición estilística castellana. Tampoco puede considerarse privativo, en rigor, de la tradición toledana, pues hay obras, como el *Poema del Cid,* en que la preocupación geográfica es muy intensa. Cabe pensar, no obstante, en uno de tantos influjos mozárabes como aparecen en el *Poema,* cuyo autor o copista es de una zona fronteriza entre ambas Castillas. Sorprende, en todo caso, la presencia de topónimos indudablemente alusivos al *Poema* en las descripciones del *Libro de la Montería* y situados en la región de Cadalso y Valdeiglesias: se cita la "Cabeza del Cid" (II, 144), y en varias ocasiones la "Cabeza de Perabat" (II, 130) o "Per Abbat" (II, 146).

La fuerte atracción de esta imagen del campo, árido y grandioso, de la Meseta, sella de modo inconfundible las obras de los autores que viven en ella y que insisten en reproducirla. Los protagonistas deambulan, obsesionados y solitarios, entre un cielo y una tierra de horizontes ilimitados. Se impone, por ello, reconocer al paisaje el puesto de protagonista que le corresponde en estas obras.

El Marqués de Santillana

Los itinerarios que aparecen en las Serranillas del Marqués de Santillana sólo en parte corresponden con las de Juan Ruiz. El Marqués era viajero de más variados y amplios caminos que el local y andariego Arcipreste. No obstante, son interesantes sus coincidencias y su común interés por el realismo topográfico y por la clara localización de varias de sus aventuras en la Sierra.

Dejando a un lado las serranillas aragonesas, del Moncayo, son dos las zonas de "serranas" del Marqués que nos interesan: la "fronteriza" de la Finojosa y la que rodea al castillo-palacio del Marqués en la vertiente sur de la Sierra de Guadarrama.

La "frontera" a que alude el Marqués, nos aleja, dada la situación militar de la época, de la zona toledana. Son tierras andaluzas, de Sierra Morena, en el camino entre Córdoba y Toledo. Podemos concretar varios de los topónimos que cita el Marqués: Finojosa (Hinojosa del Duque); Santa María (Villar de Santa María). Sigue Santillana la Vía del Calatraveño, es decir, el camino medieval que guarnecido por la poderosa fortaleza de Calatrava la Nueva, pasaba el Puerto del Calatraveño (Sierra Morena) y enlazaba Córdoba con Toledo. Se podían seguir varios ramales casi paralelos, y al igual que su maestro, Juan Ruiz, Santillana pierde la "carrera" para encontrar a su serrana en un "verde prado de rosas é frores". Todo más lírico y más delicado, pero más vulgar.

La otra zona, del Guadarrama, es en Santillana más reducida que en Juan Ruiz: Rivera del Samburiel, a lo largo de la Maliciosa y fuentes del Manzanares. Matalpino, Boalo y Lozoyuela son los pueblos que cita el Marqués. La actualmente llamada Cabeza de Hierro puede ser la que él llama Berzosa. Con todo, es fácil localizar hoy el paisaje de las Serranillas en las inmediaciones de Manzanares el Real y en las del río Lozoya.

"La Celestina"

En *La Celestina* no existen problemas de caminería, sino de localización de la ciudad o ciudades en que se desarrolla la acción; de las calles, casas e iglesias que se citan en el texto.

La Celestina constituye una excepción, al menos en ciertos aspectos, al paisajismo de nuestros autores. Su ambiente no es el del campo, sino de la ciudad. Y no es nada fácil determinar a qué ciudad corresponde la acción. Es preciso contar con influjos renacentistas y con precauciones frente a la censura, que desfiguran los datos reales.

Considero intencionado por parte de sus autores, y en especial de Rojas, la mezcla confusa de referencias locales. La "ciudad", escenario de esta obra, es una arquetipo de villa castellana; no es una localidad única y concreta la que le sirve de modelo. En ella se resumen los rasgos fundamentales siguientes: ciudad universitaria, situada en un fuerte declive, con río al pie, de industria ganadera y agrícola, con puerto en que los navíos de cierta importancia puedan ser contemplados. De acuerdo con los primeros datos, podría referirse a Toledo o Salamanca, pero sólo forzando la imaginación cabe situar la escena de los barcos en el Tajo o en el Duero a su paso por las dos ciudades castellanas. Habría que pensar en Lisboa o Sevilla, que se alejan radicalmente en otros aspectos.

Hay una cita concreta a la calle del Arzediano que, sin embargo, es topónimo muy genérico; las huertas con altos muros, así como "las tenerías en la cuesta del río" son propias de varias ciudades importantes de ambas Castillas en las orillas del Tajo y en las del Duero.

En conjunto, creo bien manifiesto el deseo de los autores de confundir la localización de su obra, si bien la imagen de Toledo, su ciudad de origen, y en segundo lugar la de Salamanca, en que estudió Rojas, constituyen el ambiente general, combinado con posibles recuerdos de ciudades costeras, como Sevilla.

"El Lazarillo de Tormes"

La zona toledana del *Lazarillo* es más occidental que la de Juan Ruiz, y bastante semejante a la de *La Celestina*. Mientras para el Arcipreste el punto de contacto con Castilla la Vieja era Segovia, para los otros dos autores son la tierra y la ciudad de Salamanca las que enlazan ambas Mesetas.

El itinerario de Lázaro desde la aldea de Tejares, junto a la ciudad de Salamanca, hasta llegar a Toledo, en donde transcurre la parte más extensa de la acción, está descrito con absoluta veracidad, especialmente en el tramo del trayecto en torno a Escalona y Almorox. Escalona, villa que debía ser muy bien conocida por el autor, y en la que hace Lázaro una larga estancia, Torrijos, Maqueda y, por fin, Toledo y su región de la Sagra forman el escenario de la primera parte del *Libro*. Queda en sombra, hasta el punto de hacer sospechar que lo desconoce o bien que sólo lo ha recorrido en un rápido viaje, el resto del itinerario hasta Salamanca. Sin embargo, corresponde a la ruta habitual y frecuentísima en la época entre Toledo y Salamanca, y que desde Almorox pasaba por la Venta de Guisando y el puerto de Cebreros.

La precisión geográfica del *Lazarillo* es tan extremada, que nos permite reconstruir algunas de sus escenas sobre el sitio mismo en que su autor las imagina. A título de ejemplo, podemos ver la famosa escena en que Lázaro, para vengarse del ciego, le hace saltar y estrellarse con un pilar en la plaza de Escalona. Para esta reconstrucción contamos con los siguientes datos tomados del libro: Lázaro y el ciego se encuentran en la villa de Escalona, procedentes de Salamanca. Se alojan en un mesón. El ciego ha mandado en una ocasión a Lázaro a comprar vino a la taberna. Permanecen en la villa durante varios días. Uno de ellos sale, como de costumbre, a pedir limosna. Había llovido mucho la noche anterior, seguía lloviendo, y el ciego se colocó a "rezar" debajo de unos soportales. Se hace de noche, y como sigue lloviendo deciden volver a la posada. Pero para llegar a ella tenían que cruzar un arroyo que venía muy crecido. Lázaro dice al ciego que ve un sitio por donde el agua se estrecha mucho y se puede pasar "a pie enjuto". Lázaro saca al ciego de debajo de los soportales; le sitúa frente a un pilar o poste de piedra de los que sirven para sustentar los saledizos de las casas, mientras él se sitúa detrás del poste. "¡Sus! saltá todo lo que podais, porque deys deste cabo del agua", dice Lázaro. Salta el ciego y se estrella con el poste, mientras Lázaro corre a la puerta de la villa. Antes de la noche llega al vecino pueblo de Torrijos.

En la actual plaza de Escalona siguen existiendo las casas con saledizos, sostenidos por pilares que forman largos soportales en dos lados de la plaza. Algunas casas han sido reformadas, adelantando la fachada y conservando los pilares en el interior. En otros casos las nuevas construcciones prescinden del soportal. Los pilares proceden en su mayoría de las ruinas del castillo, y no se puede atribuir a su actual situación más de siglo y medio o dos siglos de antigüedad.

Pero en la acera donde está el Ayuntamiento, y separada de él por un estrecho callejón, hay una casa de fachada muy pequeña y de una sola planta. Su saledizo está soportado por dos pilarones de un grueso excepcional, que contrasta con su pequeña altura. Uno de ellos, deteriorado por el tiempo, fué revestido de cemento hace unos años. El otro, que sostiene la esquina de la casa, está casi intacto.

La antigüedad de esta casa es, según todas las noticias, la mayor entre todas las construcciones de la plaza, y puede, sin dificultad, remontarse al tiempo de la redacción del *Lazarillo*. Pero viene a confirmar nuestra hipótesis otro dato importante. Por la plaza de Escalona no pasa habitualmente arroyo ninguno. Sólo en tiempo de lluvias el declive hace que se forme el reguero a que alude el *Lazarillo*. Reguero que se estrecha al llegar al callejón en que hace esquina la casa a que nos referimos. La construcción de la escena nos lleva casi inevitablemente a este mismo punto. Lázaro y el ciego que han salido de los soportales y tienen que cruzar el arroyo que corre por el callejón se encuentran ante el grueso pilar, cuya extraordinaria anchura no sólo asegura a Lázaro que el ciego acertará a darse contra él, sino que le permite esconderse detrás.

Naturalmente, que con esta reconstrucción no pretendemos dar como escena real la que se nos presenta en el relato novelesco. Lo que indudablemente sí podemos pensar es que el autor situó en este escenario la acción. El excepcional realismo de su retina reunió toda una larga serie de imágenes concretas y bien localizadas: la plaza de Escalona, sus saledizos, el arroyo de los días de lluvia, el enorme pilar desproporcionado en la esquina de la calleja, la escena cotidiana del ciego mendigo. No entraba en el estilo del autor inventar lo que tan fácilmente tenía a la vista.

Las referencias en el *Lazarillo* a otros puntos del itinerario entre Salamanca y Toledo son breves, pero muy exactas. Se conserva en la actualidad casi el mismo trazado que tenía este camino en el siglo XVI, y que aparece reproducido en el *Repertorio*, de Villuga. Persisten los viñedos al borde de la carretera, que justifican la conocida escena de las uvas, y siguen siendo presa fácil para cuantos pasan por su lado bajo un sol implacable [37].

[37] Una canción popular recoge con malicia esta misma idea:

Ni viña junto al camino,

Maqueda, escenario del Tratado segundo, tiene poco relieve en el texto. Alude el autor a la costumbre" en esta tierra" (página 114) de comer cabeza de carnero los sábados, si bien no parece ser exclusiva de ella [38].

Itinerarios del Lazarillo en Toledo

Al llegar a la ciudad de Toledo, la precisión topográfica del autor toma nuevos bríos, confirmando su más que probable toledanismo. La estampa de la vieja ciudad inalterable se hace viva, enteramente actual en las páginas del Tratado tercero y en las del Tratado sexto, que describen el definitivo asiento de Lázaro con el Arcipreste de San Salvador.

El caseron desmantelado en que vive Lázaro con el escudero no es posible localizarlo con exactitud siguiendo los datos del texto, pero indirectamente está bien indicado. Cuando el escudero va a misa, según dice el libro: "súbese por la calle arriba..." (pág. 161), con lo cual nos sitúa en una de las empinadas vertientes toledanas. En una pasaje anterior nos ha indicado que al salir de la iglesia mayor, en dirección a su casa, iba "por vna calle abaxo" (pág. 150). Debía estar alejada de la iglesia, ya que, dice, había oído la misa de once y caminando "a buen passo tendido" llegaron a la casa cuando "dio el relox la vna después de medio dia" (pág. 151). Más adelante añade otro dato muy terminante: "de aqui a la plaça ay gran trecho" (página 157). A la mañana siguiente el escudero envía a Lázaro a buscar agua al río "que aqui abaxo esta" (pág. 161), mientras él sube "por la calle arriba", con todo lo cual se van completando y confirmando los datos anteriores.

Ni muchacha de mesón,
Ni caserita de cura,
No la tomaría yo.

[38] Julio Cejador (Ed., pág. 114, nota 3) relaciona esta costumbre con los famosos "duelos y quebrantos", y la atribuye también a la Mancha.

No se olvida el autor de caracterizar la calle "larga y angosta" (pág. 164), ni las orillas del río (próximo), a donde baja a buscar agua Lázaro y por donde pasea el escudero a sus "conquistas rebozadas", y que, como ahora, estarían sembradas de huertas. El paseo y las meriendas a la orilla del Tajo están bien atestiguados en otros textos contemporáneos [39].

El puntual realismo con que el autor nos sitúa en el ambiente toledano, culmina en el episodio de Lázaro con el entierro (págs. 183-6). Los rasgos fundamentales coinciden con todo lo anterior. Lázaro, en posesión de su milagrosa fortuna, sube corriendo la calle "para la plaça" cuando ve venir a su encuentro un muerto "que por la calle abaxo muchos clérigos y gente en vnas andas trayan". Lázaro se arrima a la pared "para darles lugar" y oye decir a la viuda que van "a la casa triste y desdichada, a la casa lóbrega y obscura, a la casa donde nunca comen ni beuen". Aterrado, deja el camino que lleva y vuelve "por la calle abaxo" a buscar refugio en su amo. Todavía hoy por las calles de la Sillería y del Cristo de la Luz nos encontramos al paso de los entierros, que bajan de la parte alta al cementerio, en una situación parecida, y hemos de pegarnos a las paredes de las estrechas callejas toledanas y sumirnos por fuerza en la más detallada intimidad de los duelos familiares.

Realmente no es fácil de comprender ante el alarde descriptivo de estos pasajes cómo don Angel González Palencia [40] pudo afirmar que el autor apenas conocía Toledo y lo describió desdibujado e impreciso. Tampoco vemos la razón de que, según

---

[39] En el *Cancionero* de Horozco también se alude a los almuerzos "en una guerta una mañana a la orilla del Tajo". Cita que utilizan J. Cejador (Ed., pág. 165, nota 4), y con mayores argumentos F. Márquez Villanueva, *Sebastián de Horozco y el Lazarillo*, en R. F. E., 1957, XLI, págs. 253-339, para atribuir a Horozco la autoría del *Lazarillo*.

[40] *Leyendo el "Lazarillo de Tormes". Notas para el estudio de la novela picaresca*, Madrid, 1944.

dice, fuese la bajada del Pozo Amargo el lugar forzoso de la casa del escudero, debido a estar cerca del río. Precisamente creemos que es el lado contrario de la ciudad, hacia la vega, donde el autor sitúa más o menos idealmente la famosa casa.

Otros varios indicios del toledanismo del libro son, aparte de las indicaciones generales que siempre señalan a Toledo como el lugar presente del autor: "en esta insigne ciudad de Toledo" (pág. 147); "de esta insigne ciudad de Toledo" (página 241); "venir a tierra de Toledo" (pág. 91), el claro y directo conocimiento de las costumbres locales [41].

Y termina su peregrinación el Lazarillo asomándose a tierras de la Mancha, con lo que parece anunciar el gran itinerario cervantino.

El "Quijote"

La atención de Cervantes hacia el paisaje y su interés por dar realismo a los itinerarios de Don Quijote ha sido observado hace tiempo por la crítica cervantina. Ya en la edición de la Real Academia Española (Madrid, J. Ibarra, 1780), aparece un itinerario del geógrafo don Tomás López, según las indicaciones de don Joseph de Termosilla. Se titula *Mapa de una porcion del Reyno de España que comprende los parages por donde anduvo Don Quixote y los sitios de sus aventuras,* y es conocido como "Itinerario de la Academia".

Un segundo itinerario aparece en la edición del *Quijote* de don Gabriel Sancha (Madrid, 1797, v. VIII). Fué delineado por Manuel Antonio Rodríguez, según la orientación de don Juan Antonio Pellicer. Se titula *Carta geográfica de los viages de Don Quixote y sitios de sus aventuras.*

Sobre los datos de estos itinerarios está fundado el libro, muy divulgado, de Fermín Caballero, *Pericia geográfica de Miguel*

---

[41] F. Márquez Villanueva, *op. cit.*, págs. 266-269.

de Cervantes, demostrada con la Historia de Don Quijote de la Mancha (Madrid, 1918).

Desde el siglo pasado es habitual acompañar las ediciones del *Quijote* con itinerarios de este estilo. Destaca entre ellos el de Otto Neusel, titulado: *Itinerario de los parages recorridos por Don Quijote y sitios renombrados de sus memorables aventuras* (Edición de la Biblioteca Universal Ilustrada. Madrid, 1875, v. I).

Más modernamente destacan dos trabajos de José Terreros: *Itinerario del Quijote de Avellaneda y su influencia en el cervantino* (Anales cervantinos, 1952, v. II, págs. 159-191), y una conferencia con el tema *Cervantes y el Quijote. La ruta de las tres salidas,* en los cursos para preuniversitarios de 1958-1960, en Madrid. Estos son, hasta la fecha, los esfuerzos más eficaces en la reconstrucción de los itinerarios quijotescos [42].

En el *Quijote* culmina la preocupación paisajista de los autores toledanos. Cervantes, como Juan Ruiz, está familiarizado con la vida en los caminos. Al acabar su vida y su gran libro, no sólo conoce palmo a palmo una gran parte de la Meseta, sino también la región manchega y la andaluza. La atención literaria se desplaza hacia el Sur; Castilla la Nueva se desliza insensiblemente hacia el andalucismo, siempre amenazante en su historia. La Mancha, que establece la transición entre las dos regiones, es el escenario escogido por Cervantes para librar la gran batalla entre idealismo y realismo, caballeresca y picaresca, viejo y nuevo castellanismo. El recuerdo siempre presente en los campos de Montiel y Calatrava de las grandes batallas de la Reconquista seguramente le sugirieron, en sus múltiples viajes, la idea de trasladar al campo dialéctico y novelesco la gran

---

[42] Véase sobre el mismo tema: J. GARCÍA MORALES, *La geografía y los mapas del Quijote* (Ejército, septiembre 1947).—ANTONIO C. GABALDÁ, *La ruta de Don Quijote. Comentarios* (Barcelona, 1941).—AZORÍN, *La ruta de Don Quijote* (Madrid, 1905).

polémica histórica española. El mismo pudo en algún momento sufrir el espejismo quijotesco e imaginar que las nubes de polvo que cubren a los rebaños escondían un ejército musulmán.

Una curiosa correspondencia, no bien utilizada hasta la fecha, es la que fácilmente se observa entre la ruta quijotesca y la que describe Villuga, entre Toledo y Córdoba y entre Toledo y Albacete. El enorme número de ventas (diecisiete entre Almodóvar y Adamuz) nos confirma la razón de ser de los clásicos escenarios cervantinos. A pesar de su incomodidad, las aventuras y los inesperados encuentros y diálogos en las ventas eran una de las más apasionantes diversiones de la época. La región manchega y la de Sierra Morena, en donde los alojamientos en pueblos escaseaban, eran tierra de ventas que Cervantes conocía muy bien. En la caminería de Villuga se encuentra, sin duda, la solución de varios de los problemas que todavía plantea la ruta de Don Quijote.

Capítulo VI

EL DIALOGO; CLAVE ESTILISTICA DE CASTILLA LA NUEVA

Ninguna diferencia estilística, fundada en la caracterización del lenguaje, tiene tanta trascendencia como la oposición entre el diálogo y la narración. Todos los sistemas lingüísticos sufren una transformación profunda al pasar de una a otra estructura. Son diferentes las formas verbales (pasados de indicativo, subjuntivos, gerundios), predominantes en la narración, de las que predominan en el diálogo (presentes, antepresentes, imperativos, futuros, infinitivos). Los pronombres han de desdoblarse en una doble serie de tratamientos coloquiales, cuyo fin es dar al interlocutor su debida jerarquía social, ajustada a matices extraordinariamente delicados. Los procedimientos de coordinación y subordinación, que aparecen rigurosamente ordenados en la forma narrativa, se rompen y eliden al pasar al campo infinitamente más flúido y libre del diálogo.

Pero no se limitan a estos rasgos, más o menos morfológicos o sintácticos, las diferencias entre el diálogo y la narración, sino que alcanzan de manera fundamental a la entonación, en sus múltiples matices interrogativos y exclamativos, que en la lengua coloquial tienen su campo propio y dan origen a gran número de variantes.

Habituados por una técnica gramatical de muchos siglos de tradición, no percibimos en su exacta medida la distinta perspectiva de una narración, organizada de manera lógica, sobre una simple cadena hablada, y la afectiva ordenación del diálogo, que combina y alterna, en una compleja síntesis de palabras, gestos y situaciones, tantas cadenas habladas como interlocutores intervienen en él.

La adaptación del diálogo desde su terreno propio y natural, es decir, la lengua hablada, a la más rígida organización de un texto literario, ha supuesto un difícil problema, que sólo muy lentamente ha encontrado solución, sin que todavía hoy pueda afirmarse que la adaptación sea perfecta. Los pasajes coloquiales, incrustados en los textos narrativos, pierden gran parte de su forma característica, y se desfiguran al encuadrarse en un sistema lógico y uniforme, que sólo en parte les corresponde. Incluso en el detalle más elemental y en apariencia sencillo, como es el mecanismo de unión, o paso de la estructura narrativa a la coloquial, han sido necesarios lentos y vacilantes esfuerzos, fáciles de reconocer en nuestra historia literaria. El estilo directo, con sus monótonas formas de introducción (*dijo, habló, diciendo,* etc.), se ha ido combinando lentamente con el indirecto, procedimiento más próximo al régimen narrativo. Las primeras tentativas, los ensayos indecisos de esta técnica combinada son peculiares de los textos primitivos. Alfonso X y la prosa didáctica de don Juan Manuel son ejemplos adecuados.

La repercusión de esta fundamental diferencia entre diálogo y narración, en la caracterización de los géneros literarios, no ha sido tenida en cuenta lo necesario. Entre la novela y la comedia hay una larga serie de grados intermedios, que en su esencia están determinados por el predominio, mayor o menor, de una u otra estructura. Sólo teniendo presente esta alternancia adquieren sentido obras como el *Libro de Buen Amor* (miscelánea lírico-narrativa-coloquial), *La Celestina* (comedia narrada), *El Quijote* (diálogo novelado), etc. Para la comprensión estilística de la literatura de Castilla la Nueva aún es preciso contar con un tercer esquema: el monólogo. Sus campos literarios son la lírica y la autobiografía, y podría reducirse, teóricamente, a una estructura coloquial: diálogo del autor consigo mismo o con el lector; pero los problemas prácticos que plantea aconsejan dedicarle atención independiente. De acuerdo con la estructura del monólogo han de interpretarse fundamentales aspectos del *Libro de Buen Amor,* del *Lazarillo* y del *Quijote.*

La transcripción literaria del diálogo en la literatura toledana

La evolución literaria de Castilla la Nueva tiene una íntima conexión con la evolución y el perfeccionamiento de la transcripción literaria del diálogo y del monólogo. De siempre, sus autores han tratado de reproducir, con una intención estética, esa lengua hablada que tienen de permanente modelo. Para la fisonomía y la historia regionales éste es un dato importante: la lengua hablada y la lengua literaria van en Castilla la Nueva muy estrechamente unidas. La literatura es, por ello, un documento fidedigno.

El primer documento que encontramos en esta literatura coloquial es el *Auto de los Reyes Magos.* Sólo perturba su diálogo la versificación y el ingenuo deseo de su autor de ser consecuente, lógico y culto. Aparecen, no obstante, numerosos rasgos auténticos, de una fiel reproducción del habla popular.

En las historias alfonsíes tiene el diálogo una ingenua apariencia retórica. Sus parlamentos están poco diferenciados del esquema narrativo, en el que de tiempo en tiempo se introducen. La prosa de Alfonso X busca intencionadamente un estilo popular: "Como el pueblo habla a su vecino". Hay en ella un temprano sentido del coloquio que busca, por muy abstracto y escolástico que sea el tema, una versión pintoresca, personal y animada.

Incluso en las traducciones de textos semíticos o latinos sorprende la gran vivacidad de las versiones castellanas, que suelen introducir comentarios o variantes absolutamente coloquiales: "¿E non uos digo que se me oluido el suenno e non le se?" (*General Estoria,* cap. III). Estamos ante una libre versión de un inexpresivo texto latino, que dice simplemente: "Sermo recessit a me" (*Vulgata,* cap. II, 1).

La actitud del escritor medieval castellano es juglaresca; necesita un auditorio para el que es preciso encontrar imágenes claras y expresivas y formas estilísticas familiares que pongan de relieve los detalles pintorescos. No interesa la exposición escueta, sino la paráfrasis insistente. Donde dice el texto latino brevemente: "Respondit rex, et ait: Certe novi quod tempus redimitis, scientes quod recesserit a me sermo" (*Vulgata,* II, 8), traduce la versión castellana: "Dixo les el rey: Por cierto se yo que nos allongades nuestro tiempo con palabras de dubda e de escusança, sabiendo que uos c dicho como se me oluido el suenno e que me lo digades uos" (*General Estoria,* III).

Los traductores toledanos buscan, con más o menos acierto, pero siempre con intención, el término popular, alejándose del latinismo. No dudan, y muy especialmente los de origen hebreo, en traducir "fictilis", por "tiesto de tierra cocho", ni "mysterio" por "significanças de los auenimientos".

Una técnica semejante, aunque aplicada con mayor extensión y dando entrada a réplicas más o menos convencionales, la encontramos en el Calila e Dimna y en el Sendebar, que traducen modos de conversación de influjo oriental. El *Conde Lucanor* representará más tarde la adaptación castellana, occidental en su esencia, de estas fórmulas exóticas.

El diálogo en el Libro de Buen Amor

El artificio literario, aun siendo tosco, y la imitación por parte del diálogo de la prosa narrativa, son las características comunes a toda la literatura toledana hasta la aparición del *Libro de Buen Amor,* que en éste como en otros aspectos, es el gran renovador y la base del apogeo clásico de Castilla la Nueva. Su inmensa genialidad permite a Juan Ruiz salvar la dificultad que supone la rima y transcribir, por primera vez en la literatura española, un diálogo auténtico, reflejo fiel de lo que sería una conversación castellana en el siglo XIV; pregones y conversaciones callejeras, frases intercaladas, modismos árabes y franceses, refranes y toda suerte de variantes de carácter popular. Superando a toda la literatura de la centuria posterior, consigue Juan Ruiz en sus diálogos eliminar las fórmulas de introducción, y con el simple apoyo del contexto cambiar de situación y de interlocutores. Su audacia estilística llega al extremo de entrecruzar, como sucede en un diálogo real, la conversación de varios interlocutores. Pasajes como el siguiente de la *Comedia de Don Melón y Doña Endrina* no tienen equivalente, como técnica coloquial realista, en toda la literatura española:

872 Como la mi vigisuela m'avya aperçebido.
Non me detove mucho: para allá fuy ydo:
Fallé la puerta çerrada; mas la vieja bien me [vydo:
"Yuy!" diz' "¿qué es aquello, que faz' aquel [rroydo?

873 "¿Es ome ó es viento? Creo qu' es ome! Non [miento!
¿Vedes, vedes? Com' otea el pecado carboniento!
Es aquél? Non es aquél. El semeja, yo lo siento!
A la fe! es don Melón! Yo lo conosco! lo viento!

875 Cyerto!, aquí quier' entrar! Mas ¿por qué yo non
Catat, catat; cóm' assecha! Barrúntanos como
[perro!
Ally rraviará agora! non puede tirar el fierro!
Mas ¡quebrará las puertas!: meneálas como çen-
[cerro!

875 Cyerto!, aquí quier' entrar! Mas ¿por que yo non
[le fablo?
Don Melón! tiradvos dende! ¿Tróxovos y el
[diablo?
Non queblantedes mis puertas!, que del abbad de
[Sant Pablo.
Las ove ganado. ¿Non posistes ay un clavo?

876 Yo vos abriré la puerta. Esperat! non la quebredes!
É con byen é con sosiego desid si algo queredes;
Luego vos yd de mi puerta. Non vos alhaonedes!
Entrad mucho en buen' ora!; yo veré lo que fa-
[redes."

Venciendo la dificultad que la versificación supone para una normal transcripción del diálogo, logra Juan Ruiz hacer intervenir tres distintos interlocutores con diferentes variantes de entonación y sin ayuda de elementos secundarios (fórmulas introductoras, etc.). Sólo el contexto y el movimiento mismo sirven de apoyo sin que se planteen dificultades a la comprensión.

En la prodigiosa síntesis del *Libro de Buen Amor* es el monólogo, la introspección autobiográfica o pseudobiográfica, la nota constante y una de las más intensas claves estilísticas. Juan Ruiz escribe para sí mismo; seguramente para distraerse, ya casi en su vejez, durante su vida en la cárcel. Aparte de sus propias alusiones nos confirma el hecho real de su prisión, la soledad, el eco profundo de su monólogo. La alegría despreocupada de su libro no contradice esta afirmación, pero es prueba de la excepcional energía de Juan Ruiz.

Muy relacionado, estilísticamente, con el monólogo está el problema de la autobiografía en el *Libro de Buen Amor*. Ha preocupado mucho a los críticos del Arcipreste el averiguar si las aventuras que cuenta en su libro fueron suyas, ajenas o imaginadas. Sin tener documentación ni la posibilidad de alcanzarla, es inútil y tendencioso plantear este tema con una finalidad histórica. Sólo cabe indicarlo con fines literarios.

Juan Ruiz es el adaptador en nuestra literatura de lo que llamaremos "autobiografía estilística". Se prescinde del narrador y la acción es referida a una primera persona protagonista. El resultado de esta técnica es bien conocido: al suprimirse el intermediario se hace más próxima la acción. En esta proximidad del *Libro de Buen Amor* está seguramente su principal virtud lírica.

El diálogo en el Arcipreste de Talavera, Cota y La Celestina

El descubrimiento a que rápidamente llega Juan Ruiz del gran tesoro que para la literatura representa el habla popular, fué bien aprovechado por su discípulo de casi un siglo más tarde: el Arcipreste de Talavera. En su *Libro* hace alarde de un realismo pintoresco. Su transcripción del diálogo es, precisamente por demasiado pintoresca, menos verídica que la de su maestro. Los coloquios aparecen libres de la rima pero, en cambio, están cerrados dentro de un propósito dialéctico que les somete a una línea rígida y preconcebida. El Arcipreste de Talavera no disimula la armadura lógica de sus capítulos, formados regularmente por una exposición, una prueba y una conclusión, ni el placer por el juego verbal con las palabras sonoras, populares y expresivas. Surgen con toda su intensidad los cambios expresivos de la entonación y los innumerables matices afectivos que transfiguran el lenguaje.

En los últimos documentos medievales de Castilla la Nueva sigue el diálogo en su papel de esquema predominante. En el

Diálogo entre el Amor y un Viejo, de Rodrigo Cota, trata el autor toledano de imitar a Juan Ruiz en la reproducción versificada y al Arcipreste de Talavera en la tesis didáctica. Tiene una simple apariencia coloquial y supone técnicamente un retroceso en relación con sus antecesores.

Será preciso llegar al "auto anónimo" de Celestina, adaptado por Rojas como acto primero a su *Tragicomedia,* para encontrar el diálogo libre de adherencias rítmicas, si bien todavía ordenado a un fin crítico y aleccionador. El artificio dramático ha logrado una reproducción del lenguaje corriente similar al actual, y en plenitud de recursos expresivos.

Fernando de Rojas, el adaptador y continuador del primitivo "auto anónimo", introduce la retórica renacentista en el diálogo. Sus parlamentos, en apariencia naturales, ocultan una compleja organización sintáctica. Seguramente son reflejo de un modo de hablar cortesano y reverencioso que en su época dominó la conversación española, y que llegó a extenderse por todas las clases sociales. En ninguna otra obra clásica castellana alcanzará la estructura del verbo y los sistemas de subordinación una complicación semejante, prueba de la total madurez a que había llegado la sintaxis de su época.

El diálogo en el Lazarillo de Tormes

El *Lazarillo de Tormes* representa la reacción frente a la cortesanía y a la retórica renacentista introducida en el diálogo por *La Celestina.* Todo es, en este libro, sobrio, escueto y directo; pocas palabras pero precisas y naturales. Apenas cambia la entonación; el diálogo alterna con la narración sin que se advierta preocupación por el paso de uno a otro esquema.

La fuente inmediata del Quijote está probablemente en el "Tratado tercero" del *Lazarillo de Tormes;* en el diálogo entre el Escudero y Lázaro. En él pudo ya recoger Cervantes los dos componentes principales de su libro: la controversia entre idealismo y realismo y la síntesis cordial entre amo y señor, entre pícaro y caballero. En el *Lazarillo de Tormes* aparece por primera vez la atmósfera afectiva dominando al seco criticismo erasmista, invirtiendo los planos sociales y haciendo de Lázaro el protector y amigo de su amo.

La iniciación de este coloquio es de una esquemática simplicidad:

> Mirome y yo a él y dixome:
> "Mochacho, ¿buscas amo?"
> Yo le dixe:
> "Si señor".
> "Pues vente tras mi, me respondió, que Dios te ha hecho merced en topar comigo. Alguna buena oracion rezaste oy?" (L. T., 148, 9).

La comprensión tolerante entre amo y criado que será esencia de la controversia quijotesca; la equívoca oposición entre pícaro e hidalgo; el inestable equilibrio entre honra y pobreza, que define la actitud social caballeresca, son claros determinantes que ya en el *Lazarillo* aparecen resumidos en sus extraordinarios monólogos:

> "Bendito seays vos, Señor, quedé yo diziendo, que days la enfermedad y poneys el remedio! ¿Quién encontrara a aquel mi señor, que no piense, según el contento de si lleua, auer anoche bien cenado y dormido en buena cama y, aunque agora es de mañana, no le cuenten por muy bien almorzado? Grandes secretos son, Señor, los que vos hazeys y las gentes ygnoran! ¿A quién no engañara aquella buena disposición y razonable capa y sayo? ¿Y quién pensara que aquel gentil hombre se passó ayer todo el día sin comer, con aquel mendrugo de pan, que su criado Lázaro truxo vn dia y una noche en el arca de su seno do no se le podía pegar mucha limpieza, y oy, lauandose las manos y cara, a falta de paño de manos se hazia seruir de la halda del sayo? Nadie por cierto lo sospechara. O Señor, y quántos de

> aquestos deueys vos tener por el mundo derramados, que padescen por la negra que llaman honrra, lo que por vos no suffririan!" (L. T., 162, 1).

Todo el capítulo es una irónica crítica de la moral caballeresca, pero, como sucederá más tarde en el *Quijote,* hay en el autor una gran simpatía por aquello mismo que censura:

> "Dios me es testigo que oy día, quando topo con alguno de su hábito con aquel passo y pompa, le he lastima con pensar si padece lo que aquel le vi sufrir. Al qual, con toda su pobreza, holgaría de seruir mas que a los otros, por lo que he dicho. Solo tenía dél vn poco de descontento. Que quisiera yo que no tuuiera tanta presumpcion; mas que abaxara vn poco su fantasia con lo mucho que subia su necessidad.
>
> Mas, según me parece, es regla ya entre ellos vsada y guardada. Aunque no aya cornado de trueco, ha de andar el birrete en su lugar. El Señor lo remedie, que ya con este mal han de morir" (L. T., 177, 3).
>
> "Y no tenía tanta lástima de mi, como del lastimado de mi amo, que en ocho días maldito el bocado que comió. A lo menos en casa bien lo estuuimos sin comer. No sé yo cómo o dónde andaua y qué comía. Y velle venir a medio día la calle abaxo, con estirado cuerpo, mas largo que galgo de buena casta! Y por lo que toca a su negra que dizen, honrra, tomaua vna paja, de las que aun assaz no auia en casa, y salia a la puerta escaruando los dientes, que nada entre si tenian" (L. T., 180, 11).

Hay en el autor toledano una clara conciencia local de esta caballeresca decaída, que él ve como característica de Castilla la Vieja:

> "Por Dios, que está bueno el negocio, dixeron ellos. ¿Y adonde es su tierra?"
>
> "De Castilla la Vieja, me dixo él que era, les dixe yo" (L. T., 199, 5).

Don Quijote, como diálogo

La interpretación del *Quijote* ha sido muchas veces intentada, sin que se haya logrado todavía penetrar en su íntima y verdadera esencia. La genialidad de la obra parece conservarse ajena a todos los intentos de análisis. Se pierde en ellos la unidad de su argumento novelesco; se vuelve vulgar su filosofía, y el mismo lenguaje muestra incorrecciones y descuídos. De poco nos sirve en esta investigación observar la vida del propio Cervantes. No es posible convertirle en filósofo, ni en moralista, ni siquiera en continuo profesional de las letras. Pero, a pesar de todo, ni Cervantes ni Don Quijote desmerecen en la estimación crítica moderna.

El distinto valor de unas y otras partes del *Quijote* es evidente. La calidad de las novelas cortas incrustadas en el relato y de algunos pasajes narrativos decae en una proporción exagerada, fatigando al lector no especialista, al que obliga a una tarea arqueológica. Sólo el diálogo sigue vivo en la actualidad, conservando intacta su eficacia estilística.

La atribución tradicional del *Quijote* al género novelesco ha contribuído a limitarle dentro de un argumento y unas aventuras demasiado cerradas. Nada de esto acontece en la realidad. Los capítulos del libro se suceden sin apenas cohesión, dejando abierto un sinnúmero de posibilidades. Sólo el proceso dialéctico de las dos figuras protagonistas, Don Quijote y Sancho, sigue una línea clara e intencionada, modificándose progresivamente, sin que las aventuras pasen de ser ejemplos o ilustraciones marginales.

Muchos de los problemas con que tropieza la crítica del *Quijote* hallarían su solución si pudiéramos cambiar el plano en que tradicionalmente se ha colocado el libro; si en lugar de encasillarlo dentro del concepto tradicional de novela, antepusiéramos el de coloquio, al que en realidad pertenece por su estructura estilística. Si pensamos como título del libro en un supuesto *Coloquio del ingenioso hidalgo Don Quijote de la Mancha,* quizá quedarían más claros varios problemas, entre ellos el de ese calificativo de "ingenioso", cuya interpretación supone un escollo difícil de salvar y, posiblemente, quedaría también mejor explicada la relación de Cervantes con el erasmismo, con los autores renacentistas italianos y, sobre todo, con sus antecedentes literarios españoles.

La modalidad de los coloquios erasmistas tuvo en España una gran fortuna. Por otro camino, la cortesanía renacentista, asimismo dialogada, penetró profundamente en el gusto español. Pero no necesitaba Cervantes de estos modelos para enlazar con la tradición coloquial de Castilla la Nueva, que desde Juan Ruiz había perfeccionado su técnica literaria. El Arcipreste de Talavera, Rodrigo Cota, Rojas y el anónimo autor del *Lazarillo de Tormes* son los verdaderos precursores de este máximo coloquio que el *Quijote* representa.

En la confluencia de tres grandes modalidades dialécticas: la italiana renacentista, la erasmista y la castellano-toledana es donde tiene su origen literario el *Quijote.* A su vida en Italia y a su conocimiento de los autores renacentistas debe Cervantes su gusto cortesano y retórico; a la gran penetración erasmista en España, su intención crítica. Pero fué en la tradición castellana donde encontró la fórmula genial de su diálogo humanizado y realista, en el que, junto a la oposición dialéctica de las dos grandes tesis de ascendencia medieval, aparece una compleja gama de matices afectivos. En la "miscelánea poético-dramático-novelesca", que caracteriza a la literatura de Castilla la Nueva, encontró, asimismo, Cervantes la armadura novelesca que da vigor y amenidad a su coloquio; la raíz popular de su filosofía; el empirismo castellano de los ejemplos; el continuo deambular de sus protagonistas; su afán de aventura.

Para el análisis de los elementos que constituyen este diálogo; de las circunstancias que en él intervienen, hasta llegar a una síntesis final; es decir, para contemplar el proceso dialéctico a medida que avanza la obra, nos es de poca utilidad la gramática tradicional. Es necesario aplicar una nueva técnica, unos esquemas lingüísticos más amplios y flexibles, para percibir el verdadero espíritu de este diálogo. La atención a los factores aparentemente secundarios es indispensable. Los datos referentes a la "situación", al "contexto", a los supuestos de cada interlocutor, a su clima afectivo, deben servir de ayuda para reconstruir el proceso dialéctico que constituye el eje del libro. Los argumentos lógicos no son los únicos ni los de importancia más decisiva; el juego de la afectividad constituye el factor más importante y de valoración más difícil.

Como interlocutores, representando principios opuestos, intervienen el caballero y su escudero. Cervantes simboliza al comentarista, que sólo en ocasiones se presenta en un primer plano directo. Accidentalmente, intervienen otros personajes secundarios, el Cura, el Ama, la Sobrina, etc. No faltan grupos de espectadores que siguen la discusión, inclinándose a una u otra de las partes en lucha: Duques, mozas, venteros, arrieros..., que representan a la sociedad española del siglo XVII en sus diversos estamentos sociales. Hay también un anticipo del papel que la crítica desempeñará en la polémica cervantina.

Complementos de situación; diálogos en el campo y en interiores

Los "escenarios" en que el diálogo se desarrolla son diversos, pero fáciles de resumir: caminos y campos españoles; interiores en ventas y palacios; habitaciones en las casas de los protagonistas.

La "intimidad" es uno de los rasgos principales de este coloquio. Con todo detalle está indicada la condición personal y particular de la conversación entre Don Quijote y Sancho:

> "En esto, llegó don Quixote, y, sabiendo lo que passaua, y la celeridad con que Sancho se auia de partir a su gouierno, con licencia del duque le tomó por la mano, y se fué con el a su estancia, con intencion de aconsejarle cómo se auia de auer en su oficio.
>
> Entrados, pues, en su aposento, cerro tras si la puerta, y hizo casi por fuerça que Sancho se sentase junto a el, y con reposada voz le dijo:" (Q. M., IV, 49, 25).

El autor no ha olvidado ninguno de los elementos precisos para resaltar esta situación de "intimidad".

En otras ocasiones el diálogo surge en el campo, al hilo de la marcha continua de los protagonistas por los caminos españoles. La soledad de los páramos manchegos no hace necesario tomar precauciones, salvo cuando la compañía es inoportuna. Los espectadores pueden ser testigos de sus aventuras y desventuras, pero la conversación entre Don Quijote y Sancho es enteramente privada:

> "Fue Sancho cabizbajo y pidio la mano a su señor y el se la dió con reposado continente, y despues que se la vuo besado, le echó la bendición, y dixo a Sancho que se adelantassen vn poco: que tenia que preguntalle y que departir con el cosas de mucha importancia" (Q. M. II, 60, 24).

La conversación que sigue puede servir de ejemplo típico de la estructura coloquial del libro:

> "Hizolo assi Sancho, y apartaronse los dos algo adelante, y dixole don Quixote:

> "Despues que veniste no he tenido lugar ni espacio para preguntarte muchas cosas de particularidad acerca de la embaxada que lleuaste y de la respuesta que truxiste, y ahora, pues la fortuna nos ha concedido tiempo y lugar, no me niegues tu la ventura que puedes darme con tan buenas nueuas."
>
> "Pregunte vuestra merced lo que quisiere", respondió Sancho; "que a todo dare tan buena salida como tuue la entrada. Pero suplico a vuestra merced, señor mio, que no sea de aqui adelante tan vengatiuo."
>
> "¿Por qué lo dizes, Sancho?", dixo don Quixote.
>
> "Digolo", respondió, "porque estos palos de agora mas fueron por la pendencia que entre los dos trauó el diablo la otra noche, que por lo que dixe contra mi señora Dulzinea, a quien amo y reuerencio como a vna reliquia, aunque en ella no lo aya, solo por ser cosa de vuestra merced."
>
> "No tornes a essas platicas, Sancho, por tu vida", dixo don Quixote; "que me dan pesadumbre; ya te perdoné entonces, y bien sabes tu que suele dezirse: a pecado nueuo, penitencia nueua" (Q. M. II, 60, 30).

El diálogo no se dirige en una sola dirección. Don Quijote está obsesionado por la ansiedad de tener noticias de Dulcinea, pero Sancho piensa, por un lado, en engañar a su amo, y por otro, en hacer valer su resentimiento por los golpes que hace poco ha recibido. La confusión dialéctica es buena para torcer unas explicaciones comprometedoras.

En esa desviación que sufre el diálogo aparece Don Quijote apesadumbrado, distraído fácilmente de su tema. Todo ello es reflejo de la pluralidad y de la inconexión habitual de todo coloquio. Frente al plano único y regular de la narración, escalonada por procedimientos lógicos de coordinación y subordinación, el diálogo opone la dualidad o multiplicidad de cadenas habladas, que unas veces se complementan, otras se interfieren y que, incluso, pueden seguir líneas paralelas o divergentes, de acuerdo con los supuestos particulares y no expresos de cada interlocutor.

Complementos de situación; la voz

En el ambiente del diálogo cervantino desempeña un papel importante la voz; la voz de Don Quijote, en particular.

Habitualmente es reposada, de acuerdo con el "sosiego" propio del caballero español y cortesano de la época.

> "pero don Quixote, coligiendo por su huyda su miedo, alçandose la visera de papelon, y descubriendo su seco y poluoroso rostro, con gentil talante y voz reposada les dixo:" (Q. M., I, 61, 17).

Hay un punto de grandilocuencia en los parlamentos retóricos, cuando el caballero, consciente de su jerarquía, habla "ex cathedra". O de arrogancia, levantando la voz, en los desafíos imitados de los libros de caballerías:

> "quando llegaron a trecho que se pudieron ver y oyr, leuantó don Quixote la voz, y, con ademan arrogante dixo:
> "Todo el mundo se tenga, si todo el mundo no confiessa que no ay en el mundo todo donzella mas hermosa que la Emperatriz de la Mancha, la simpar Dulzinea del Toboso" (Q. M., I, 83, 32).

La cólera es fácil en Don Quijote. Algunas veces estalla en insultos y su voz suena destemplada, rota por la ira:

> "No le mana, canalla infame", respondió don Quixote encendido de colera; "no le mana digo, esso que dezir, sino ambar y algalia entre algodones; y no es tuerta ni corcobada, sino mas derecha que vn huso de Guadarrama" (Q. M., I, 85, 19).

Las desventuras amorosas vuelven falsamente lacrimosa la voz del hidalgo, que procura acomodarse a la moda lírica de su época:

> "Cada verso destos acompañaua con muchos suspiros y no pocas lagrimas, bien como aquel cuyo coraçon tenia traspassado" (Q. M., IV, 349, 5).

Con dolor más sincero, al sentirse vencido, resuena su voz doliente y enferma, apagada por una indecible tristeza:

> "Don Quixote, molido y aturdido, sin alçarse la vissera, como si hablara dentro de vna tumba, con voz debilitada y enferma, dixo:
> "Dulcinea del Toboso es la mas hermosa muger del mundo, y yo el más desdichado cauallero de la tierra, y no es bien que mi flaqueza defraude esta verdad; aprieta, cauallero, la lança, y quitame la vida, pues me has quitado la honra" (Q. M., IV, 318, 3).

Toda la intensidad dramática de su derrota está encerrada en este maravilloso "monólogo", en el que el interlocutor, Sansón Carrasco, apenas es una sombra ante la visera y el dolor del hidalgo vencido.

Por parte de Sancho, son "ayes, quejas y suspiros" los continuos acompañantes de sus diálogos. Cervantes, el comentarista, deja oír, entre ambos, algunos paréntesis irónicos.

Coloquio afectivo

El rasgo esencial del diálogo cervantino es la "cordialidad". Entre Don Quijote y Sancho, por encima de su controversia, hay un hondo afecto que los envuelve y los une; que constituye el clima adecuado de su conversación. Ciertamente, la dualidad es la clave ideológica del libro, pero su conclusión es la síntesis comprensiva, fundada en el afecto y en la tolerancia.

A todo lo largo del libro van sonando, con un ritmo creciente, las llamadas cada vez más afectuosas de Don Quijote: "Sancho amigo! Sancho bueno! Sancho fiel! Sancho hermano! Sancho hijo!".

Hay en la parte primera un curioso diálogo que da la medida de esta paternidad con que cuida el hidalgo de su escudero. Después del desastroso manteo que sufrió Sancho en la venta, aparece molido y sudoroso, arrebujado en una manta, subido trabajosamente en el rucio:

> "Y la compassiua de Maritornes—dice el libro—viendole tan fatigado, le paréció ser bien socorrelle con vn jarro de agua, y, assi, se le truxo del pozo, por ser más frío; tomole Sancho, y lleuandole a la boca, se paró a las vozes que su amo le daua, diziendo:
>
> "Hijo Sancho, no beuas agua! Hijo, no la beuas, que te matará! Ves aquí tengo el santissimo balsamo"—y enseñauale la alcuza del breuage—, "que con dos gotas que del beuas sanaras sin duda."
>
> A estas voces boluio Sancho los ojos como de traues, y dixo con otras mayores:
>
> "Por dicha ¿hasele olvidado a vuestra merced como yo no soy cauallero, o quiere que acabe de vomitar las entrañas que me quedaron de anoche? Guardese su licor con todos los diablos, y dexeme a mi!" (Q. M., I, 228, 27).

Para bien comprender el sentido de estas palabras, hay que contar con la tradicional preocupación española por el agua fría. No es extraño que Don Quijote, llevado de su afecto, al ver a su "hijo Sancho" beber agua recién sacada del pozo, sienta esta misma inquietud.

De un modo semejante, Sancho va dejándose ganar por el afecto a su amo, frente al que se coloca, a menudo, en actitud protectorà:

> "Esso no es el mio", respondió Sancho; "digo que no tiene nada de vellaco, antes tiene vna alma como vn cantaro; no sabe hazer mal en nadie, sino bien a todos, ni tiene malicia alguna; vn niño le hara entender que es de noche en la mitad del día, y por esta sencillez le quiero como a las telas de mi coraçon, y no me amaño a dexarle, por mas disparates que haga" (Q. M., III, 168, 13).

Competencia personal entre los interlocutores

Antes de llegar a este acuerdo, y mezclada en muchas ocasiones con él, aparece lo que llamaremos la "competencia personal" entre Don Quijote y Sancho.

En todo diálogo, por cordial quc sca, hay una oposición, que no es de puntos de vista, sino de jerarquía, de predominio personal de uno o de otro interlocutor. Don Quijote no sólo es el hidalgo, sino también el sabio, frente a su escudero, que se reconoce a sí mismo ignorante y cerrado de inteligencia. Hay, no obstante, algunos temas en los que esta relación se altera y el escudero domina al señor.

Uno de ellos, muy característico, y observado por Cervantes con gran humor y precisión, es el de la sabiduría popular y refranera. Los continuos refranes, característicos de la manera de hablar de Sancho, y su principal apoyo dialéctico, sacan de quicio a su amo. Hay un punto de envidia y el asombro ante una habilidad que él, a pesar de su buena memoria, no alcanza:

> "O, maldito seas de Dios, Sancho!", dixo a esta sazón don Quixote. "Sesenta mil satanases te lleuen a ti y a tus refranes! Vna hora ha que los estás ensartando y dandome con cada vno tragos de tormento. Yo te asseguro que estos refranes te han de lleuar un dia a la horca; por ellos te han de quitar el gouierno tus vasallos, o ha de auer entre ellos comunidades. Dime ¿donde los hallas, ignorante, o cómo los aplicas, mentecato?, que para de-

> cir yo vno, y aplicarle bien, sudo y trabajo como si cauasse."
>
> "Por Dios, señor nuestro amo", replicó Sancho, "que vuessa merced se quexa de bien pocas cosas. ¿A qué diablos se pudre de que yo me sirua de mi hazienda, que ninguna otra tengo, ni otro caudal alguno sino refranes y más refranes? Y aora se me ofrecen quatro, que venian aqui pintiparados, o como peras en tabaque; pero no los dire, porque al buen callar llaman Sancho."
>
> "Esse Sancho no eres tu", dixo don Quixote, "porque no solo no eres buen callar, sino mal hablar y mal porfiar; y, con todo esso, querria saber qué quatro refranes te ocurrian aora a la memoria, que venian aqui a proposito; que yo ando recorriendo la mia, que la tengo buena, y ninguno se me ofrece" (Q. M., IV, 60, 26).

Sancho ha comprendido la contradicción de su amo, su momentánea inferioridad, y acaba imponiéndole, socarrón y ladino, su propio terreno. Don Quijote se coloca, ingenuamente, en la posición de discípulo de su escudero.

En otras ocasiones, la competencia personal entre ambos tiene como causa la elevación progresiva de Sancho y su excesivo compañerismo. Don Quijote reacciona con violencia en estos casos. Buena prueba de que percibe el antagonismo; la peligrosa inversión de jerarquía:

> "Oyendo lo qual Sancho, que con grande atención le auia estado escuchando, dando vna gran voz, dixo:
>
> "¿Es posible que aya en el mundo personas que se atreuan a dezir y a jurar que este mi señor es loco? Digan vuessas mercedes señores pastores, ¿ay cura de aldea, por discreto y por estudiante que sea, que pueda dezir lo que mi amo ha dicho, ni ay cauallero andante, por mas fama que tenga de valiente, que pueda ofrecer lo que mi amo aquí a ofrecido?"
>
> Boluiose don Quixote a Sancho, y, encendido el rostro, y colérico, le dixo:

> "¿Es posible, o Sancho, que aya en todo el orbe alguna persona que diga que no eres tonto, aforrado de lo mismo, con no se qué ribetes de malicioso y de bellaco? ¿quién te mete a ti en mis cosas, y en aueriguar si soy discreto o maxadero?" (Q. M., IV, 238, 4).

Esquemas paralelos: "Rocinante" y el rucio

La versión humorística de esta competencia personal entre los dos antagonistas la expone Cervantes en la oposición paralela de "Rocinante" y del rucio.

> "Solos quedaron don Quixote y Sancho, y apenas se huuo apartado Sanson, quando començo a relinchar Rocinante y a sospirar el ruzio, que de entrambos, cauallero y escudero, fué tenido a buena señal y por felicissimo aguero, aunque, si se ha de contar la verdad, mas fueron los sospiros y rebuznos del ruzio que los relinchos del rozin, de donde coligio Sancho que su ventura auia de sobrepujar y ponerse encima de la de su señor" (Q. M., III, 110, 20).

Es clara la consciente intención cervantina de enlazar en una fórmula de afecto y comprensión el antagonismo de sus dos interlocutores. Así lo prueba la genial transposición del diálogo a "Rocinante", símbolo de Don Quijote, y al rucio, representante de Sancho, opuestos y amigos, según los describe en la segunda parte del libro:

> "cuya amistad del y de Rozinante fué tan vnica y tan trauada, que ay fama, por tradición de padres a hijos, que el autor desta verdadera historia hizo particulares capitulos della; mas que, por guardar la decencia y decoro que a tan heroyca historia se deue, no los puso en ella, puesto que algunas vezes se descuyda deste su prosupuesto, y escriue que assi como las dos bestias se juntauan, acudian a rascarse el vno al otro, y que, des-

pues de cansados y satisfechos, cruzaua Rozinante el pescuezo sobre el cuello del ruzio, que le sobraua de la otra parte más de media vara, y mirando los atentamente al suelo, se solían estar de aquella manera tres días, a lo menos, todo el tiempo que les dexauan o no les compelía la hambre a buscar sustento" (Q. M., III, 115, 15).

En otros varios pasajes insiste Cervantes en esta misma correlación:

"lo primero que hizo fue estirarse todo el cuerpo, y luego se fue donde estaua Rozinante, y, dandole dos palmadas en las ancas, dixo:

"Aun espero en Dios y en su bendita Madre, flor y espejo de los cauallos, que presto nos hemos de ver los dos qual desseamos: tu con tu señor a cuestas, y yo encima de ti, exercitando el oficio para que Dios me echó al mundo" (Q. M., II, 361, 5).

"y prouasse de nueuo a subir sobre su buen Rozinante, que tambien parece que va encantado, según va de melancolico y triste" (Q. M., II, 359, 10).

"Dexate desso y saca fuerças de flaqueza, Sancho", respondió don Quixote, "que assi hare yo, y veamos cómo está Rozinante, que, a lo que me parece, no le ha cabido al pobre la menor parte desta desgracia" (Q. M., I, 202, 5).

Incredulidad inicial de Sancho

Inicialmente, Sancho no cree en la caballería ni en los prodigios de su amo. Le sigue y espera de él grandes beneficios porque confía en la honradez de su vecino, el hidalgo Alonso, pero pronto se impacienta ante las señales demasiado evidentes de su locura:

"Viue Dios, señor Cauallero de la Triste Figura, que no puedo sufrir ni lleuar en paciencia algunas cosas que

> vuestra merced dize!; y que por ellas vengo a imaginar que todo quanto me dize de cauallerias y de alcançar reynos e imperios, de dar insulas y de hazer otras mercedes y grandezas, como es vso de caualleros andantes, que todo deue de ser cosa de viento y mentira, y todo pastraña, o patraña, o como lo llamaremos. Porque quien oyere dezir a vuestra merced que vna bazia de barbero es el yelmo de Mambrino, y que no salga de este error en mas de quatro dias, ¿qué ha de pensar sino que quien tal dize y afirma deue de tener guero el juyzio?" (Q. M., I, 355, 6).

Son palabras de labrador realista. En otras ocasiones endereza a su amo, sin grandes miramientos, consejos del mismo estilo:

> "Y lo que yo saco en limpio de todo esto es, que estas auenturas que andamos buscando, al cabo, nos han de traer a tantas desuenturas, que no sepamos quál es nuestro pie derecho. Y lo que seria mejor y mas acertado, según mi poco entendimiento, fuera el voluernos a nuestro lugar, aora que es tiempo de la siega y de entender en la hazienda, dexandonos de andar de Ceca en Meca y de zoca en colodra, como dizen" (Q. M., I, 232, 12).

Pero, al llegar la segunda parte, la relación dialéctica ha cambiado, y Sancho, el antiguo antagonista, aconseja a su rival con estas increíbles palabras:

> "Lo que yo se dezir es que si mi señor tomase mi consejo, ya auiamos de estar en essas campañas deshaziendos agrauios y endereçando tuertos, como es vso y costumbre de los buenos andantes caualleros" (Q. M., III, 75, 22).

Predominio polémico de Don Quijote. Aprendizaje retórico de Sancho

La conversión de Sancho es el mayor acontecimiento, la victoria indiscutible de la dialéctica idealista de Don Quijote. A partir de un cierto momento, el sentido polémico del libro decrece para dar paso al "aprendizaje" del nuevo discípulo.

En primer lugar, Sancho aprende la manera caballeresca de hablar. A medida que avanza el libro sus discursos son más entonados y grandilocuentes, a la manera de los de su maestro.

Cervantes, en uno de sus comentarios, nos advierte de este cambio:

> "Llegando a escriuir el traductor desta historia este quinto capitulo, dize que le tiene por apocrifo, porque en el habla Sancho Pança con otro estilo del que se podia prometer de su corto ingenio, y dize cosas tan sutiles, que no tiene por possible que el las supiesse" (Q. M., III, 80, 6).

Es el ejemplo del maestro, según el propio Sancho reconoce, el que ha transformado no sólo el fondo ideológico, sino también la forma lingüística del discípulo:

> "Si, que algo se me ha de pegar de la discreción de vuestra merced", respondio Sancho, "que las tierras que de suyo son esteriles y secas, estercolandolas y cultivandolas, vienen a dar buenos frutos; quiero dezir que la conuersación de vuestra merced ha sido el estiercol que sobre la esteril tierra de mi seco ingenio ha caydo; la cultivación, el tiempo que ha que le siruo y comunico, y con esto espero de dar frutos de mi que sean de bendición, tales, que no desdigan ni deslizen de los senderos de la buena criança que vuessa merced ha hecho en el agostado entendimiento mio..." (Q. M., II, 154, 8).

Junto a la encantadora mezcla de imágenes campesinas y de retórica caballeresca se percibe la pausa y el ritmo sosegado y ampuloso de los parlamentos de Don Quijote.

El propio hidalgo se asombra de este cambio en la manera de hablar de su discípulo:

> "Nunca te he oydo hablar, Sancho"—dixo Don Quixote—"tan elegantemente como aora; por donde vengo a conocer ser verdad el refran que tu algunas vezes sueles dezir: "no con quien naces, sino con quien paces" (Q. M., IV, 346, 11).
>
> "Cada día, Sancho", dixo don Quixote, "te vas haziendo menos simple y mas discreto" (Q. M., III, 154, 6).

Hay, no obstante, una mutua influencia, que es percibida con exactitud e ironía por Sancho:

> "A, pesi a tal"—replicó Sancho—, "señor nuestro amo, No soy yo aora el que ensarta refranes; que también a vuessa merced se le caen de la boca de dos en dos mejor que a mi, sino que deue de auer entre los mios y los suyos esta diferencia, que los de vuessa merced vendran a tiempo, y los mios a desora; pero, en efecto, todos son refranes" (Q. M., IV, 346, 16).

Esquemas paralelos: Sancho y su mujer

El paralelismo, tan del gusto cervantino, se establece, en este punto, entre Sancho y su mujer. El nuevo escudero andante, desarraigado de su anterior naturaleza, sorprende y desconcierta a los suyos:

> "Mirad, Sancho", replicó Teresa; "despues que os hizistes miembro de cauallero andante, hablais de tan rodeada manera, que no ay quien os entienda" (Q. M., III, 81, 15).

Las réplicas de Sancho son eco fiel de las que Don Quijote le lanzaría a él en su aprendizaje de escudero:

> "Aora digo", replicó Sancho, "que tienes algun familiar en esse cuerpo. Valate Dios, la muger, y qué de cosas has ensartado unas en otras, sin tener pies ni cabeza! Qué tiene que ver el Cascajo, los broches, los refranes y el entono con lo que yo digo? Ven acá, mentecada e ignorante" (Q. M., III, 86, 10).

Para que nada falte en la imitación, también Sancho quiere convertirse en maestro del lenguaje de su mujer:

> "Y si estays rebuelto en hazer lo que dezis..."
> "Resuelto has de dezir, muger", dixo Sancho, "y no rebuelto" (Q. M., III, 88, 11).

La observación, preludio dialéctico

Esta conversión de Sancho encierra un proceso dialéctico fundado en la superioridad intelectual, pero también en la fuerza convincente del ejemplo. La acomodación entre sus palabras y sus obras, entre sus diálogos y sus aventuras, es el supremo recurso de Don Quijote en esta polémica.

Sancho es un temible, un profundísimo observador. Como el propio Cervantes, al mismo tiempo que mira, piensa y juzga. El es el que bautiza por segunda vez a su amo con el nombre de Caballero de la Triste Figura, y cuando Don Quijote le pregunta qué es lo que le ha movido a llamarle así, nos descubre su buena madera de crítico.

> "Yo se lo dire", respondió Sancho: "porque le he estado mirando vn rato a la luz de aquella hacha que lleua aquel mal andante, y verdaderamente tiene vuestra merced la mas mala figura de poco aca que jamas he visto; y deuelo de auer causado, o ya el cansancio deste combate, o ya la falta de las muelas y dientes" (Q. M., I, 256, 19).

Poco antes, el autor le ha descrito en una actitud pensativa, de auténtico observador:

> "Todo lo miraua Sancho, admirado del ardimiento de su señor, y dezia entre si:
> Sin duda este mi amo es tan valiente y esforçado como el dize" (Q. M., I, 253, 10).

Son dignas de atención estas concentradísimas palabras: "Todo lo miraba Sancho". La observación, preludio dialéctico, es atenta, y no deja escapar la cualidad del contrario: "admirado del ardimiento de su señor". Y, por fin, la convicción, el reconocimiento incondicional: "Sin duda este mi amo es tan valiente y esforçado como el dize".

Argumentación ejemplar: el valor

Si analizamos las causas que motivan este final convencimiento de Sancho, encontramos en primer lugar el valor, que aunque sea loco e inútil se impone y vence. Don Quijote es valiente, y su ejemplo tiene suficiente fuerza dialéctica para imponerse a los mozos de las ventas, a los caballeros disfrazados y a los encapuchados de dudosos propósitos.

Son muy numerosos los ejemplos que aparecen en el libro de este efecto mágico del valor en cuantos se enfrentan con Don Quijote:

> "Dezia esto con tanto brio y denuedo, que infundio vn terrible temor en los que le acometian" (Q. M., I, 73, 25).
>
> "las proezas que ya auian visto del nouel cauallero les tenia la risa a raya" (Q. M., I, 75, 9).
>
> "Qué te parece desto, Sancho?" dixo don Quixote. "Ay encantos que valgan contra la verdadera valentia? Bien podran los encantadores quitarme la ventura pero el esfuerzo y el animo, será impossible" (Q. M., III, 220, 23).

Ante los leones su valentía toca con la temeridad, como él mismo reconoce:

> "bien se lo que es valentia, que es vna virtud que está puesta entre dos estremos viciosos, como son la couardia y la temeridad; pero menos mal sera que el que es valiente toque y suba al punto de temerario, que no baxe y toque en el punto de couarde" (Q. M., III, 223, 20).

A la cuenta de este auténtico valor de Don Quijote es a la que hay que cargar, principalmente, la conversión de Sancho, sugestionado por el ejemplo. Y así le vemos echar mano a su espada e imitar a su señor, convencido de que él también vale por ciento:

> "Yo valgo por ciento", replicó don Quixote. Y sin hazer mas discursos, echó mano a su espada y arremetio a los gallegos, y lo mesmo hizo Sancho Pança, incitado y mouido del exemplo de su amo" (Q. M., I, 195, 13).

El mejor elogio de este valor de Don Quijote lo encontramos también en boca de Sancho:

> "echandole Sancho su bendición y haziendo sobre el mil cruces, dixo:
> "Dios te guie y la Peña de Francia, junto con la Trinidad de Gaeta, flor, nata y espuma de los caualleros andantes! Alla vas valenton del mundo, coraçon de azero, braços de bronze! Dios te guie, otra vez, y te buelua libre, sano y sin cautela a la luz desta vida que dexas por enterrarte en esta escuridad que buscas! (Q. M., III, 283, 13).

Los testimonios de este decisivo argumento que es el valor demuestran que hay en Cervantes una clara conciencia de su eficacia dialéctica:

> "sufra y calle el que se atreue a mas de a lo que sus fuerças le prometen" (Q. M., II, 299, 17).
>
> "Sabete, Sancho, que no es vn hombre mas que otro; si no haze mas que otro" (Q. M., I, 244, 1).

Queda un hueco para la ironía en el comentario de Sancho:

> "ensanche vuestra merced, señor mio, esse coraçoncillo, que le deue de tener agora no mayor que vna abellana, y considere que se suele dezir que buen coraçon quebranta mala ventura" (Q. M., III, 130, 1).

Hasta qué punto Cervantes, el presunto inconsciente, se da cuenta de esta sugestión del valor, lo prueba la estampa de Don Quijote contemplando a Sancho y pensando en armarle caballero:

> "Ya estaua don Quixote delante, con mucho contento de ver quán bien se defendia y ofendia su escudero, y tuuole desde alli por adelante por hombre de pro, y propuso en su coraçon de armalle cauallero en la primera ocasion que se le ofreciesse, por parecerle que seria en el bien empleada la orden de la caualleria" (Q. M., II, 302, 7).

Es la réplica exacta de la escena de Sancho observando el valor de su amo. La esencia de todo diálogo es este equilibrio entre la pregunta y la respuesta; la atención del interlocutor a la razón de su antagonista.

Argumentación ejemplar: la sinceridad

La otra gran fuerza dialéctica de Don Quijote es la "sinceridad". Su fe ingenua en la verdad de los demás, que confirma la suya:

> "Bveno está esso", respondió don Quixote; "los libros que estan impresos con licencia de los reyes, y con apro-

nación de aquellos a quien se remitieron y que con gusto general son leydos y celebrados de los grandes y de los chicos, de los pobres y de los ricos, de los letrados e ignorantes, de los plebeyos y caualleros, finalmente, de todo genero de personas, de qualquier estado y condición que sean, ¿auian de ser mentira, y mas lleuando tanta apariencia de verdad, pues nos cuentan el padre, la madre, la patria, los parientes, la edad, el lugar y las hazañas, punto por punto y dia por dia, que el tal cauallero hizo, o caualleros hizieron? Calle vuestra merced, no diga tal blasfemia y creame" (Q. M., II, 370, 4).

Bien puede creerse en quien está tan lejano de la mentira. Tan sólo desconfía Don Quijote de los encapuchados, que ocultan sus verdaderos propósitos:

> "Vosotros, que quiça por no ser buenos os encubris los rostros, atended y escuchad lo que deziros quiero" (Q. M., II, 394, 8).

También Sancho participa de esta virtud dialéctica de la sinceridad. Su autorretrato es muy convincente:

> "bien es verdad que soy algo malicioso y que tengo mis ciertos assomos de vellaco; pero todo lo cubre y tapa la gran capa de la simpleza mia, siempre natural y nunca artificiosa y quando otra cosa no tuuiese sino el creer, como siempre creo, firme y verdaderamente, en Dios y todo aquello que tiene y cree la santa Iglesia Catolica Romana" (Q. M., III, 113, 31).

Y el propio Cervantes también aspira a que su libro tenga esta virtud:

> "el aliuio tuyo en hallar tan sinzera y tan sin rebueltas la historia del famoso don Quixote de la Mancha" (Q. M., I, 38, 16).

Estilo evangélico

El parentesco estilístico del *Quijote* con los *Evangelios* es indiscutible, evidente. Es semejante la polémica a través de unos caminos y unos campos mediterráneos y semejante la incomprensión del ambiente, positivista y farisaico.

La fe que impulsa a Don Quijote tiene un claro sentido místico, y muchos de los pasajes de su libro imitan en el tono y en la construcción al de los *Libros Sagrados:*

> "Ella pelea en mi y vence en mi, y yo viuo y respiro en ella, y tengo vida y ser" (Q. M., II, 59, 1).
>
> "O hombre de poca fe!, respondio don Quixote" (Q. M., III, 214, 15).

En su momento de mayor plenitud, en su apoteosis en casa de los Duques, Don Quijote se enfrenta no con su ya convencido discípulo, Sancho, sino con el más duro representante del "sentido común" que aparece en todo el libro. El diálogo entre ellos se inicia con una reminiscencia evangélica:

> "Este don Quixote, o don Tonto, o como se llama, imagino yo que no deue de ser tan mentecato como vuestra excelencia quiere que sea" (Q. M., III, 387, 24).

La contestación de Don Quijote es un prodigio dialéctico. No hay en ella ni la más leve incoherencia:

> Levantado, pues, en pie don Quixote, temblando de los pies a la cabeça como azogado, con presurosa y turbada lengua dixo:
>
> "El lugar donde estoy y la presencia ante quien me hallo, y el respeto que siempre tuue y tengo al estado que vuessa merced professa, tienen y atan las manos de mi justo enojo; y assi por lo que he dicho como por saber que saben todos que las armas de los togados son

las mesmas que las de la muger, que son la lengua, entraré con la mia en ygual batalla con vuessa merced, de quien se deuia esperar antes buenos consejos que infames vituperios; las reprehensiones santas y bien intencionadas otras circunstancias requieren y otros puntos piden. A lo menos, el auerme reprehendido en publico, y tan asperamente, ha passado todos los limites de la buena reprehension, pues las primeras mejor assientan sobre la blandura que sobre la aspereza, y no es bien, que sin tener conocimiento del pecado que se reprehende, llamar al pecador sin mas ni mas mentecato y tonto. Si no, digame vuessa merced, ¿por quál de las mentecaterias que en mi ha visto me condena y vitupera, y me manda que me vaya a mi casa a tener cuenta en el gobierno della y de mi muger y de mis hijos, sin saber si la tengo o los tengo? ¿No hay mas sino a troche moche entrarse por las casas agenas a gouernar sus dueños, y, auiendose criado algunos en la estrecheza de algun pupilage, sin auer visto mas mundo que el que puede contenerse en veynte o treynta leguas de distrito, meterse de redondo a dar leyes a la caualleria y a juzgar de los caualleros andantes? ¿Por ventura es asumpto vano, o es tiempo mal gastado el que se gastan en vagar por el mundo, no buscando regalos del, sino las asperezas por donde los buenos suben al assiento de la inmortalidad? ¿Si me tuuieran por tonto los caualleros, los magnificos, los altamente nacidos, tuuieralo por afrenta inreparable; pero de que me tengan por sandio los estudiantes, que nunca entraron ni pisaron las sendas de la caualleria no se me da vn ardite: cauallero soy y cauallero he de morir si plaze al Altissimo" (Q. M., III, 389, 1).

La razón definitiva para Don Quijote no es ideológica, sino ejemplar: sólo le interesa el juicio de los caballeros. Quizá también el de su discípulo Sancho, que zanja la cuestión con una sentencia lapidaria:

> "Bien, por Dios", dixo Sancho; "no diga mas vuestra merced, señor y amo mio, en su abono, porque no ay mas que dezir, ni mas que pensar, ni mas que perseuerar en el mundo; y mas, que negando este señor como ha negado, que no ha auido en el mundo ni los ay, caualleros andantes, ¿qué mucho que no sepa ninguna de las cosas que ha dicho? (Q. M., III, 391, 8).

Conversión dialéctica de Cervantes

Sería falso un diálogo en el que cada interlocutor mantuviera invariables y rígidos sus primeros puntos de vista. Cervantes no habría escrito el más hermoso coloquio si no hubiera observado la evolución que van sufriendo sus protagonistas. Asistimos también a una conversión del propio autor, que a lo largo de su libro va cambiando de actitud. Paralelamente, los espectadores (clérigos, duques, hidalgos, venteros, etc.) evolucionan ante el vehemente y poderoso ingenio de Don Quijote.

La variable actitud de Cervantes es el problema que más ha desconcertado a la crítica literaria. Para los comentaristas románticos y, más modernamente, para los apologistas de Don Quijote, como Unamuno, esta aparente contradicción cervantina es una prueba de la mediocre capacidad del autor, que no acertó a darse entera cuenta de la importancia de su obra.

La verdad está lejos de ser así. Cervantes tenía demasiado espíritu crítico para crear maravillas en la inconsciencia, y su genio reflexivo, insistente en la continua corrección de los originales, se compadece mal con la improvisación. Lo que realmente sucede es que él también evoluciona. Debemos pensar en el largo período que media entre la publicación de la primera y la de la segunda parte del libro; y en el tiempo en que antes de su redacción definitiva estaría latente en su pensamiento o en sus habituales borradores. Así nos será fácil comprender cómo el primer convertido por Don Quijote fué el propio Cervantes.

Caracteriza la primera parte del libro el comentario despectivo del autor, como el que hace a propósito de la primera salida de Don Quijote por las llanuras manchegas, ardientes de sol:

> "el sol entraua tan apriesa y con tanto ardor, que fuera bastante a derretirle los sesos, si algunos tuuiera" (Q. M., I, 59, 23).

En la segunda parte, por el contrario, surgen a cada paso los elogios encendidos, sinceros a pesar de su pertinaz humorismo, como el inspirado por el valor del hidalgo haciendo frente a los leones:

> "Y es de saber que, llegando a este paso el autor de esta verdadera historia, exclama y dize:
>
> "O fuerte y sobre todo encarecimiento animoso don Quixote de la Mancha, espejo donde se pueden mirar todos los valientes del mundo, segundo y nuevo don Manuel de Leon, que fue gloria y honra de los españoles caualleros! ¿Con qué palabras contaré esta tan espantosa hazaña, o con qué razones la hare creyble a los siglos venideros, o qué alabanças aura que no te conuengan y quadren, aunque sean hiperboles sobre todos los hiperboles? Tu a pie, tu solo, tu intrepido, tu magnanimo, con sola vna espada, y no de las del perrillo cortadoras, con vn escudo no de muy luziente y limpio azero, estás aguardando y atendiendo los dos mas fieros leones que jamás criaron las africas selvas. Tus mismos hechos sean los que te alaban, valeroso manchego; que yo los dexo aqui en su punto, por faltarme palabras con que encarecerlos" (Q. M., III, 216, 32).

No debemos olvidar para juzgar esta progresiva conversión del primitivo crítico de los *Libros de Caballerías* que su última obra, el *Persiles,* creación predilecta de Cervantes, no es una parodia, sino un auténtico libro de Caballerías.

Conversión y decadencia de Don Quijote

Y llegamos al delicado y trascendental problema de la conversión del propio Don Quijote. En un rápido bosquejo esta transformación se realiza en la siguiente forma:

En una primera etapa, el hidalgo Alonso Quijano, no sabemos bien si llevado de su locura o de su idea, se transforma en el caballero Don Quijote de la Mancha. Una vez en el curso de sus aventuras, que corresponden con su argumentación dialáctica, sufre numerosos descalabros, pero también consigue los triunfos suficientes para que su fe en sí mismo se afiance.

Como puntos esenciales de esta su inicial victoria dialéctica, anotamos la transformación de Sancho; el triunfo de Don Quijote sobre el Caballero de la Blanca Luna; su heroísmo ante los leones, y, por último, su triunfal apoteosis en el palacio de los Duques. Es éste su momento culminante:

> "aquel fue—dice el autor—el primer dia que de todo en todo conocio y creyo ser cauallero andante verdadero, y no fantastico" (Q. M., III, 377, 11).

La segunda etapa, que corresponde aproximadamente con la última parte del libro, está determinada por un hecho trascendental: el falso encantamiento de Dulcinea y culmina en la dramática derrota de Don Quijote en la playa de Barcelona, a manos de su antiguo rival Sansón Carrasco. Desde este instante hasta su final decaimiento y muerte Don Quijote no es más que una sombra de sí mismo. Se le apodera la melancolía y su locura decae rápidamente. Ya las ventas no se le figuran castillos. No vale por ciento ni se siente con fuerzas para luchar contra la que considera inevitable injusticia del mundo:

> "Apearonse en vn meson, que por tal le reconoció don Quixote, y no por castillo de caua honda, torres, rastrillos y puente leuadiça; que despues que le vencieron,

> con mas juycio en todas las cosas discurria" (Q. M., IV, 377, 3).

Como símbolo de esta actitud, de esta derrota del caballero, nos ha dejado Cervantes un profundo monólogo, que no ha sido estimado en su significación trascendental. Está situado al final de la aventura de las aceñas, y posiblemente en ningún otro pasaje de su obra ha expuesto Cervantes su opinión final sobre la vida española:

> "Basta", dixo entre si don Quixote. "Aqui sera predicar en desierto querer reduzir a esta canalla a que por ruegos haga virtud alguna. Y en esta auentura se deuen de auer encontrados dos valientes encantadores, y el vno estorua lo que otro intenta; el vno me deparó el barco y el otro dio conmigo al traues. Dios lo remedie; que todo este mundo es maquinas y traças, contrarias vnas de otras. Yo no puedo mas.
>
> Y, alçando la voz, prosiguio diziendo y mirando a las hazeñas:
>
> Amigos, qualesquiera que seais, que en essa prision quedays encerrados, perdonadme, que por mi desgracia y por la vuestra yo no os puedo sacar de vuestra cuyta; para otro cauallero deue de estar guardada y reseruada esta auentura" (Q. M., III, 366, 25).

Hay, sin duda, una alusión a la reciente aventura española de la Armada Invencible contra Inglaterra, que Cervantes conoció y vivió muy de cerca: "el uno me deparó el barco, y el otro dió conmigo al traues". También se refleja el cansancio de la España del siglo XVII por la increíble, desmesurada, quijotesca aventura imperial. "Amigos—parece decir el hidalgo ante la inasequible unidad del mundo—yo no puedo más... para otro caballero debe de estar guardada y reservada esta aventura".

En los últimos capítulos hay una cierta precipitación del autor. Ha sido atribuída, y creemos que con acierto, a la prisa de Cervantes por publicar la segunda parte de su libro en vista del apócrifo de Avellaneda.

Esta preocupación es la causa de algunos impertinentes pasajes, en que las alusiones y críticas de Cervantes a Avellaneda y a su libro nos hacen apartar la atención de los protagonistas. Como sucede con las novelas del *Curioso Impertinente,* de *Cardenio* y del *Cautivo,* son añadidos que hoy ya apenas nos interesan, sino como documentos de época, externos al grande y apasionante diálogo que va llegando a su fin.

Afortunadamente, al escribir el último capítulo, parece como si Cervantes olvidara a su rival y cogiera de nuevo fuerzas para la escena más dramática y al mismo tiempo más sencilla de toda la literatura española. Con realista naturalidad sigue paso a paso los últimos días de su protagonista, que ya no es el caballero loco, sino otra vez el hidalgo Alonso Quijano, que se despide, como poco después lo hará el propio Cervantes, cristiana y sosegadamente. Asistimos a su testamento, y oímos a Sancho, en plena conversión caballeresca, dirigirle un patético discurso, de evidente sentido apostólico:

> "Hay!", respondió Sancho llorando; "no se muera vuessa merced, señor mio, sino tome mi consejo, y viua muchos años; porque la mayor locura que puede hazer vn hombre en esta vida es dexarse morir, sin mas ni mas, sin que nadie le mate ni otras manos le acaben que las de la melancolia. Mire no sea pereçoso, sino leuantese dessa cama, y vamonos al campo, vestidos de pastores, como tenemos concertado; quiça tras de alguna mata hallaremos a la señora Dulcinea dessencantada, que no aya mas que ver. Si es que se muere de pesar de verse vencido, echeme a mi la culpa, diziendo que por auer yo cinchado mal a Rozinante le derribaron; quanto mas que vuessa merced aura visto en sus libros de cauallerias ser cosa ordinaria derribarse vnos caualleros a otros y el que es vencido oy. ser vencedor mañana" (Q. M., IV, 401, 16).

Los resultados de la dialéctica no son irreparables—quiere decir Sancho—, salvo cuando atacan a la fe, como le sucede a Don Quijote.

CERVANTES EN EL PRELUDIO DEL APOGEO TEATRAL MADRILEÑO

La técnica coloquial llevada a un alto grado de perfección en el *Quijote* ha de tener grandes consecuencias en la centuria siguiente. El teatro, género literario en el que el diálogo tiene su campo más propio, será el principal beneficiario de la mejora conseguida por los autores de la nueva Castilla.

Aun cuando sean madrileños en su mayor parte los autores teatrales del siglo XVII, no cabe ya aplicar a esta literatura un concepto regional restringido. Los temas y el propio sentido nacionalista de su pensamiento desbordan el contorno de Castilla la Nueva para incorporarse al nuevo concepto de literatura nacional. Cervantes señala la línea fronteriza.

Son muy abundantes las pruebas de la afición de Cervantes al teatro. Su entusiasmo por la escena sólo cedió ante la superioridad y ante la temible popularidad de Lope de Vega. El agudo sentido crítico cervantino calculó con exactitud que era muy difícil la competencia en su propio terreno con el Fénix, y acabó por retirarse prudentemente.

A pesar de su relativo fracaso, el teatro cervantino es indispensable para comprender la evolución estilística que dió origen al gran apogeo escénico de los siglos XVI y XVII. Hay en él un proceso esencial: la absorción de los temas y de los procedimientos originados en otros campos literarios. Se traducen a la escena los temas de la lírica, de la épica, de la novela, y se desembaraza al coloquio de los elementos narrativos. La intriga y la acción ocupan los primeros lugares de la jerarquía estética.

Autocrítica e indecisión cervantina entre novela y teatro

Nunca llegó a ser definitiva la separación, en el estilo de Cervantes, de las estructuras teatrales y novelescas. Su rival, Avellaneda, tenía en parte razón al afirmar que el *Quijote* era "más comedia que novela". No es cuestión fácil tampoco saber cuál de los dos géneros tuvo prioridad en su pensamiento.

El proceso estilístico de las obras cervantinas es lento, consciente, orientado por una autocrítica minuciosa [1]. A juzgar por las fechas de sus ediciones, toda la obra de Cervantes, excepto *La Galatea,* correspondería a la última época de su vida. Pero tenemos muchos testimonios que prueban que esto no fué exactamente así. Durante toda su vida fué Cervantes tenaz corrector de su propia obra. Fijar una fecha a sus manuscritos es tarea condenada al fracaso en la mayoría de los casos. Durante años limaba sus libros, modificando la idea inicial, transformando la estructura general o adaptando escenas y pasajes de unos libros a otros. Sería muy interesante contar con una sinopsis completa de los temas cervantinos que nos permitiera conocer la verdadera génesis, siempre premeditada, de su creación, que tanto en el *Quijote* y en el *Persiles,* en las *Novelas ejemplares,* como en las comedias y entremeses, enlaza la concepción juvenil con el final y maduro desarrollo. El propio autor nos dice en su conocido prólogo de 1615 que su labor de comediógrafo es de época muy antigua (1582-1587), y que a partir de esta fecha decidió abandonarlo. Sabemos que volvió a su afición más tarde (hacia 1592, o después de volver la Corte a Madrid, hacia 1606). Las obras publicadas en 1615, según el propio Cervantes nos

---

[1] Hay en Cervantes una dosis de cálculo, de autocrítica, muy superiores a lo habitual en los creadores literarios. Su juicio de la literatura contemporánea y de la correspondiente a la centuria anterior lo confirman.

dice son "de algunos años". Y no hay que pensar que se publicaron, al fin, sin una concienzuda, profunda revisión.

Otro tanto sucedía con las *Novelas Ejemplares* publicadas al cabo de un larguísimo reposo. Buena prueba es la confrontación de la edición príncipe del *Rinconete y Cortadillo* y del *Celoso Extremeño* con los manuscritos recogidos en el desdichadamente perdido Códice de Porras de la Cámara [2].

En relación con el tema del diálogo, esta especulación estilística de Cervantes sobre su propia obra tiene un gran interés. Hay en ella como nota destacada una doble aplicación del coloquio: hacia el teatro y hacia la novela. Sobre un mismo tema intenta aplicar dos procedimientos diversos. Parecen más primitivos sus ensayos teatrales que los novelísticos, pero es ésta una hipótesis muy sujeta a excepciones.

Este doble ensayo que Cervantes realiza con los temas dándoles forma novelesca y forma teatral es prueba de la tenue frontera que en el siglo XVI separaba ambos procedimientos. La técnica del coloquio había alcanzado plena madurez y, junto con los temas juglarescos, podía dar origen a un gran ensayo teatral.

Clisés cervantinos

Sería interminable, aunque de un decisivo interés, completar la lista de los clisés cervantinos esparcidos y repetidos en sus obras. Quizá ninguno de sus contemporáneos llegó a una tan metódica y consciente organización. Pero interesa notar cómo junto a la mayor o menor amplificación (según se trate de entremés o novela) varía la estructura narrativa o coloquial, en una traducción no siempre afortunada. Varía, asimismo, la actitud moral.

---

[2] M. Criado de Val, *De estilística cervantina; correcciones, interpolaciones y variantes en el "Rinconete y Cortadillo" y en el "Zeloso extremeño"*, Madrid, C. S. I. C., en *Anales Cervantinos,* II, 1952, páginas 231-248.

Compárense los siguientes pasajes, en doble versión teatral o novelesca, de *El Viejo Zeloso* y de *El Zeloso Extremeño*. Se advierte cómo es premeditado el desarrollo de determinados temas.

La riqueza no compensa la falta de amor:

En *El Viejo Zeloso*

D.ª Lor.—"Y aun con essos y otros semejantes villancicos o refranes me engañaron a mi! Que malditos sean sus dineros, fuera de las cruzes, malditas sus joyas, malditas sus galas, y maldito todo cuanto me da y promete! ¿De que me sirve a mi todo aquesto, si en mitad de la riqueza estoy pobre, y en medio de la abundancia con hambre? (E. V. Z., 145-16).

En *El Zeloso Extremeño*

"Bueno fuera en esta sazon preguntar a Carrizales, a no saber que dormia, que adonde estauan sus aduertidos recatos... la gran dote en que a Leonora auia dotado, los regalos continuos que la hazia, el buen tratamiento de sus criadas y esclauas, el no faltar vn punto a todo aquello que el imaginaua que auian menester que podian dessear" (Z. E., 242-16).

El viejo celoso trata de defenderse encerrando a su mujer; rejas, celosías, llaves maestras...

"Las ventanas, amén de estar con llaue, las guarnecen rexas y celosias; las puertas jamas se abren" (E. V. Z., 152-6).

"cerro todas las ventanas que mirauan a la calle, y dioles vista al cielo, y lo mismo hizo de todas las otras de la casa" (Z. E., 160, 12).

Es mal negocio el matrimonio entre el viejo y la niña:

Cañiz. — "Señor compadre, señor compadre, el setenton que se casa con quinze, o carece de entendimiento, o tiene gana de visitar el otro mundo lo mas presto possible" (E. V. Z., 151, 8).

"... que deuiera considerar que mal podian estar ni compadecerse en vno los quinze años desta muchacha con los casi ochenta mios" (Z. E., 256, 31).

El tema obsesivo de los celos, base de varias de sus obras, es blanco preferido de la crítica cervantina:

El Viejo Zeloso	*El Zeloso Extremeño*
"¡Viejo clueco, tan potroso como zeloso, y el mas zeloso del mundo!" (E. V. Z., 146, 28).	"... de su natural condición era el mas zeloso hombre del mundo, aun sin estar casado, pues con solo la imaginacion de serlo, le començauan a ofender los zelos" (Z. E., 154, 28).

El amigo puede ser un rival peligroso, y es conveniente despedirle al llegar a la puerta:

CAÑIZ.—"Aueys de saber, compadre, que los antiguos latinos vsauan de vn refran que dezia: Amicus usque ad aras, que quiere dezir: el amigo hasta el altar; infiriendo que el amigo ha de hazer por su amigo todo aquello que no fuere contra Dios y yo digo que mi amigo usque ad portam, hasta la puerta; que ninguno ha de passar mis quizios y a Dios, señor compadre, y perdoneme" (E. V. Z., 153, 13).	"... jamas entro hombre de la puerta adentro del patio. Con sus amigos negociaua en la calle" (Z. E., 168, 13).

En el entremés, el "viejo" es tratado sin compasión. Su mujer no sólo se burla de él, sino que hace alarde del desprecio que siente. En la versión novelesca, la burla carece del cinismo grotesco y exagerado. Cervantes busca el efecto cómico en la escena, pensando en un público popular para el que no convienen matices demasiado poco perceptibles [3]. En la novela, por el contrario,

[3] Echamos en falta en su teatro los famosos "sinónimos" cervantinos que tanto irritaban a Lope y a sus numerosos amigos, y a los que se

confía en el lector y suaviza las tintas. Suprime el diálogo descarnado de Doña Lorencita, y hace que Isabela o Leonora se deslice en silencio a los brazos de Loaysa. La narración complementaria, de imposible adaptación al teatro, le permite este recurso.

Sin duda, la técnica preconcebida que está siempre presente en la creación cervantina fijó demasiado los convencionalismos escénicos y le impidió dar a su teatro la madurez clásica de su novela. No logró nunca Cervantes desprenderse de los viejos recursos de su maestro Juan de la Cueva. Fué un prelopista más, aunque quizá el último y mejor de todos. Su enemistad con el Fénix y la distinta generación a que pertenecían contribuyó a impedir que se liberase, en sus últimos años, de esta limitación.

Elaboración y antecedentes del Quijote

La redacción del *Quijote* hubo de seguir también un largo camino, lleno de continuas correcciones del autor. Sólo la interferencia de Avellaneda fué capaz de precipitar, por fortuna, su final solución. De no ser por ella, todavía se hubiera retrasado más la aparición de la segunda parte, y el riesgo de no haberse publicado nunca, dada la rápida muerte de Cervantes, hubiera sido extraordinario.

Junto a las fechas, ya bien expresivas, que separan la primera de la segunda parte del *Quijote,* es interesante añadir otros datos que confirman la existencia muy anterior en el pensamiento cervantino de un primer bosquejo del tema. El *Entremés de*

---

refiere Avellaneda en el prólogo de su segundo Quijote. Modelo de estos "sinónimos" es la famosa frase sobre Lope, al cual recuerda Cervantes con equívoca intención, "la santa multitud de los amores y la ocupación continua y virtuosa". En la paciente labor de sus novelas, destinadas a una lectura atenta y sin el temor a la fulminante representación escénica, desarrolló Cervantes su irónico contraluz, cuyos precedentes es fácil encontrarlos en *La Celestina* y el *Buen Amor.*

los Romances, aparecido por primera vez en la parte tercera de las *Comedias de Lope de Vega y otros autores, con sus loas y entremeses* (Valencia, 1611; Barcelona, 1612), y publicado por Adolfo de Castro junto con varias obras inéditas de Cervantes (Madrid, 1874), plantea una interesantísima cuestión. También es probable germen del *Quijote,* en un aspecto primordial de su estilo, el llamado *Entremés de los refranes,* publicado, asimismo, por Adolfo de Castro.

Los problemas de autor y fecha de redacción del *Entremés de los Romances* han sido planteados por varios críticos modernos, pero está lejos de haberse llegado a una solución definitiva. Parece oscilar su fecha de composición entre el año 1597 (según M. Pidal) y el 1588 (Millé Giménez). En ambos casos habría precedido a la edición de la primera parte del *Quijote.*

La probabilidad de que fuera el propio Cervantes su autor es muy grande. En su defecto, habría que pensar en alguien que conociendo un manuscrito primitivo del *Quijote* adaptó alguno de sus temas a la escena, cosa nada difícil, dada la escasa precaución cervantina en guardar los manuscritos. Queda una tercera posibilidad, que creemos mucho más remota, es decir, que el entremés de otro autor sirviera de inspiración a Cervantes para su gran tema quijotesco.

A través de cualquiera de estas soluciones, lo que la curiosa historia del caballero loco Bartolo y de su escudero nos ayuda a entrever es el lento desarrollo que tuvo en la realidad la máxima creación cervantina. A su luz, adquiere mayor realismo ese pasaje del Prólogo en que Cervantes alude a la compra en el Alcana de Toledo de los papeles de Cide Hamete Benengli. En él nos daba a entender que fué en una de sus viejas estancias en la ciudad cuando dió comienzo a su relato. Las sucesivas transformaciones, a que más tarde lo iría sometiendo, sólo el análisis estilístico del propio texto nos permite adivinarlas. Pero es evidente que en el formidable crisol que fueron el pensamiento y el estilo de Cervantes, se funden los materiales acumulados por la tradición toledana. No se trata de una creación aislada ni improvisada, sino de la cima representativa de una larga y cuidadosa trayectoria.

Capítulo VII

LA CELESTINESCA

Literatura cíclica

La tradición estilística y la continuidad ininterrumpida en los temas literarios son buena prueba del vigor regional de Castilla la Nueva, durante los siglos medios y parte del Renacimiento. Entre estos temas peculiares, ninguno fué tan popular ni alcanzó una duración y un desarrollo tan extensos como el celestinesco. Aun sin contar los precedentes no enteramente encajados en el tema, el "ciclo" o familia literaria que sigue a la aparición en 1499 de la primera edición conocida de *La Celestina* alcanza más de dos centurias.

Junto a las continuaciones y a las imitaciones, representadas por obras como *La Segunda Comedia de Celestina,* de Feliciano de Silva; *La Tercera Celestina,* de Gaspar Gómez de Toledo; *La Tragicomedia de Lisandro y Rogelia,* de Sancho Muñón, es preciso incluir en un segundo plano, *La Tragedia Policiana,* de Sebastián Fernández; *la Eufrosina,* de Jorge Ferreira; las anónimas, *Comedia Seraphina* y *Comedia Thebayda.*

Obras celestinescas, que no son estrictamente imitación de *La Celestina,* pueden considerarse las tres novelas de Salas Barbadillo: *La Ingeniosa Helena, La Escuela de Celestina, El Sagaz*

Estacio, y, sobresaliendo muy por encima de todas las demás, *La Dorotea,* de Lope de Vega, y *La Lozana Andaluza,* de Francisco Delicado.

En un plano muy inferior, son familiares igualmente al tema otras pequeñas obras de menos alcance, como *La Egloga de la Tragicomedia de Calixto y Melibea, de prosa trabada en metro* (cancionero de Logroño, 1513); *La penitencia de amor* (1514); *El Romance nuevamente hecho de Calixto y Melibea; El coloquio entre la Torres-Altas y el Rufián Corta-Viento.*

Es, pues, evidente el carácter "cíclico" de esta literatura, que incluye a *La Celestina* como el punto principal de una larga serie de obras, de alta categoría varias de ellas, que van apareciendo sin solución de continuidad desde los siglos XIV al XVII.

Como casi siempre, Juan Ruiz es el iniciador. Su comedia de Don Melón y Doña Endrina, inscrita en el *Libro de Buen Amor,* encierra casi todos los elementos que dan carácter al tema. Más tarde irán apareciendo en otras obras castellanas algunos rasgos parciales; así, por ejemplo, en *El Corbacho,* del Arcipreste de Talavera, y el *Diálogo entre el Amor y un Viejo,* de Rodrigo Cota, encontramos el análisis de la psicología amorosa, los denuestos contra el amor, la hechicería celestinesca, que al culminar en la redacción de Rojas llegan a su máximo desarrollo.

De la enorme popularidad de su libro podemos juzgar por el número de las ediciones que se suceden durante todo el siglo XVI y por el de sus versiones a otras lenguas en época muy temprana [1]. El tema estaba vivo en el ambiente y al alcance fácil del público y de los autores. En las propias imprentas era lugar común la edición de Celestinas y obras similares, como lo prueban la repetición constante de las mismas viñetas, cuyos troqueles figuraban entre su material más corriente.

---

[1] C. L. PENNEY, *The Book called Celestina in the Library of the Hispanic Society of America,* New York, 1954.

No puede extrañarnos, en estas condiciones, el que varios autores asimilaran un estilo y un tema hasta el extremo de confundir durante siglos a la crítica literaria respecto a la verdadera autoría de *La Celestina.* La crítica actual ha llegado, sin embargo, a varios claros convencimientos: la de ser dos las épocas de su redacción y dos sus autores, correspondientes el uno al acto primero, adaptación de un "auto anónimo" de mediados del siglo XV, y el otro, a los veinte actos restantes, obra probable, pero no enteramente segura, de Fernando de Rojas, autor cuya personalidad está todavía poco identificada.

La Celestina y la vida social toledana de su tiempo

Sólo puede alcanzar un tema la extraordinaria popularidad, que durante más de dos siglos logró el de *La Celestina,* cuando está unido a un problema o cuestión vital de la sociedad en que se desarrolla. En todo tiempo la presión social sobre los amantes más o menos escondidos ha sido rasgo típico de las pequeñas ciudades españolas. Las relaciones amorosas en la vida castellana medieval y renacentista no eran fáciles. El encerramiento de las doncellas, la autoridad excesiva de los padres y las diferencias sociales, que añaden nuevos y a menudo insalvables obstáculos a los sociales y económicos, entretejían una red muy tupida de dificultades; un laberinto propicio al medro de guías expertas.

Sobre una cuestión y unos personajes tan viejos como la sociedad, que lo mismo podemos encontrar en la literatura griega que en la latina, en la provenzal que en la italiana, se fué desarrollando en Castilla la Nueva un estilo popular, de acuerdo con la peculiar vida toledana de la época. Más que para cualquier otro tema, nos son indispensables para comprender éste los datos de la región y de la época. La celestinesca toledana tiene un específico sentido, y dentro de ella cambia el matiz según sean los relatos del siglo XIV, los del XV o los del XVI los que consideremos.

El valor de esta diferencia se aprecia bien comparando las tres versiones principales en que aparece el tema en la literatura toledana: la Comedia de Don Melón y Doña Endrina, el "auto anónimo" de Celestina y su posterior transformación: la *Tragicomedia de Calixto y Melibea.*

La "Comedia" de Juan Ruiz es un alegre juego con la psicología amorosa. Nadie se engaña demasiado. Trotaconventos negocia limpiamente por ambas partes. Doña Endrina resuelve con gran sentido práctico su molesta situación de viuda, y Don Melón consigue sus fines, aun cuando el desenlace canónico sea un poco tardío y convencional. Ni la menor sombra de tragedia aparece a lo largo de este cómico y realista pasatiempo. Hay un ligerísimo temor a la crítica social, a la negativa por parte de la madre de Doña Endrina, pero nada impide hablar en la calle a los enamorados, ni Trotaconventos ha de buscar pretexto para entrar en sus casas. La vida social castellana en el siglo XIV, a juzgar por este relato, era de una gran desenvoltura, de una franqueza lindante con el cinismo en sus fines y procedimientos. Nadie parecía llamarse a engaño respecto a los fines por los que el hombre trabaja, según el conocido verso de Juan Ruiz.

En el "Auto anónimo de Celestina", incorporado a la obra de Rojas en forma de primer acto, la intención corresponde a lo que en el Incipit de la comedia se nos dice: "compuesta en reprehension de los locos enamorados, que, vencidos en su desordenado apetito, a sus amigas llaman y dizen ser su Dios. Assimismo fecha en auiso de los engaños de las alcahuetas y malos y lisongeros siruientes". Naturalmente, que no podemos juzgar con exactitud de la redacción primitiva que este acto tendría, dada la posibilidad de que Rojas lo alterara al incorporarlo a su libro, pero no es probable que introdujese modificaciones de importancia.

El episodio está observado con gran finura. Calixto y Melibea dialogan, aun sin conocerse aparentemente, con naturalidad.

Celestina hace alarde de su penetración psicológica, pero ya se rodea de un aparato de hechicería muy superior al de Trotaconventos. Falta el humor, la despreocupación alegre de Juan Ruiz. Ya se deja sentir el peso del enorme problema interno que tiene planteado el poderoso Reino de Castilla. Se agudiza el sentido crítico, amargo, de sus escritores. Va mediado el siglo xv, y la inquietud de los conversos intoxica y desequilibra la vida social. No puede extrañarnos el fondo equívoco de muchos pasajes de este primer acto.

En la *Tragicomedia de Calixto y Melibea,* que continúa y desarrolla el "auto anónimo", aparece un fiel retrato de la sociedad toledana en el siglo xv. Compañerismo picaresco entre amos y criados, decisiva autoridad paterna en cuestiones matrimoniales, tolerada y abundante prostitución, gusto por las divagaciones filosóficas y eruditas, propensión creciente hacia las ceremonias y el artificio retórico en la conversación, audacia equívoca al tratar cuestiones morales o religiosas. Ha fermentado activamente la mezcla heterogénea de razas y religiones. Al cabo de las anteriores persecuciones y conversiones se va llegando al drama inevitable. Las minorías serán exterminadas y el moderno prototipo español perfilará sus rasgos inequívocos. La dura y extrema actitud le hará chocar con toda Europa en el siglo XVII e imponer su fisonomía en América, hasta que el cansancio provoque el retraimiento y la crisis nacional del siglo XVIII.

En esta definitiva versión de *La Celestina* domina absolutamente el pesimismo, la fatalidad que se complace en apoyarse sobre causas insignificantes. Se van destruyendo los protagonistas como si premeditada y estúpidamente les fuesen quitando el suelo debajo de los pies. Nada separa social ni económicamente a Calixto de Melibea. Los dos tienen edad adecuada. Nada se interpone, al menos en apariencia, entre ellos ni entre sus familias.

Se ha intentado explicar la difícil relación entre Calixto y Melibea atribuyéndola a causas de raza o de religión. Nada en el texto autoriza a esta hipótesis, a pesar de las sutiles razones de algunos críticos. Antes por el contrario, las contadas ocasiones en que podría aludir a esta cuestión son aprovechadas por Rojas para confirmar lo que el Argumento General bien claramente dice: "Calisto fue de noble linaje, de claro ingenio, de gentil disposicion, de linda criança, dotado de muchas gracias, de estado mediano. Fue preso en el amor de Melibea, muger moça, muy generosa, de alta y serenissima sangre, sublimada en prospero estado" (I, 19, 2-6).

En diversas ocasiones Melibea alaba el "alto nacimiento" (I, 212, 4), y el "claro linaje" (I, 290, 26) de Calixto. Este, por su parte, no sólo insiste en el "alto merescimiento" (I, 211, 12) de Melibea, sino, lo que decide la cuestión, asegura estar cierto de su "limpieza de sangre" (I, 211, 29) [2]. Esta es, pues, la idea que el autor pretende transmitirnos, y tratándose no de una historia real, sino de un relato literario, claro es que el autor debe proporcionar los puntos de apoyo suficientes para que sea bien interpretado. A falta de ellos, toda hipótesis crítica no pasa de ser divagación.

Se ha olvidado, en cambio, una de las claves que el autor sí nos da con toda intención: el influjo de la magia en la que Celestina es maestra consumada. El texto no regatea su insistencia en mostrarnos los efectos de la invocación que describe en el acto III. Cuando más adelante, en el acto IV, la actitud de Melibea sufre un cambio radical, el autor señala como causa activa la llamada de Celestina a su oculto auxiliar (I, 93, 4-5).

Sea o no convincente para nuestro actual modo de pensar en estas cuestiones, lo cierto es que el autor utiliza la hechicería como uno de los determinantes "reales" del drama.

---

[2] También Celestina alude al "alto linaje" (I, 90,23) de Melibea.

La Celestina refleja una situación interna de la región toledana, a fines del siglo XV, poco confortable, aun cuando pudiera parecer una contradicción con el momento histórico de apogeo que supone el período de los Reyes Católicos. La vida española acusa ya el cansancio de su continua lucha interior y empieza a tener el aire sombrío de las centurias siguientes. La gran diferencia entre el nuevo estilo castellano y la actitud juvenil del siglo XIV, a pesar de sus trastornos políticos, puede observarse bien en la intensa transformación que sufren las dos figuras de Melibea y Celestina.

Melibea

La idea inicial, ya que no la creación de Melibea, corresponde al autor anónimo del acto primero y enlaza con la tradición caballeresca medieval. Es típica su descripción:

> "Comienço por los cabellos. ¿Vees tu las madexas del oro delgado que hilan en Arabia? Mas lindos son, y no resplandecen menos. Su longura hasta el postrero assiento de sus pies; despues crinados y atados con la delgada cuerda, como ella se los pone, no ha mas menester para conuertir los hombres en piedras...
> "Los ojos, verdes, rasgados; las pestañas, luengas; las cejas, delgadas y alçadas; la nariz, mediana; la boca, pequeña; los dientes, menudos y blancos; los labrios, colorados y grossezuelos; el torno del rostro, poco mas luengo que redondo; el pecho, alto; la redondez y forma de las pequeñas tetas, ¿quien te la podria figurar? Que se despereza el hombre quando las mira. La tez, lisa, lustrosa; el cuero suyo escurece la nieue; la color, mezclada, cual ella la escogio para sí" (I, 33, 22-27; I, 34, 2-10).

Su antecedente inmediato es la Doña Endrina, de Juan Ruiz, aunque no tiene el fuerte realismo de ésta:

> "Busca muger de talla, de cabeça pequeña,
> Cabellos amariellos, non sean de alheña,
> Las çejas apartadas, luengas, altas en peña,
> Ancheta de caderas: esta es talla de dueña.
> Ojos grandes, someros, pyntados, reluçientes,
> E de luengas pestañas byen claras é reyentes,
> Las orejas pequeñas, delgadas; paral' mientes
> Sy há el cuello alto: atal quieren las gentes..." (432-3).

Su final descendencia es la Dulcinea cervantina.

Realismo de Rojas

Reacciona más tarde Rojas ante el convencionalismo idealista de la Melibea del acto primero, y al recogerla, no duda en extremar su realismo, aun a costa de graves riesgos. Su primer retrato de Melibea a través de la descripción de Areusa es negativo. Con asombro leemos lo que podría llamarse su caricatura:

> "Que assi goze de mi, vnas tetas tiene, para ser donzella, como si tres vezes ouiesse parido: no parescen sino dos grandes calabaças. El vientre no se le he visto; pero, juzgando por lo otro, creo que lo tiene tan floxo como vieja de cincuenta años" (I, 168, 21-26).

Difícilmente cabe una imagen más opuesta a la del acto primero. Más adelante utilizará Rojas este mismo contraste en el *Tratado de Centurio,* en el que la propia Melibea se nos presenta en una extraña y desconcertante figura lanzando "palabras sin seso al ayre", con su "ronca boz de cisne" (I, 279, 30-1).

Tuvo que ser difícil, para Rojas, arrancar a su protagonista de la impersonalidad ingenua y medieval en que estaba inicialmente formada. Para conseguirlo, recurrió a un original artificio. En la gran crisis que tiene su punto culminante en el acto X, Melibea se desvanece. A partir de este instante, según su propio testimonio, todo ha cambiado en ella:

> "Quebrosse mi honestidad, quebrose mi empacho, afloxo mi mucha verguença y, como muy naturales, como muy domesticos, no pudieron tan liuianamente despedirse de mi cara, que no lleuassen consigo su color por algun poco de espacio, mi fuerça, mi lengua, y gran parte de mi sentido" (I, 190, 9-14).

Ya ni Celestina ni Calixto llevarán la iniciativa de la acción. Será la voluntad indomable de esta nueva Melibea la que dirija el destino de todos. Nada puede oponerse a la audacia de su propósito.

> "Si passar quisiere la mar, con el yre; si rodear el mundo, lleueme consigo; si venderme en tierra de enemigos, no rehuyre su querer" (I, 258, 1-3).

La "ingenua" doncella nos irá descubriendo a cada paso nuevos prodigios; ideas que nunca sospecharíamos tuvieran tal abolengo:

> "¡O genero femineo, encogido y fragile! ¿Por que no fue tambien a las hembras concedido poder descobrir su congoxoso y ardiente amor, como a los varones? Que ni Calisto biuiera quexoso, ni yo penada" (I, 183, 4-8).

Melibea tiene clara conciencia de la idea falsa y tonta que sus padres tienen de ella, y su sentido común reacciona con violencia:

> "Lucrecia, Lucrecia, corre presto, entra por el postigo en la sala y estoruales su fablar, interrumpeles sus alabanças con algun fingido mensaje, si no quieres que vaya yo dando bozes como loca, segun estoy enojada del concepto engañoso que tienen de mi ignorancia" (I, 259, 23-27).

Veremos a Celestina, atemorizada por el riesgo de su misión, y a Calixto refugiado en su casa, indeciso y desconcertado. Sólo Melibea avanza siempre, cada vez con más audacia. Para vencerla deberá Rojas acumular todas las fatalidades y cerrar todas las puertas, hasta empujarla a su última decisión.

Pero es justo meditar ante la significación de su extraño suicidio, atribuído por algunos críticos a una mentalidad judía o pagana de Rojas. Así expone Melibea su propósito:

> "De todos soy dexada. Bien se ha adereçado la manera de mi morir. Algun aliuio siento en ver que tan presto seremos juntos yo y aquel mi querido amado Calixto. Quiero cerrar la puerta, porque ninguno suba a me estoruar mi muerte. No me impidan la partida, no me atajen el camino por el qual, en breue tiempo, podre visitar en este dia al que me visito la passada noche" (I, 288, 9-15).

No hay nada antihispánico en este razonamiento. Más bien se refleja en él la voluntad, el tesón ibérico aferrado y sin límite. No sabríamos si llamar suicidio a este alegre salto de Melibea en la búsqueda de su "querido amado Calisto".

Celestina

Planteado el problema en los términos de la vida española medieval y renacentista, la función de Celestina, con toda su miseria, era casi indispensable. El encerramiento y honestidad de las doncellas y la autoridad rigurosa de los padres, exigía que otra persona se encargara del feo papel de intermediar entre los dos interesados. Todo se hacía en secreto, y las viejas celestinas podían vivir conocidas e ignoradas por todo el mundo. En la moral española de todos los tiempos es corriente, y sabido, que alguien debe cargar con el pecado.

El juicio de este personaje en Juan Ruiz, en *La Celestina* y en Cervantes nos sitúa ante una evidente indecisión. Claro es que las diferencias de matiz entre ellos son muy grandes.

Al final del *Libro de Buen Amor* hay un largo "planto" a la muerte de Trotaconventos, que Félix Lecoy juzga, despectivamente, como una larga serie de lugares comunes [3].

Si es comprensible que Lecoy no haya entendido el libro de Juan Ruiz, escrito en la clave castellana del siglo XIV, sólo a un afán malintencionado puede atribuirse su incomprensión ante el sello auténtico y personal de todo este pasaje:

> "Ay Muerte! ¡muerta sseas, muerta é malandante!
> Matásteme mi vieja: ¡matasses á mí enante!
> Enemiga del mundo, que non as semejante:
> De tu memoria amarga non sé quien non se espante."
> (1520)

La exclamación repetida y obsesionante, en las imprecaciones a la muerte (que Lecoy llama "disertattion") y la reduplicación de los pronombres ("matásteme mi vieja"), son la huella imborrable de la subjetividad. Sigue su llanto Juan Ruiz:

> "Muerte desmesurada, ¡matases á ty sola!
> ¿Qué oviste comigo? ¿mi leal vieja dola?
> ¡Me la mataste, Muerte..." (1568).

Vuelve a insistir:

> "¡Ay! ¡mi Trotaconventos, mi leal verdadera!
> Muchos te seguían biva; ¡muerta yases señera!" (1569).

Y termina:

> "¡Dios, mi Trotaconventos, te dé su bendiçión!
> El que salvó el mundo ¡él te dé salvaçión!" (1572).

---

[3] *Recherches...*, pág. 202.

Varias convicciones nos deja la lectura de estos pasajes. La existencia real de Trotaconventos, de su relación con Juan Ruiz, y del sentimiento que éste tuvo con su muerte. Y también la de una apología del autor a su "vieja leal". Claro que el Arcipreste retorna a su humor, y no falta, por fortuna, la ironía final implacable:

> "Alta muger nin baxa, çerrada nin escondida,
> Non se le detenía, do fasía abatyda" (1574).

Celestina en el Acto primero y en los añadidos por Rojas

La intención del autor anónimo del acto primero de *La Celestina* va, indudablemente, dirigida contra la picaresca Celestina y sus auxiliares. El cuadro es diáfano y acredita a un maravilloso observador.

De la opinión de Rojas encontramos en el acto XII y en el XV, añadido después, algunos juicios interesantes. Como sucede con Trotaconventos, es al llegar al episodio de la muerte de Celestina cuando el autor vacila en su juicio. Así replica la vieja ante el ataque de los servidores de Calixto:

> "¿Quien so yo, Sempronio? ¿Quitasteme de la puteria? Calla tu lengua, no amengues mis canas. Que soy vna vieja qual Dios me fizo, no peor que todas. Biuo de mi oficio como cada qual oficial del suyo, muy limpiamente. A quien no me quiere no lo busco. De mi casa me vienen a sacar, en mi casa me ruegan. Si bien o mal biuo, Dios es el testigo de mi coraçon" (I, 223, 26-8; 224, 1-4).

Tremenda esta defensa, que merece ser meditada. Al igual que esta otra puesta en boca de Areusa en el acto XV:

> "¡O Celestina sabia, honrrada y autorizada, quantas faltas me encobrias con tu buen saber! Tu trabajauas, yo holgaua; tu salias fuera, yo estaua encerrada; tu

> rota, yo vestida; tu entrauas contino como abeja por casa, yo destruya, que otra cosa no sabia hacer" (I, 251, 26-30).

Al final de su obra no creemos que la firme sentencia moral de Rojas tuviera por principal blanco la derruída y humana figura de la vieja experta.

Juicio cervantino

En el juicio que más tarde dará Cervantes de Celestina, como máximo crítico de la vida española y observador atento de su literatura, encontraremos una gran vacilación, una inseguridad a la hora de decidir su clasificación social. Muy pocos pasajes del *Quijote* pueden compararse en humor, en ritmo y en espíritu cervantino al diálogo de Don Quijote con los galeotes. En él está la que llamaremos "apología irónica" de Celestina:

> "Passó don Quixote al quarto, que era vn hombre de venerable rostro, con vna barba blanca que le passaua del pecho, el qual, oyendose preguntar la causa porque alli venia, conmenço a llorar, y no respondio palabra; mas el quinto condenado le siruio de lengua, y dixo:
>
> Este hombre honrado va por quatro años a galeras, auiendo passeado las acostumbradas vestido en pompa y a cauallo.
>
> Esso es, dixo Sancho Pança, a lo que a mi me parece, auer salido a la verguença.
>
> Assi es, replicó el galeote; y la culpa porque le dieron esta pena es por auer sido corredor de oreja, y aun de todo el cuerpo. En efecto, quiero dezir que este cauallero va por alcahuete, y por tener assi mesmo sus puntas y collar de hechizero.
>
> A no auerle añadido essas puntas y collar, dixo don Quixote, por solamente el alcahuete no merecia el yr a vogar en las galeras, sino a mandallas y a ser general dellas, porque no es assi como quiera el oficio de alca-

> huete; que es oficio de discretos y necessarissimo en la republica bien ordenada, y que no le deuia exercer sino gente muy bien nacida, y aun auia de auer veedor y examinador de los tales, como le ay de los demas oficios, con numero deputado y conocido, como corredores de lonja, y desta manera se escusarian muchos males que se causan por andar este oficio y exercicio entre gente idiota y de poco entendimiento, como son mugerzillas de poco mas o menos, pajezillos y truhanes de pocos años y de poca experiencia, que a la mas necessaria ocasion, y quando es menester dar vna traça que importe, se les yelan las migas entre la boca y la mano, y no saben qual es su mano derecha" (Q. M., I, 303, 17-32; 304, 1-22).

Como sus dos grandes antecesores, Cervantes hace pasar irónicamente su juicio sobre la pasajera infección que representa Celestina, para clavarlo, certeramente, en la esencial hipocresía y en el desequilibrio picaresco de la vida social española.

EL AMOR "CELESTINESCO"

En la literatura celestinesca el concepto del amor y las actitudes amorosas constituyen el eje temático fundamental; no es, por ello, dudoso el que a través de su estudio se perfile un especial prototipo amoroso, formado en la Península en torno al núcleo inicial toledano. Prototipo que se extiende y perdura hasta época muy tardía, y al que bien puede considerarse como fórmula genuinamente española del amor.

Cuestión primordial es buscar sus antecedentes; comparar el "amor literario" celestinesco con el clásico, el islámico y el caballeresco, especialmente. Cabe suponer que de todos ellos tomaría tópicos, situaciones y actitudes, pero sería tendencioso negar su esencial originalidad. Ni la aparente coincidencia de figuras como la de Celestina con otras "intermediarias" anteriores, ni el "arte de amar" ovidiano, implícito en la teórica amorosa de los protagonistas, supone una merma en la originalidad del mundo celestinesco, tan especial e intenso. Ni podemos dudar de que fué en la Baja Edad Media y el Renacimiento y en la "nueva" Castilla donde alcanzó este mundo su plenitud.

El amor "griego"

El influjo siempre decisivo del clasicismo nos enfrenta con el espinoso problema del "amor griego" [4]. El primer resultado de la comparación no es dudoso: ni el homosexualismo típico de la lírica helénica, ni la pederastia platónica han dejado huella alguna en el amor "celestinesco", que, seguramente, ignoraba el origen equívoco de varios de los tópicos que maneja. Ni en torno a Calixto, ni en torno a Melibea se plantean situaciones de dudosa interpretación, como en otros textos renacentistas italianos, franceses e ingleses, más próximos al erotismo platónico.

La mujer constituye la finalidad exclusiva de la dialéctica celestinesca frente al ostracismo a que la somete la poesía helénica. Es, naturalmente, el influjo del cristianismo con su reivindicación femenina, el principal responsable, pero en otras literaturas, igualmente cristianas, no se han logrado los mismos efectos.

La belleza femenina es la que únicamente interesa a los autores castellanos, tan absolutamente ajenos al atractivo adonístico que olvidan describirnos los rasgos más elementales de sus pro-

---

[4] M. H. T. Meier-L. R. de Pogey, *Histoire de l'amour grec dans l'antiquité,* París, Guy le Prat, 1952.—Hans Licht, *Sexual Life in Ancient Greece,* London, Routledge-Kegan, 1956.—M. F. Galiano, J. S. Lasso de la Vega, F. R. Adrados, *El descubrimiento del amor en Grecia,* Madrid, Facultad de Filosofía y Letras, 1959.

tagonistas masculinos. Todo ello al margen de la admiración helénica hacia el desnudo y la belleza de los efebos.

Tampoco es el ideal de la "sofrosine" el que señala la norma de nuestros clásicos, sino su extremo contrario, el amor "apasionado", tan poco grato a los dramaturgos como Esquilo. Cabe deducir que nuestros pseudorenacentistas, a estilo de Rojas, tenían una idea muy vaga, y bastante falsa, de la doctrina del amor contenida en los "diálogos" platónicos, a pesar de que el Fedro y el Simposio ya habían tenido cierta divulgación durante la Edad Media.

Estas diferencias no están sólo en la literatura; son también variantes sociales que oponen dos tipos muy distintos de vida familiar. La literatura helénica no podía interesarse por las complicaciones sociales del amor celestinesco, porque estas dificultades no existían en la sociedad griega. Ni las "celestinas" ni las jóvenes recluídas eran temas interesantes para los autores clásicos.

El platonismo, junto a otros influjos más secundarios, tuvo una escasa penetración directa en la Península, aunque logró introducirse a través de diversas traducciones, casi siempre muy desvirtuadas. Los textos latinos y los árabes, más o menos fragmentados en Poéticas y manuales retóricos, fueron sus vehículos habituales.

El amor "latino"

Los autores latinos continúan la temática amorosa griega, pero conceden al amor entre hombre y mujer mayor importancia. No en vano el período helenístico, con el gran teatro de Eurípides a la cabeza, había vuelto su atención hacia los protagonistas femeninos. Ovidio es, sin duda, el autor latino que consigue mayor difusión en nuestra literatura erótica. Sus resúmenes, en cierto modo "didácticos", de casuística amorosa, "artes" y "remedios" de amor, le convierten en el "maestro" por excelencia. No obstante, tampoco el verdadero espíritu ovidiano revive en la celestinesca. Su mundo amoroso es demasiado despreocupado para interesar a una sociedad semicristiana, en la que es indispensable sentir y vencer una conciencia de "pecado". Los modos y la actitud del "conquistador" romano son ciudadanos y excesivamente modernos para ser aplicados a la vida de las pequeñas villas castellanas. El asalto al "castillo interior" de la familia o de la comunidad medieval plantea problemas muy distintos a los de las frívolas conquistas romanas por las calles, foros, teatros, circos, naumaquias, triunfos y banquetes. Ni siquiera en la capital toledana podrían existir muchas oportunidades de esta clase.

El amor "islámico"

Pero no fué Roma el único, ni posiblemente el más fiel traductor del erotismo griego, especialmente del platónico. El Islam, y de manera notable el Islam andalusí, aprendió muy bien todas sus sutilezas más o menos idealistas y homoxesuales, sin por ello descuidar la dedicación ferviente a las prácticas múltiples del harem. La literatura árabe recoge y divulga, junto a una obscenidad extremada, el más afectado, retorcido y casuístico idealismo.

Parece evidente que las fórmulas árabes del amor llegaron al conocimiento de nuestros autores medievales islámicos y cristianos. Incluso las modalidades nacidas en Oriente, como el amor "udri", de moda en la capital abasida, es pronto conocido por los autores andaluces. Pero Al Andalus no era una remota provincia dentro del mundo islámico, sino un poderoso centro cultural. No es, pues, necesario buscar en textos orientales lo que tan cerca estaba de nuestros autores castellanos.

En la literatura andalusí destacan su significación contrapuesta los nombres de Ibn Hazm, el cada día más famoso autor del

Collar de la Paloma, y el de Ibn Quzman, el popular poeta del *Cancionero.*

El *Collar de la Paloma* está en la línea de los "libros de amor", densa teoría erótica con muy variadas incrustaciones autobiográficas y líricas. Su casuística oscila entre un ambiguo platonismo y la descripción detallada de episodios amorosos en los que los protagonistas son, con demasiada frecuencia, solamente masculinos. Todo ello entre rebuscadas fórmulas y códigos secretos para uso de amantes, y con una evidente afición a los amores clandestinos y a los "detalles" de dudoso gusto: cartas escritas con lágrimas o saliva, regalos absurdos y conversaciones dulzonas entre amantes, esclavas y amigos equívocos.

También aparecen las consabidas "intermediarias". En el capítulo XI "*Sobre el mensajero*", dice Ibn Hazm que para esta misión "suelen ser empleadas las personas que tienen oficios que suponen trato con las gentes, como son, entre mujeres, los de curandera, aplicadora de ventosas, vendedora ambulante, corredora de objetos, peinadora, plañidera, cantora, echadora de cartas, maestra de canto, mandadera, hilandera, tejedora y otros muchos análogos" (pág. 12). Sin duda, éstos son, o pueden ser, oficios de Celestina o de Trotaconventos, pero con ello no basta para afirmar que el prototipo celestinesco estaba ya en la literatura islámica o en la clásica. Ninguna de las "intermediarias" que aparecen en literaturas anteriores a la toledana tienen envergadura humana ni cargan con la misión "ovidiana" de ser suma, compendio y personificación del "ars amatoria" en que la propia Celestina es indiscutible "maestra". Y junto a esta experta metodología, que resume la clásica y la islámica, todavía se añade el sentido religioso de la hechicería medieval. Comparar un protagonista de semejante altura con las insignificantes "mensajeras" a que alude Ibn Hazm, o con las pobres figuras secundarias de la literatura clásica, es falsear la realidad.

Como, asimismo, lo es establecer íntimas relaciones entre el *Collar de la Paloma* y el *Libro de Buen Amor*, que son planteamientos diametrales incompatibles en su esencia y en todos los detalles de su contenido. Basta recordar el sentido popular y naturalista del Arcipreste, su humor socarrón y su intachable normalidad sexual, para rebatir las tendenciosas críticas modernas en este sentido [5].

Incluso se oponen ambos autores en la intención didáctica, que mientras en Ibn Hazm revela un propósito sincero de "ejemplaridad" islámica, en Juan Ruiz sólo es ironía socarrona. Basta leer las siguientes palabras del capítulo I (Plan de la obra), del *Collar*: "el fin de nuestra explanación y la conclusión de nuestro discurso van enderezados a predicar la sumisión a Dios Honrado y Poderoso y a prescribir el bien y vedar el mal, como es deber de todo creyente" (pág. 73), y compararlas con la "maquiavélica" Introducción de nuestro Juan Ruiz. Ni el *Collar de la Paloma* ni el amor "udri" tenían posibilidad alguna de penetrar en el erotismo toledano, y todavía menos sus otras imitaciones islámicas, cada vez más rutinarias y teorizantes.

En el extremo opuesto encontramos el completo cinismo, teórico y práctico, de Ibn Quzman, que en su *Cancionero* nos enseña la cara más auténtica del estilo amoroso en el Islam. Imágenes deslumbrantes y una agilidad incomparable de la expresión están al servicio del amor "equívoco" en una autobiografía poco sospechosa de insinceridad: "si entre los hombres hay quien tiene una de las dos cualidades—confiesa Ibn Quzman—, sodomita o adúltero, yo reúno las dos" [6]. Cualquier ocasión es aprovechada para dejar bien sentada esta misma idea: "En cuanto a mí, la gente dice y dice verdad: Es un indio, hijo de indio,

---

[5] Edición del *Collar de Paloma*, por E. García Gómez. Sociedad de Estudios y Publicaciones, Madrid, 1952.

[6] A. R. Nykl, *El Cancionero de Aben Guzman*. Escuelas de Estudios Arabes, Madrid-Granada, 1933, pág. 381.

pendejo y sodomita" (pág. 362). Y junto a este orgullo literario, quizá un tanto esnobista, alterna los elogios más extremosos al vino y a la embriaguez: "Vino, vino y déjame en paz de lo que digan" (pág. 417).

El platonismo equívoco del *Collar* ha dejado lugar, en el *Cancionero* de Ibn Quzman, a la apoteosis desenfrenada de una fórmula amorosa que sería inconcebible en los autores castellanos, que pronto aparecerán en la España cristiana [7]. Junto a esta figura de poeta degenerado, continuo perseguidor de muchachos y mujeres casadas, bebedor infatigable, que dedica su poesía al "gran amor" de su amigo Al-Waski, la figura y la poesía de Juan Ruiz se elevan hasta parecernos ejemplares, prueba evidente de que unas nuevas fórmulas cristianas, absolutamente opuestas, dentro de la misma Península, al platonismo y a la obscenidad islámica, han ido imponiéndose.

El amor "cortés"

Deshechados los precedentes clásicos e islámicos como fuentes directas del amor celestinesco, nos falta compararle con otros planteamientos medievales cristianos, especialmente con aquellos cuya relación con la literatura medieval toledana está comprobada. Tal es el caso del amor "cortés", desarrollado en el amplio marco de la literatura provenzal, y fácilmente introducido en la Península por la lírica galaico-portuguesa [8].

---

[7] Según Dozy, y García Gómez, que recoge la cita, parece ser de la misma opinión, "Ibn Hazm es el más casto, y me atrevería a decir que el más cristiano de los poetas musulmanes" (Introd. *Collar de la Paloma*, pág. 31). Ciertamente, no hay en el *Collar* propósitos obscenos, sino, por el contrario, una auténtica, aunque para nosotros extraña preocupación ascética. Pero también es evidente que el amor-amistad entre los "camaradas" de clase, a que frecuentemente alude, y el platonismo apasionado de varios de sus ejemplos, refleja un pensamiento homosexual que forzosamente había de repugnar a los escritores castellanos.

[8] Martín de Riquer, *La lírica de los trovadores*, Barcelona, Escuela de Filología, 1948.

Las canciones trovadorescas son de tema amoroso, dirigidas a la mujer; a la más extrema estimación de la mujer. El enamorado se sitúa en la posición del vasallo, que incluso admite ser comprado y vendido por su amada o "señor". Pero tiene una extraña desviación: sólo interesan al trovador las amadas casadas, y que pertenezcan a una clase elevada. Es, por tanto, la poesía al amor adúltero y aristocrático. Aborrece la vulgaridad convencional del matrimonio, la naturalidad sin riesgo del amor con las jóvenes solteras, la sencillez poco elegante de las aventuras con gente del pueblo.

Sobre esta estricta finalidad del amor "cortés" se organiza una rigurosa casuística, y se establece una jerarquía por la que ha de ascender el enamorado paso a paso, desde su inicial conocimiento hasta llegar al grado máximo de "drut" o amante. Frente a él es preciso contar con una fuerza enemiga, representada por los maridos "celosos" y los aduladores o delatores. Es, pues, indispensable la discrección y el uso de claves poéticas que adquieren, con el riesgo, un nuevo encanto (trobar clus). Naturalmente, que no todo es idealismo en la lírica trovadoresca, pero incluso la procacidad tiene en ella un sentido retórico y se somete a una disciplina escolástica.

Resumen. El amor "celestinesco"

No creemos tampoco, en resumen, que esté en el amor "cortés" la fuente del *Buen Amor,* popular y directo de nuestro Arcipreste, y menos de la plena fórmula celestinesca, tan apasionada bajo su aparente retórica. Es preciso admitir que al llegar al extraño y complejo mundo toledano de la Edad Media, todos estos influjos, clásicos, islámicos y occidentales se condensan, pero no son imitados. La nueva formulación del amor es esencialmente original, difícil de imaginar en otra región o en otra época.

Veamos cuáles son sus rasgos característicos:

Destaca, ante todo, la ausencia absoluta, no ya de homosexualismo, sino de toda alusión literaria, de toda curiosidad por el tema. En el *Libro de Buen Amor* ni siquiera se alude a la amistad, a la camaradería o a la belleza masculina. La relación de Calixto con sus criados tampoco invita a la menor sospecha.

El amor adúltero, aunque puede aparecer en textos secundarios, no es tampoco tema del agrado de los autores celestinescos, sean medievales o renacentistas. En los primeros prevalece la figura de la "domina", quizá a ejemplo provenzal, pero en forma de viuda (Doña Endrina) o de monja (Doña Garoça); más tarde será la "puella", a estilo de Melibea, la protagonista ideal.

La extrema contraposición de ideas y normas de vida que caracteriza al modo de ser español desde sus orígenes medievales, es un factor indispensable para explicar el amor "celestinesco". En él se oponen, conscientemente, la inmoralidad sin trabas del ambiente picaresco y el bárbaro realismo de los burdeles, que tanto abundaban en la "severísima" España, con la rigurosa y vigilada fortaleza de las doncellas provincianas. El efecto más intenso, la más perfecta esencia amorosa, que en esta nueva "fórmula" podía lograrse, estaba en el choque de estos dos mundos diametrales. Calixto, como su tardío sucesor Don Juan, tratan de aplicar sus recursos habituales, de "señorito calavera", cliente de rameras y celestinas, a la conquista de aquel prototipo de mujer que esté más idealizado por el mundo poético occidental y cuya vida transcurra dentro de un medio más intensamente cristianizado, es decir, que sea más refractario a las viejas "artes" ovidianas.

Esta controversia entre mundos antitéticos es muy semejante a la que puede considerarse medular en el nuevo mundo castellano, es decir, la que enfrenta la vida picaresca a la caballeresca. No hay que olvidar que la frontera estilística que separa al género picaresco del celestinesco es, a menudo, tan tenue como la que diferencia en la vida real a sus protagonistas.

También son semejantes los resultados de ambas polémicas. Calixto, con ayuda de la gran maestra Celestina y utilizando los manejos equívocos de criados, pícaros y rameras, consigue conquistar a Melibea. La convierte, al fin, en mujer de carne y hueso, no sólo apasionada, sino capaz de todas las audacias amorosas. Es un proceso muy semejante a la ya anotada "conversión" de Don Quijote.

Pero Calixto, como su sucesor Don Juan, es, a su vez, arrancado de su mundo habitual de "conquistador" y convertido a una fórmula trascendente, que ya nada tiene que ver con las "aventuras" ovidianas; solución que sería perfectamente cristiana si en el planteamiento no hubieran mediado propósitos y, sobre todo, "socios" e "intermediarios" de signo muy contrario.

La "tragedia" celestinesca no surge, en realidad, dentro de los protagonistas, sino más bien fuera de ellos. Entre sus antiguos cómplices, que no admiten un desenlace tan imprevisto; entre los padres, amigos y vecinos de Melibea, que tampoco aceptan el haber sido burlados en su orden y en su estructura tradicional. La peligrosa aproximación de los dos mundos contrarios y su conflicto final está en la misma base del amor celestinesco; que es tanto más excitante cuanto más peligroso.

De la intensidad de esta "fórmula", lograda no sólo en prototipos literarios, sino en la vida real de un largo período español, tenemos la prueba en la persistencia moderna y popular de los temas celestinescos en el teatro. Siguen siendo hoy bien conocidos, dentro y fuera de España, los rasgos característicos de la psicología amorosa española, que, sin duda, contrasta con la de los países que nos rodean. La tradición "celestinesca" no es ajena a estos resultados.

Capítulo VIII

LA PICARESCA

La "picaresca" como "síntesis" española

La interpretación y el juicio de la picaresca son cuestiones graves para la historia española; graves y confusas.

Son varios los caminos que conducen a ella, y también son diversas las intenciones y las "entonaciones" con que se la denomina. Es, por ello, indispensable analizar estos diversos aspectos y separar lo que hay en el concepto general de picaresca de causas económicas y políticas; de actitudes y recursos literarios; de crítica moral, filosófica o religiosa; de fenómenos peculiares a determinadas regiones dentro de la Península. Y para este análisis no nos conviene olvidar que la picaresca define un mundo absoluto, y que el pícaro es un prototipo histórico y humano, que alcanza una total proyección en la vida española; lo que hace necesaria una comprensión suya igualmente completa.

Históricamente, la picaresca es una epidemia; el resultado de una grave crisis española, cuyo momento culminante coincide con la excesiva dispersión imperialista de los Austrias. Representa el hábito, el agrado con que el español vive en una sociedad injusta y desorganizada; subversión complacida, abierta y burlona, de unas jerarquías tradicionales, más o menos petulantes y falsificadas; fórmula española de nihilismo; refugio de gentes ineficaces y orgullosas; disimulo de un gran fracaso nacional bajo capa irónica.

Las causas históricas que, al acumularse a fines del siglo XV, determinan la rápida madurez del género, tienen unas claras raíces políticas. El Reino de Castilla, a pesar de su reciente hegemonía peninsular, de la triunfal liquidación de la reconquista, y del descubrimiento y explotación de América, no estaba en condiciones de soportar la empresa imperialista europea. La picaresca crece a la sombra de esta insostenible y enfermiza grandeza; como resultado y reacción de su desequilibrio.

La continua aventura militar trajo consigo la ruina económica. No es necesario insistir en lo que es ya un lugar común de la actual historiografía. Los principales eslabones de esta cadena son bien conocidos: empresas caras, hipotecas cada vez más agobiantes, liquidación del oro de Indias, de la pasajera fortuna ganadera, de las tierras recientemente reconquistadas. En resumen: liquidación de la fortuna peninsular al servicio del interés imperial y germánico de Carlos V.

Pero este malestar económico no hubiera por sí sólo provocado la compleja reacción picaresca. Otros factores vinieron a colaborar en su origen y florecimiento. La crisis económica estaba complicada con quiebras sociales, que hubieran probablemente alcanzado a la organización eclesiástica a no impedirlo las tremendas barreras defensivas del Concilio de Trento, de la Inquisición y de las nuevas Ordenes religiosas.

Literariamente, se junta bajo un mismo concepto la crítica regional (castellana nueva), a una decadente norma caballeresca y el gusto estético por los ambientes realistas y pintorescos, e incluso por los personajes mismos del hampa. Esto último es quizá lo que en mayor grado la diferencia de las otras sátiras sociales; los pícaros acaban apoderándose de la simpatía tanto del lector como del propio autor. Quedа, al fin, indecisa la frontera entre crítica y apología.

Las pruebas de este entusiasmo y curiosidad, no sólo literaria, sino popular, por la vida despreocupada y vagabunda del pícaro aparecen a cada paso. Quizá su mejor resumen sean las estrofas de la famosa *Vida del Pícaro* [1] que, como todas las críticas toledanas del tema, oculta una íntima complacencia:

"¡O pícaros, amigos desonrrados,
cofrades del placer y de la hanchura
que libertad llamaron los pasados!
Pasen las opalandas y mesura
que todo vale poco, pues nos priua
de lo que aplaçe, engorda y asegura.
Hechados voca abaxo o voca arriba
—pícaros de mi alma— estais olgando,
sin monxa que melindres os escriua.
Vosotros os entrais do estan vailando,
y, a trueque de sufrir dos pescoçones,
goçais lo que el magnate esta goçando.
Dormis seguramente por rincones,
vistiendoos vna vez en todo el año,
agenos de sufrir amos mandones.
¡O vida picaril, trato picaño!
confieso mi pecado: diera vn dedo
por ser de los sentados en tu escaño."

También en otro libro, bien representativo: la *Segunda parte de la Vida del Lazarillo de Tormes,* por I. de Luna, obra de un intelectual, plenamente consciente de la intención crítica y de la trascendencia social del tema, nos sorprende ver surgir de improviso la apasionada apología de la vida "libre" del pícaro:

---

[1] *La Vida del Pícaro, compuesta por gallardo estilo en tercia rima.* Edición crítica por Adolfo Bonilla y San Martín, en *Extrait de la Revue hispanique,* tome IX, París, 1902, pág. 29.

"Si he de decir lo que siento, la vida picaresca es vida, que las otras no merecen este nombre; si los ricos la gustasen, dejarían por ella sus haciendas, como hacían los antiguos filósofos, que por alcanzarla dejaron lo que poseían; digo por alcanzarla, porque la vida filosófica y picaril es una; sólo se diferencian en que los filósofos dejaban lo que poseían por amor, y los pícaros, sin dejar nada, la hallan. Aquéllos despreciaban sus haciendas, para contemplar con menos impedimento en las cosas naturales, divinas y movimientos celestes; éstos, para correr a rienda suelta por el campo de sus apetitos; ellos las echaban en la mar; y éstos en sus estómagos; los unos las menospreciaban como cosas caducas y perecederas; los otros no las estiman, por traer consigo cuidado y trabajo, cosa que desdice de su profesión. De manera que la vida picaresca es más descansada que la de los reyes, emperadores y papas. Por ella quise caminar como por camino más libre, menos peligroso y nada triste" [2].

Crítica de Castilla la Vieja por Castilla la Nueva

La picaresca es esencialmente una crítica, un análisis cada vez más despiadado de la vida en torno al protagonista, más que de su pensamiento, su moral o su vida mismas. Crítica social, política, pero también crítica regional.

La controversia regional de Castilla la Nueva frente a Castilla la Vieja alienta en el fondo mismo del género. La ironía toledana no podía por menos de advertir la decadencia del espíritu caballeresco, representativo del viejo castellano nórdico. El ambiente de una ciudad como Toledo, llena de cortesanos y parásitos, era, por otra parte, un campo muy propicio para que abundasen los modelos vivos del pícaro, en todas sus variantes:

---

[2] *La Celestina y Lazarillos.* Edición por Martín de Riquer, Barcelona, Editorial Vergara, 1959, pág. 740.

mendigos, celestinas, rufianes y sus necesarios complementos: escuderos, arciprestes contagiados de goliardismo, bulderos, etc.

No es de extrañar que la geografía regional de la picaresca girase en torno de dos grandes centros regionales: Toledo y Sevilla. De ellos fué pasando a otras ciudades (la picaresca es eminentemente ciudadana), como Segovia, Valencia, Málaga, hasta extenderse por toda la Península. Pero es indudable que su principal y originaria divisoria geográfica fué la Sierra Central.

Esta reacción crítica de Castilla la Nueva frente a su vecino del Norte, ya se inicia en los primeros documentos. El *Libro de Buen Amor* esconde una reacción frente al problema caballeresco, y en especial frente al Cid. Su intención más aguda no va, sin embargo, dirigida contra la estructura social de la caballería, sino contra la jerarquía eclesiástica. Sus sátiras en este sentido serían imposibles dos centurias después.

Pero la plenitud del criticismo toledano hay que buscarla casi dos centurias más tarde. En el anónimo o anónimos autores del *Lazarillo* y en la gran parodia castellana de Cervantes. No es casual que este apogeo coincida, más o menos, con la época del Emperador.

Prototipos picarescos

En la literatura picaresca se acentúa la tendencia medieval hacia los arquetipos. Se acentúa, asimismo, la intención con que aparecen presentados. En el *Lazarillo de Tormes* asistimos a una sucesión de esquemas, organizados en torno a una serie de prototipos: mendigos, escuderos, bulderos, frailes de la merced, etc. Cervantes hará más tarde un uso muy amplio de una técnica similar.

Aun siendo convencionales, por esta causa, muchos personajes del género, el esquematismo confirma y hace resaltar su clara intención crítica, que parte de un análisis minucioso de los objetivos. Por un lado vemos aparecer unos más o menos proporcionados representantes del idealismo caballeresco y religioso: hidalgos y caballeros, conquistadores y capitanes de los Tercios, místicos e iluminados; todo el mundo "castellano" idealizado por la Reconquista; por otro, su reverso realista: pícaros o apicarados, mendigos, lazarillos, rufianes, arbitristas [3]; fruto ambiguo del escepticismo toledano.

---

[3] Surge el arbitrismo como sistema característico de un desconcierto social y de unas soluciones descabelladas, y como variante nada desdeñable de la propia picaresca.

La más completa descripción del arbitrista la recoge Quevedo en *El Buscón:* "Ibame entreteniendo por el camino, considerando en estas cosas, cuando, pasado Torote, encontré con un hombre en un macho de albarda, el cual iba hablando entre sí con muy gran prisa, y tan embebido, que, aun estando a su lado, no me via. Saludele y saludome. Preguntele donde iba, y después que nos pagamos las respuestas, comenzamos luego a tratar de si bajaba el turco y de las fuerzas del rey. Comenzó a decir de quő manera se podía conquistar la Tierra Santa, y cómo se ganaría Argel; en los cuales discursos eché de ver que era loco republico y de gobierno."

Revela Quevedo su intensa preocupación por esta plaga de la vida española: "Era tan inmensa la arbitrería que producía aquella tierra, que los niños, en naciendo decían "arbitrio" por decir "taita". Era una población de laberintos, porque las mujeres con sus maridos, los padres con los hijos, los hijos con los padres, y los vecinos unos con otros, andaban a daca mis arbitrios y toma los tuyos; y todos se tomaban del arbitrio como del vino."

La crítica cervantina de los arbitristas es semejante en el fondo a la de Quevedo, pero menos dura, menos amarga. Bien es verdad que los años que median entre los dos son muy intensos en el declinar español, y la escena que tiene ante sí Quevedo es más pesimista:

"Tiene mostrado la esperiencia que todos o los mas arbitrios, que se dan a su magestad, o son impossibles o disparatados, o en daño del rey o del reyno" (Q. M., III, 37, 31).

Como en Quevedo su preocupación fundamental es defensiva: buscar solución a la agotadora guerra contra los turcos, para lo cual Don Quijote propone un "eficacísimo" arbitrio:

"¿Ay mas sino mandar su magestad por publico pregon que se junten en la Corte para vn dia señalado todos los caualleros andantes que vagan por España, que aunque no viniessen sino media docena, tal podria venir entre ellos que solo bastasse a destruyr toda la potestad del Turco?" (Q. M., III, 39, I).

La parodia del hidalgo

La venta de hidalguías y la liquidación de los maestrazgos provocada por la reciente necesidad imperial, había desorganizado la jerarquía caballeresca. El prototipo medieval del hidalgo, perdido su prestigio militar, estaba acabando en un personaje pintoresco, que se debatía junto a los pícaros en el mismo ambiente de contradicciones morales y de miseria. Desde este punto de vista, cabe incluir al *Quijote* dentro del género picaresco, y no es absurdo considerar que toda su historia es como un colosal arbitrio cervantino encaminado a la imposible solución caballeresca de la Historia española.

El prototipo fundamental al que se dirigen los más continuos ataques de la picaresca es, naturalmente, el caballero en sus diversas variantes. El ocio, la pobreza, la fanfarronería, la mentira constante de sus apariencias, son un blanco fácil, y que, a su vez, permite alcanzar otras instituciones más altas: la Corte imperial; la Iglesia; las empresas descabelladas y su gasto excesivo. No es dudosa la intención de muchos pasajes como el siguiente del *Quijote,* en el que se advierte con evidencia el juicio negativo e irónico del autor ante la empresa imperial:

> "... fue particular gracia y merced que el cielo hizo a España en permitir que se assolasse aquella oficina y capa de maldades (la Goleta y el Fuerte) y aquella gomia o esponxa y polilla de la infinidad de dineros que allí sin prouecho se gastauan, sin seruir de otra cosa que de conseruar la memoria de auerla ganado la felicissima del inuictissimo Carlos Quinto" (Q. M., II, 212, 16).

El uso de los superlativos "felicísima" e "invictísimo" no deja lugar a dudas sobre la intención irónica de Cervantes. Son unos de tantos "sinónimos" como los que le granjearon la enemistad de su imitador Avellaneda.

La preferente atribución de los rasgos caballerescos a Castilla la Vieja también es consciente en los autores de la picaresca, que nacen o viven en la Nueva. No es casualidad que la breve autobiografía del escudero en el *Lazarillo de Tormes* se resuma en tres escuetos rasgos:

> "contome su hazienda y dixome ser de Castilla la Vieja y que auia dexado su tierra no mas de por no quitar el bonete a vn cauallero su vezino" (L. T., 187, 8-11).

La cortesanía caballeresca, objeto principal de esta sátira, tuvo su escuela en las cortes italianas. En ellas ensayaron su especial estilo los caballeros españoles del Emperador. Pronto hicieron un lugar común en Europa las mismas características que la picaresca tomaría como presa apetitosa. Son, en resumen, los habituales de entonces, pero exageradas en sus modos de expresión. B. Croce y A. Farinelli han puesto bien de relieve las especiales características del "español" renacentista en Italia. Características que llamaron la atención de los contemporáneos. Como, por ejemplo, la del músico napolitano de fines del siglo XVI Massimo Troiano, autor de un *Compendio* o manual de español para uso de italianos, que resumía la manera de expresarse los españoles de la época en los rasgos siguientes: abundancia y frecuencia de comparaciones y metáforas (más blanco que la nieve y más negro que la pez). De exclamaciones y preguntas retóricas (¿hay en el mundo más desdichado hombre que yo? ¡no cierto!; ¿hay hombre que más le pese de vivir? ¡por cierto no!); el cúmulo de nombres, apodos y sinónimos, picantes, mordaces y burlescos; los refranes innumerables de la conversación. Junto a estas características destaca la ceremoniosidad y el empaque de los títulos, formas y expresiones de cortesía. Al "quédate con Dios" sucede el cortesano "beso las manos a vuestra merced".

La sátira de estas expresiones la encontramos en el *Lazarillo,* en la disputa del escudero por causa del "mantenga Dios a vuestra merced" (L. T., 189-8).

Poco a poco va tomando cuerpo el prototipo español del caballero, cortesano, galante, engolado y ceremonioso en su manera de hablar, aventurero incansable y, según la "vox populi" de la época, presumido y fanfarrón.

Su paso por las cortes italianas fué, a no dudar, factor importante en la presencia externa de su figura, pero lo que más influyó en su definitiva formación fué la abrumadora propaganda de los libros de caballería. Hoy nos cuesta trabajo imaginar cómo fué posible el universal interés por unas historias tan largas, inverosímiles y tantas veces repetidas. Sin embargo, es indudable que fueron una de las grandes pasiones del tiempo, y que su influencia llegó a todas las clases sociales y a las más fuertes personalidades. Recordemos aquel inverosímil desafío de Carlos V a Francisco I, inconcebible fuera de un ambiente novelesco. Y el hecho cierto de la iniciación de nuestros grandes místicos en la lectura y el ejemplo de los libros de caballería.

Hidalgos y caballeros

Cortesanía y literatura fueron, pues, los ingredientes principales que entraron a formar el prototipo del caballero a estilo español. Uno de ellos, la cortesanía, parece ser elemento ajeno, importado de las cortes renacentistas de Italia, mientras que el otro viene a ser resultado de una moda literaria afectada y de antecedentes internacionales. Podría llegarse, según esto, a la conclusión de que el tan traído y llevado caballero español era un artificio sin raíces en la auténtica tradición popular. Así, efectivamente, hubiera sucedido a no haberse amalgamado y cobrado vida y fuerza gracias al apoyo de una figura hondamente española: la del hidalgo. Pero, ¿qué es lo que diferencia y qué es lo que une al caballero y al hidalgo? ¿En qué momentos y por qué causas el hidalgo se convierte en caballero? A primera vista, parece que entre ellos sólo existe una diferencia de nivel social: el caballero es una categoría superior al hidalgo. Pero hay otras diferencias más hondas: mientras el uno representa al ideal cortesano y universalista, que rodea la Corte del Emperador, el otro encarna un nacionalismo popular, reacio a las novedades extranjeras, apegado a la tierra y a las virtudes burguesas. Si quisiéramos resumir todo esto en un esquema, diríamos que el hidalgo procede y corresponde con la España de los Reyes Católicos, mientras el caballero es un típico producto de la España de los Austrias [4].

La excesiva proximidad y semejanza entre hidalgos y caballeros era constante motivo de rivalidad y competencia. La jerarquía era un problema en la España de entonces, y no es nada de extrañar que entre dos figuras tan próximas surgieran abundantes cuestiones protocolarias. Ahí tenemos el caso del escudero del *Lazarillo de Tormes,* hidalgo venido a menos.

En *Don Quijote* también aparece el reflejo de esta competencia. En las siguientes palabras de Sancho da su más exacta y maliciosa versión de ella:

> "Pues lo primero que digo, dixo, es que el vulgo tiene a vuestra merced por grandissimo loco y a mi por no menos mentecato. Los hidalgos dizen que, no conteniendose vuestra merced en los limites de la hidalguia, se ha puesto *don* y se ha arremetido a cauallero, con quatro cepas y dos yugadas de tierra y con vn trapo atras y otro adelante. Dizen los caualleros que no querrían que los hidalgos se opusiessen a ellos, especialmente aquellos hidalgos escuderiles que dan humo a

[4] La mejor descripción de uno de estos hidalgos, que poco a poco fueron desapareciendo absorbidos por las clases superiores o inferiores, nos la ha dejado Cervantes, que conocía bien la cuestión, en una de las mejores páginas del *Quijote:* la descripción del caballero del verde gabán.

> los çapatos y toman los puntos de las medias negras con seda verde" (Q. M., III, 56, 13).

En otros pasajes recarga Cervantes su ironía sobre el uso del "don", de tan decisiva importancia en el trato social de la época:

> "a la qual rogó Don Quixote que se pusiesse don, y se llamase doña Molinera" (Q. M., I, 76-1).

Cervantes estaba bien al tanto de toda la espinosa competencia desencadenada en torno a esos pobres hidalgos escuderiles, que trataban de sostener sus últimos residuos de nobleza, a costa de cubrir como mejor podían las apariencias. Bien es verdad que éste y no otro fué el gran problema que le agobió a él mismo durante toda su vida.

Hambre y pobreza en la crítica de Cervantes

En multitud de pasajes de su obra aparece la figura del hidalgo, el escudero o el caballero pobres y "enfadosos", pendientes de su "carta de executoria", que tenían que ocultar una vida prosaica a semejanza del marido de la posadera que aparece en el *Coloquio de los Perros.* Si tenía aquel oficio, dice, "era a no poder mas, que Dios sabia lo que le pesaba" (*El Casamiento engañoso,* 194, 25-26), y maldecía de su profesión "no por mas de que porque piense el que los oye, que de alta, prospera, y buena ventura han venido a la desdichada y baxa en que los miran" (C. E., 190, 6-9).

La obsesión por la pobreza es el rasgo más definido de estos hidalgos en progresiva decadencia. Numerosas veces Cervantes, que en cierto modo es arquetipo suyo, define su juicio pesimista:

> "El pobre honrado, si es que puede ser honrado el pobre" (Q. M., III, 275, 9).

> "En este tiempo solicitó don Quixote a vn labrador vezino suyo, hombre de bien, si es que este titulo se puede dar al que es pobre" (Q. M., I, 110, 14).
>
> "el pobre está inabilitado de poder mostrar la virtud de liberalidad con ninguno, aunque en sumo grado la possea" (Q. M., II, 374, 12).
>
> "sobre vn buen cimiento se puede leuantar vn buen edificio, y el mejor cimiento y çanja del mundo es el dinero" (Q. M., III, 252, 8).
>
> "Dos linages solos ay en el mundo, como dezia vna aguela mia, que son el tener y el no tener, aunque ella al del tener se atenia, y el día de oy, mi señor don Quixote, antes se toma el pulso al auer que al saber: vn asno cubierto de oro parece mejor que vn cauallo enalbardado" (Q. M., III, 260, 29).

Este pesimismo cervantino culmina en varios pasajes que traslucen bien a las claras su fondo autobiográfico y el resentimiento acumulado en la larga vida de solicitante cortesano:

> "Fue la enfermedad caminando al paso de mi necessidad, y como la pobreza atropella a la honra, y a vnos lleua a la horca, y a otros al hospital, y a otros les haze entrar por las puertas de sus enemigos con ruegos y sumissiones, que es vna de las mayores miserias que puede suceder a vn desdichado" (C. E., 147, 17-24).

Otras veces se refleja la protesta cervantina ante el silencio y la incomprensión de su pensamiento:

> "Y has de considerar que nunca el consejo del pobre, por bueno que sea, fue admitido; ni el pobre humilde ha de tener presumpcion de aconsejar a los grandes y a los que piensan que se lo saben todo. La sabiduria en el pobre esta assombrada, que la necessidad y

miseria son las sombras y nubes que la escurecen; y si acaso se descubre, la juzgan por tontedad y la tratan con menosprecio" (C. E., 247, 23-29; 248, 1-3).

Culmina este pesimismo en dos extraordinarios pasajes de muy semejante intención y contenido:

"Abatida pobreza causadora
deste dolor que me atormenta el alma,
aquel te loa que jamas te mira;
turbóse en ver tu rostro mi pastora,
a su amor tu aspereza puso en calma
y assi, por no encontrarte, el pie retira.
Mal contigo se aspira
a conseguyr intentos amorosos" (*La Galatea,* I, 176, 3-10).

"O pobreza, pobreza, no se yo con qué razon se mouio aquel gran poeta cordoues, a llamarte "dadiua santa desagradecida!" Yo, aunque moro, bien se, por la comunicación que he tenido con christianos, que la santidad consiste en la caridad, humildad, fee, obediencia y pobreza; pero con todo esso, digo que ha de tener mucho de Dios el que se viniere a contentar con ser pobre, si no es de aquel modo de pobreza de quien dize vno de sus mayores santos:

Tened todas las cosas como si no las "tuuiessedes", y a esto llaman pobreza de espiritu; pero tu, segunda pobreza, que eres de la que yo hablo, ¿por qué quieres estrellarte con los hidalgos y bien nacidos mas que con la otra gente? ¿Por qué los obligas a dar pantalia a los çapatos, y a que los botones de sus ropillas vnos sean de seda, otros de cerdas y otros de vidro? ¿Por qué sus cuellos, por la mayor parte, han de ser siempre escarolados, y no abiertos con molde? Y en esto se echará de ver que es antiguo el vso del almidon y de los cuellos abiertos. Y prosiguió: Miserable del bien nacido que va dando pistos a su honra, comiendo mal, y a puerta cerrada, haziendo hipocrita al palillo de dientes con que sale a la calle despues de no auer comido cosa que le obligue a limpiarselos; miserable de aquel, digo, que tiene la honra espantadiza, y piensa que desde vna legua se le descubre el remiendo del çapato, el trassudor del sombrero, la hilaza del herreruelo y la hambre de su estomago!" (Q. M., IV, 71, 10).

Su pesimismo en este aspecto es notable. Reflejo, al fin, del desequilibrio cada vez mayor entre la realidad económica del país y su expansión política. La organización militar, cuyo presupuesto no bastaba para atender las más elementales necesidades, producía fuertes contrastes, bien observados por Cervantes. El soldado "pobre, desnudo y cansado", llevado de una vida picaresca, que vive "a la de Dios es Christo", haciendo constantes alardes de su valor: "blasoné, hendi, rage, ofreci, prometi, y hice todas das demonstraciones que me parecio ser necessarias para hazerme bienquisto con ella" (C. E., 135, 1-5). Otras veces nos lo describe mendigando con la mayor naturalidad, o incluso haciendo alarde de su miseria:

"Pide limosna en modo este soldado,
que parece que grita o que reniega,
y yo estoy en España acostumbrado
a darla a quien por Dios la pide y ruega" (G. E., 68, 3-6).

En esta comedia del *Gallardo español* es evidente el propósito cervantino de descubrir la estampa, a contraluz, del soldado de los famosos Tercios:

"Soy vn soldado
que me he venido a entregar
a vuestra prision de grado,
por no poder tolerar
ser valiente y mal pagado" (G. E., 45, 7-11).

El hambre, pura y simple, de modestas "hogazas de pan", es el tema obsesivo que persigue a una heterogénea clase social, formada por mendigos, soldados, poetas y estudiantes:

"Animas, si quereis que al exercicio
buelua de mis plegarias y rosario,
pedid que me haga el cielo beneficio
que siquiera no falte el ordinario;
que, aunque de Marte el trabajoso oficio
en mi estomago pide extraordinario,
con diez hogazas que me embie, sienta
que a seys brauos soldados alimenta" (G. E., 104, 1-8).

"Yo, señor, bien puedo
hablar, pues soy soldado
tal, que a la hambre sola tengo miedo" (G. E., 125, 18-20).

"Quien quisiere se le quite
todo temor, todo miedo,
tenga hambre, y verá cómo
cessa en todo en no comiendo" (G. E., 130, 1-3).

La ironía cervantina no se olvida del miserable destino de los cautivos, que tan mal recuerdo tenía para él:

"Pobretas almas de Oran,
que estays en vuestra estrecheza" (G. E., 65, 16-17).

Ya en *La Galatea* se perciben los indicios de una autobiografía cervantina en la que el desengaño es manifiesto:

"vn pastor amigo mio que Lauso se llama, el qual, despues de hauer gastado algunos años en cortesanos exercicios, y algunos otros en los trabajosos del duro Marte, al fin se ha reduzido a la pobreza de nuestra rustica vida, y, antes que a ella viniesse, mostro dessearlo mucho..." (*Gal.*, II, 35, 2-8).

Las apariencias caballerescas

La injusta pobreza que le persigue es la causa principal que acaba con la moral y la entereza del hidalgo, y la que implacablemente va liquidando esta posible burguesía española. La sencilla vida que vemos descrita en el capítulo del hidalgo del verde gabán, deja paso a esa hipócrita estampa del noble arruinado de honra espantadiza. Como el licenciado Vidriera, "el vaso quebradizo de su cuerpo" les hacía suspicaces e hipócritas:

> "Segun esso, Bergança, si tu fueras persona, fueras hypocrita, y todas las obras que hizieras, fueran aparentes, fingidas y falsas, cubiertas con la capa de la virtud, solo porque te alabaran, como todos los hypocritas hazen" (C. E., 186, 10-14).

El propio Cervantes se deslizó a menudo en este punto. Las apariencias sociales fueron la obsesión de toda su vida; el principio moral que poco a poco fué imponiéndose a los demás. La honra que en Calderón tomará categoría trágica, linda en Cervantes con la picaresca. Ya que no se pueda ser caballero, viene a decirnos en una infinidad de pasajes, por lo menos hagamos todo lo posible por parecerlo:

> "cuando todo corra turbio, menos mal haze el hipocrita que se finge bueno que el publico pecador" (Q. M., III, 305, 23).
>
> "que tal vez la buena fama se engendra de la mala ventura" (*Persiles,* II, 172, 2-3).

Llegando en algún caso a afirmaciones de excesivo realismo:

> "mucho mas dañan a las honras de las mugeres las desembolturas y libertades publicas que las maldades secretas" (Q. M., III, 276, 5).

Su pesimismo en este aspecto es notable. Vemos en él el reflejo de las mil penalidades que su vida, en muchas ocasiones miserable, le proporcionó. Especialmente su odisea de Valladolid, en donde el pobre hidalgo de gotera se vió envuelto por un ambiente de dudosa moralidad familiar.

En algunos pasajes trata de reaccionar, sin gran convencimiento ni eficacia:

> "La hora puedela tener el pobre, pero no el vicioso; la pobreza puede anublar a la nobleza, pero no escurecerla del todo" (Q. M., III, 31, 16).

Claramente nos da su filosofía de las apariencias en el comentario de Sancho:

> "Señor, yo no se por que quiere vuestra merced acometer esta tan temerosa auentura; aora es de noche, aqui no nos vee nadie, bien podemos torcer el camino y desuiarnos del peligro, aunque no beuamos en tres dias; y pues no ay quien nos vea, menos aura quien nos note de cobardes" (Q. M., I, 262, 29).

Y en su primera descripción del Hidalgo no escatima las referencias al fondo engañoso de su fuerza:

> "de cartones hizo vn modo de media zelada, que encaxada con el morrion, hazian vna apariencia de zelada entera. Es verdad que para prouar si era fuerte y podia estar al riesgo de vna cuchillada, sacó su espada y le dió do golpes, y con el primero y en un punto deshizo lo que auia hecho en una semana; y no dexó de parecerle mal la facilidad con que le auia hecho pedaços, y, por asegurarse deste peligro, la tornó a hazer de nueuo, poniendole vnas barras de hierro por de dentro, de tal manera, que el quedó satisfecho de su fortaleza, y, sin querer haber nueua experiencia della, la diputó y tuuo por zelada finissima de encaxe" (Q. M., I, 53, 29).

Pícaros e hidalgos

Parece indudable que Cervantes era plenamente consciente de este fundamental dualismo de la vida española. No podemos pensar que sean simples casualidades tantas equiparaciones como hay en su obra entre los modos y el lenguaje de los pícaros y los caballeros. Contraluz desconcertante, que no sólo está en la base del *Quijote,* sino también en la de sus grandes novelas ejemplares: el *Rinconete y Cortadillo* y el *Casamiento engañoso.*

Si el propio Don Quijote es la contrafigura de Amadís, los pícaros de sus dos novelas ejemplares llevan en su ironía la crítica contra las apariencias cortesanas; son la parodia de los príncipes que imitan al Rey Arturo y de los hidalgos que aspiran a parecer caballeros de la Tabla Redonda.

Hay pocas escenas cervantinas que puedan compararse con la descripción de la casa de Monipodio, donde se reúnen los personajes del hampa sevillana. Dentro de una misma crítica genial aparecen envueltos los inseguros ideales de la caballería andante y la proletaria, materialista y negativa picaresca.

El señor Monipodio parodia, como Don Quijote, al Rey Arturo. Como él, tiene una autoridad parternal sobre sus caballeros del hampa:

> "No os aflijays hijo—dice a su nuevo discipulo—que a puerto y a escuela aueys llegado, donde ni os anegareys, ni dexareys de salir muy bien aprouechado en todo aquello que mas os conuiniere" (R. C., 260, 29-32).

Autoridad paternal que se convierte en justiciera en la ocasión oportuna, para dar a cada uno "lo que le tocare bien y fielmente" (R. C., 274, 7-8).

El lenguaje del pícaro es una extraña mezcla de formulismos serviciales, de fanfarronería y de filosofía popular y refranera.

"Alla vamos—dicen Rincón a sus primeros amos—, y seruiremos a vs. ms. en todo cuanto nos mandaren" (R. C., 222, 12-13). Fórmula cortés que no compromete a nada ni impide "cortar la balija" a la hora de despedirse. También es del gusto de los pícaros de la esportilla el presumir de atentos y esforzados trabajadores:

> "Cargue v. m. a su gusto—dice el mismo Rincon—, que animo tengo y fuerças para lleuarme toda esta plaça, y aun si fuere menester que ayude a guisarlo, lo hare de muy buena voluntad" (R. C., 230, 3-6).

Hablando entre sí, el lenguaje picaresco se ajusta escrupulosamente a la cortesía caballeresca, y suele estar colmado de una sana y honrada filosofía:

> "A la fe, Cipion—dice a éste su amigo Berganza—, mucho ha de saber, y muy sobre los estriuos ha de andar, el que quisiere sustentar dos horas de conuersacion sin tocar los límites de la murmuración" (C. E., 175, 12-15).

Filosofía que deja entrever, en algún añadido socarrón, la trastienda picaresca:

> "Pero si acaso por descuydo, o por malicia, murmurare—dice el mismo Berganza—, respondere a quien me reprehendiere, lo que respondio Mauleon, poeta tonto y academico de burla de la academia de los Imitadores, a vno que le preguntó que que queria decir *Deum de Deo,* y respondio que *dé donde diere*" (C. E., 165, 10-16).

La réplica de los torneos caballerescos es llevada a su más alto grado en las peleas de los "bravos", que lanzan sus desafíos de acuerdo con el estilo retórico de la época:

> "Cualquiera que se riere o se pensare reyr—exclama el Repolido—de lo que la Cariharta, o contra mi, o yo

contra ella hemos dicho, o dixeremos, digo que miente, y mentira todas las vezes que se riere o lo pensare, como ya he dicho" (R. C., 296, 4-8).

Casi en idénticos términos habla el propio espejo de la caballería, Don Quijote:

"que si otra cosa dixeres, mentiras en ella, y desde aora para entonces, y desde entonces para aora, te desmiento, y digo que mientes y mentiras todas las vezes que lo pensares o lo dixeres" (Q. M., I, 317, 1).

Las mismas reverencias y tratamientos cortesanos son usadas por pícaros y caballeros. Recordemos el famoso "¿Es vuessa merced por ventura landron?" (R. C., 242, 14), con que saluda Rincón a su introductor en la alta sociedad picaresca, y aquel significativo pasaje con que da comienzo su historia: "Yo, señor hidalgo..." (R. C., 214, 13).

Ni falta tampoco en la filosofía del pícaro el temeroso respeto al poder de las apariencias. La bien famosa Camacha, antes de morir, no se olvida de aleccionar a Berganza con estas sensatas normas:

"Mira, hijo Montiel, este consejo te doy: que seas bueno en todo cuanto pudieres, y si has de ser malo, procura no parecerlo en todo cuanto pudieres; bruxa soy, no te lo niego, bruxa y hechicera fue tu madre, que tampoco te lo puedo negar; pero, las buenas apariencias de las dos podian acreditarnos en todo el mundo" (C. E., 216, 8-14).

Poco a poco, la frontera entre caballeros, hidalgos y pícaros va siendo más difícil de precisar. Cervantes percibe ese claroscuro que apenas separa el mundo español de los hidalgos de gotera de esa otra realidad española, la picaresca, que no es más que la sombra, la descomposición del mundo caballeresco. Cuando Don Quijote explica al ventero las normas en que se ordena y los fines que persigue la andante caballería, éste traslada, punto por punto, a su mundo picaresco, toda la teoría del hidalgo:

> "... el, ansi mesmo, en los años de su mocedad, se auia dado a aquel honroso exercicio, andando por diuersas partes del mundo buscando sus auenturas, sin que huuiesse dexado los percheles de Málaga, islas de Riaran, Compas de Seuilla, Azoguejo de Segouia, la Oliuera de Valencia, Rondillo de Granada, Playa de San Lucar, Potro de Cordoua y las Ventillas de Toledo y otras diuersas partes, donde auia exercitado la ligereza de sus pies, sutileza de sus manos, haziendo muchos tuertos, requestando muchas viudas, deshaziendo algunas donzellas y engañando a algunos pupilos, y, finalmente, dandose a conocer por quantas audiencias y tribunales ay casi en toda España; y que, a lo vltimo, se auia venido a recoger a aquel su castillo, donde viuia con su hazienda y con las agenas, recogiendo en el a todos los caualleros andantes, de qualquiera calidad y condicion que fuessen, solo por la mucha aficion que les tenia, y porque partiesen con el de sus aueres en pago de su buen desseo" (Q. M., I, 68, 15).

Mística y picaresca

Sería reducir el alcance de la crítica picaresca asignarle, como único objetivo, el mundo caballeresco, nunca bien impuesto al mozarabismo toledano. Aun cuando sea de manera menos clara, retraídos los autores por un temor, que explica muchos de los anónimos en que tanto abunda este género, es evidente que también el idealismo cristiano es blanco de su sátira demoledora y equívoca.

El erasmismo, que tan a punto estuvo de derivar a la heterodoxia en la época del Emperador, impulsó complacidamente una crítica que ya contaba con fuerte tradición toledana. Como siempre, es indispensable retroceder a Juan Ruiz para encontrar la fuente, si bien en este caso el autor alcarreño se limita a una crítica clerical sin apenas intención trascendente (no hay verdaderos motivos para dudar de la sincera religiosidad del Arcipreste). Más adelante, en varios autores de la plena literatura picaresca, se advierte un sospechoso anticristianismo, o, al menos, una parodia de formas de vida, pensamiento y expresión tan esenciales, dentro del concepto católico, como es la mística. Cabe atribuir en parte este hecho al peculiar y equívoco mundo toledano, nunca enteramente cristianizado.

Un curioso reflejo de esta crítica actitud, si no contraria al menos irónica, de la picaresca frente a la mística, es el abundante uso de palabras, giros y formas de conversación que encierran una oculta e irreverente alusión a la vida religiosa. Ya vimos (págs. 147-9) un buen número de palabras del léxico eclesiástico que, con sentido erótico, incluye Francisco Delicado en esa extraña síntesis picaresco-celestinesca que es *La Loçana Andaluza*. Por un camino más moderado, pero de muy evidente intención, surgen en otros libros multitud de fórmulas coloquiales en que, por boca de pícaros, y con la consiguiente vuelta antifrásica, se ironiza a costa del peculiar estilo de que son máximos representantes los autores místicos.

Como siempre que nos enfrentamos con las raíces estilísticas de la literatura toledana, acabamos por hallar una fórmula equívoca, en que se confunden toda clase de valores, incluso aquellos de naturaleza contradictoria. Habituados a ver pasar tantas ideologías y tantas razas opuestas, la mentalidad de los "nuevos" castellanos encuentra fácilmente el camino de la síntesis, a menudo irónica y escéptica.

NOTAS FINALES

La fisonomía de Castilla la Nueva sufre un cambio muy intenso a partir del Renacimiento. Pierde paulatinamente sus características, en cierto modo autónomas, del período medieval, y se confunde con otras regiones de su contorno. La expulsión de judíos y moriscos; la fuerte unidad religiosa impuesta por el Concilio de Trento, la Inquisición y las nuevas Ordenes religiosas; la incorporación de la Península a la política imperial, uniforman y extreman el prototipo del español, apartándole de sus antiguas variantes regionales, especialmente en lo que se refiere a la amplia meseta central. La oposición entre ambas Castillas queda muy reducida, aunque conserve sus inamovibles determinantes geográficos.

El crecimiento absorbente de Madrid, metrópoli que desborda el sentido regional de Toledo, es otro factor decisivo de este nuevo concepto nacionalista. En la creciente capital no predomina el toledanismo, propio de su situación geográfica, debido a la fortísima inmigración de las diversas regiones peninsulares. Quedará, al fin, superpuesto el concepto de lo "madrileño", interregional y ciudadano, al de "castellano nuevo", limitado a unos reducidos núcleos campesinos, en todo dependientes de la capital.

Esta síntesis nacional, más o menos centralizada en la Meseta, que anula o sustituye al viejo concepto del Reino de Toledo, es rápidamente superada, a su vez, por el desbordamiento peninsular que suponen la colonización americana y las inacabables empresas de la Casa de Austria. Los antiguos límites pierden sentido; la Cordillera Central y el Tajo ceden todo su valor ante las dos grandes fronteras nacionales: los Pirineos y Gibraltar.

Pero la intensificación moderna del nacionalismo no ha logrado borrar las fuertes características regionales de la Península, producto de la lenta reconquista y de la propensión ibérica al individualismo local. Tampoco han variado en sus fundamentos geopolíticos los factores principales de nuestra historia medieval. El cruce peninsular entre Islam y Europa sigue peligrosamente abierto en ambas direcciones, y a la espectativa de cualquier nueva fragmentación regionalista.

* * *

Corresponde a esta evolución el cambio sufrido por las tendencias lingüísticas y literarias. La lucha teórica en torno a la "autoridad" del castellano viejo, del toledano o del andaluz es sólo un eco de la contienda real de estas mismas variantes, que se enfrentan hoy en dos campos de enorme trascendencia: el habla madrileña y el habla americana.

El apogeo teatral, síntesis de los temas peninsulares, contribuye a la fusión dialectal que rápidamente se produce. Es de notar, no obstante, que en la frontera lingüística, que Madrid acaba por representar, actúan tendencias andalucistas, cuya expansión coincide con la cada vez más intensa inmigración procedente de esta zona.

* * *

El cambio mental sufrido por la nueva sociedad castellana, que tiene su más típica representación en el período de Felipe II, limitó en gran medida la actitud crítica, peculiar de la literatura medieval y renacentista. Decrece también el amplio sentido humano que culminó en la obra y la figura del Arcipreste, y que llega, mitigado, a Cervantes. También se oculta, aunque sin llegar a desaparecer, la poderosa corriente erótica que representa el ciclo celestinesco.

Crece, por el contrario, el tema y el hábito social de la picaresca hasta convertirse en creación nacional por excelencia. A su cuenta habrá que atribuir una parte importante de nuestro atraso moral y económico. El peligroso desdoblamiento picaresco ha hecho, además, habituales los contrastes más extremos; ha dado carácter a un especialísimo modo de vivir español, en el que son posibles las mayores contradicciones.

* * *

En la estimación crítica de los "clásicos" de Castilla la Nueva, formados sobre un poderoso sedimento mozárabe cuya importancia no ha sido suficientemente destacada, hemos procurado, ante todo, recordar y reconstruir su mundo natural, de un realismo campesino que desborda el marco habitual de la crítica literaria. Sobre las fuentes bibliográficas hemos antepuesto la visión directa de los campos, de los caminos, de la vida en las aldeas, buscando acercarnos a la propia intención de los textos. A este propósito responden los varios capítulos en los que son los elementos naturales: plantas, cultivos, animales, labores del campo, es decir, modelos directos y familiares en que se mueve el autor a sus protagonistas, más o menos autobiográficos. Se trata de revivir, en lo posible, las mismas circunstancias en que la obra de arte se produce y alienta. Incluso hemos preferido, a menudo, buscar aquellas pruebas que todavía están vivas y actuales y que nos permiten reconstruir el interés real que en su tiempo tuvo un determinado autor. La mejor prueba de la esencial popularidad de un libro como *La Celestina* no sólo son sus traducciones y continuaciones en épocas pasadas, sino su continuidad en el pensamiento de hoy: sus versiones novelescas y escénicas, que consiguen interesar a públicos actuales. Otro tanto sucede con el *Libro de Buen Amor,* que ha probado su auténtica virtud creadora y popular al resistir con éxito una versión escénica moderna [5]. Estas son pruebas vivas sobre organismos que no han perdido su virtud; que no están fosilizados ni han roto su vínculo con nosotros.

Preferimos este género de crítica a la que sólo confía en el esfuerzo erudito, a menudo impulsada por un deseo negativo, de desmenuzar los textos con el solo objeto de quitarles mérito u originalidad; sin atender a su eficacia o a si están o no logrados en su totalidad. Actitud hostil frente a lo mismo que interesa, que poco puede dar de positivo.

---

[5] *Doña Endrina.* Versión escénica del *Libro de Buen Amor,* del Arcipreste de Hita, por Manuel Criado de Val. Estrenada en el teatro María Guerrero, de Madrid, por Dido, Pequeño Teatro, el 31 de mayo de 1960.

APENDICE

ESQUEMA VERBAL DE LAS JARYAS *

Se reúnen en el siguiente esquema todas las formas verbales y pronominales que aparecen en las transcripciones de Stern, Cantera y García Gómez. Apartadas de su contexto muestran más claramente estas formas su estructura sistemática y, también, la actual inseguridad de su transcripción.

Los números en negrita corresponden a la numeración de Stern; la numeración romana, a la de García Gómez.

Este Apéndice es una especie de ejemplo y complemento del capítulo III.

1

STERN	Ven ... veni ...	
CANTERA	Ven ... veni ...	el querer es

2

ST.	Gar si yes devina ...	devinas
CANT.	(Gar) sodes devyna ...	devynas
ST.	Gar me ... me vernad ...	meu ...
CANT.	Garme ... me vernad ...	meu ...

* En el campo románico la contribución más interesante al estudio de las jarŷas es el artículo de DÁMASO ALONSO: *Cancioncillas de "amigo" mozárabes (Primavera temprana de la lírica europea)*, en RFE, 1949, XXXIII, págs. 297-349.

3

St.	meu ... venid	
Cant.	meu ... venyd	
St.	... esid	
Cant.	... exyd	

4

St.	Garid vos	contenir a meu
Cant.	Garyd vos	contener a meu
St.	... vivireyu	advolarey demandare
Cant.	... vivré yu	ed volarei demandari

5 (XII)

St.	Venid	... sin ellu
Cant.	Vényd	ed vien (sin elu)
G. Gómez	Vénid	(ay, aun sin ellu)
St.		... por ellu
Cant.		¡com'cáned meu ... por elu
G. G.		laçrando meu ... por ellu

6

St.	... vivirayu	con este
Cant.	... vivráyu	con este

7 (XVIII)

St.		adormis a meu
Cant.		bebitex e durmís a meu
G. G.		non más adormes a meu

8 (XXII)

St.	Non me tangas	... esu
Cant.	Non me tanqas	fincad ý en esu
G. G.	No me tangas	yo no kero daniuso
St.		(su)
Cant.		baste tu (permisu)
G. G.		Bast, a toto me rifiuso

9

ST. Vaisse meu ... de mib si se me tornerad
CANT. Vayse meu ... de mib sise me tornarad

ST. ... me doled li yed ... sanarad
CANT. ... meu doler li yed ... sanarad

10

ST. enfermad
CANT. ——

11

ST. ... no quero tener
CANT. ... quen quier téned

ST. ... querid ... meu non querid
CANT. ... verad ... meu non verad

12

ST. ——
CANT. { me vid
tu vendid

13

ST. ——
CANT. Vayades

ST. ——
CANT. ca veré a

14

ST. Que faray mamma meu ... estad
CANT. Que faré mamma meu ... est'ad

15

ST.	Gar que farayu	este ... espero
CANT.	Gar que farayu	est' ... espero
ST.	... vivirayu	por el morirayu
CANT.	... vivrayu	por él morrayu

16

ST.	Que farayo o que serad de mibi	non te tolgas de mibi
CANT.	Qué faré yo o que serad de mibi	non te tolgas de mibi

17

ST.	... gar me d'on venis	ya lẽš que otri amas
CANT.	... garme de ón venis	ya l'-y-sé que otri amas
ST.	... a mibi tu no queris	
CANT.	... a mibi non queris	

18

ST.	Tan t'amaray, tan t'amaray	tan t'amaray
CANT.	Tant'amarí, tant'amarí	tant'amarí
ST.	... enfermeron ... cuidas	ya dolen
CANT.	... enfermeron	ya dolen

19

ST.	Vay ya	vay tu	non me tenes
CANT.	Ve, ya	ve tu	non m'tenes

20

ST.	Ya asmar	qui potrad levare'l
CANT.	Ya asmar	qui potrad levar

21 (VIII)

St.	Meu ... enfermo de meu amar	meu atar
" (variante)	Meu ... enfermo de meu amar	quen ad sanar
G. G.	Meu ... enfermo de meu amar	¿ke no d'estar?

St.(variante) ven ... (vengas) a mib que sanad meu legar
G. G. ¿Non ves a mib ke s'a de no legar?

22 (I)

St.	Meu sīdī ... yā tu	vent' a mib
G. G.	Mío sīdī ...	vente mib
St.	Non, si non queris yireym'a tib	gar me a ob legarte
G. G.	Non, si non queris irēme tib	garme a ob legarte

23 (II)

St.	Gar com levaray	Si non tu
G. G.	Gar cóm leváre	Si non tu

24 (III)

St.		querid
G. G.	os y entrad	kérid

25 (IV)

St.	meu ...	de meu ... este
G. G.	——	

26 (V)

St.	... gari	por que tu queris (yallāh) matari
G. G.	... gare	por qué tu me queres ... matare

27 (VI)

St.	——	
G. G.	Alsa-me mín	
St.	Que faray yā mamma	
G. G.	Ké farey, yā mamma	ben kero volare

28 (VII)

St.	Vay yā	
G. G.	Ven, yā ... k'est	kando vene pidi amore

29 (IX)

St.	Tan t'amaray illā
G. G.	Non t'amaréy

30 (X)

St.	Este ... este	... me
G. G.	Este ... este	... me

31 (XI)

St.	Si queris ... a mib	Bejame
G. G.	Si queres ... mib	Béŷame

32 (XIII)

St.	Non quero
G. G.	Non quero, non,

33 (XIV)

St.	——
G. G.	——

34 (XV)

St.	No	no me querid gair
G. G.	No se keda	no me kéred gaíre
St.	Non ayo ... dormir	
G. G.	No sey ... dormire	

35 (XVI)

St.	Quitad me ma alma	que faray ma alma
G. G.	¿Ki tuelle me ma alma?	¿ki quere ma alma?

36 (XVII-XIX)

St.	Non dormiray	
G. G.	Non dormiréyo	
	ya madre mia (XIX	

37 (XX)

St.	yā sīdī	
G. G.	yā sīdī	seréyo

38 (XXI)

St.	Ya mamma meu	vaisse y non tornadi
G. G.	Yā mamma, meu	se va y no puedo hacerlo tornar
St.	Gar que faray yā mamma	
G. G.	Gar ké faréyo, yā mamma	

39 (XXIII)

St.		me no feras
G. G.		**me no farás**
St.	**... beja ma boquella**	eu se que tu n'iras
G. G.	... besa ma bokella	eo sé que te no irás

40 (XXIV)

St.		mordentes
G. G.		mordientes
St.	——	
G. G.		¿quemantes?

41 (*Al-Andalus*, XIX, 2, 389)

St.	**... a mibi**	
G. G.	K'adamay ... ed él a mibi	kéredlo de mi vetare su ...

42

ST. ... meu gar que ḥi'llah que faray

43

ST. ... que queris bon amar el querer
d'amar

44

ST. sanaray

45

ST. me yiray
mamma gar que faray

46

ST. ——

47

ST. ven bejame

48

G. G. ——

49

ST. Garid me

50 (XXV)

ST.
G. G. Vestirey mew

(XXVI)

G. G. ——

INDICE ANALITICO

INDICE DE LAMINAS

INDICE GENERAL

Págs.

PARTE PRIMERA

LA DUALIDAD CASTELLANA

PARTE SEGUNDA

FISONOMIA DE CASTILLA LA NUEVA

Págs.

Págs.